W9-AGT-980

Les Éditions du Boréal
4447, rue Saint-Denis
Montréal (Québec) H2J 2L2
www.editionsboreal.qc.ca

CHAMPAGNE

DU MÊME AUTEUR

Sans cœur et sans reproche, nouvelles, Québec/Amérique, 1983, prix Adrienne-Choquette et Grand Prix du *Journal de Montréal.*

Le Sexe des étoiles, roman, Québec/Amérique, 1987.

Homme invisible à la fenêtre, roman, Boréal, 1993; coll. « Boréal compact », 2001, Prix des libraires du Québec 1994, prix Québec-Paris 1993, prix littéraire Desjardins 1994.

Les Aurores montréales, nouvelles, Boréal, 1996; coll. « Boréal compact », 1997.

Le cœur est un muscle involontaire, roman, Boréal, 2002; coll. « Boréal compact », 2004.

Monique Proulx

CHAMPAGNE

roman

Boréal

L'auteure remercie le Conseil des arts et des lettres du Québec pour son aide.

Les Éditions du Boréal reconnaissent l'aide financière du gouvernement du Canada par l'entremise du Programme d'aide au développement de l'industrie de l'édition (PADIÉ) pour ses activités d'édition et remercient le Conseil des Arts du Canada pour son soutien financier.

Les Éditions du Boréal sont inscrites au Programme d'aide aux entreprises du livre et de l'édition spécialisée de la SODEC et bénéficient du Programme de crédit d'impôt pour l'édition de livres du gouvernement du Québec.

Dépôt légal : 1er trimestre 2008
Bibliothèque et Archives nationales du Québec

Diffusion au Canada : Dimedia
Diffusion et distribution en Europe : Volumen

Catalogage avant publication de Bibliothèque et Archives nationales du Québec et Bibliothèque et Archives Canada

Proulx, Monique, 1952-

Champagne

ISBN 978-2-7646-0581-3

I. Titre.

PS8581.R688C52 2008 C843'.54 C2008-940271-5
PS9581.R688C52 2008

Il faut habiter poétiquement la terre.

HÖLDERLIN

LILA

La clé

Lila Szach aimait les chemins qui montent. Tant de choses dans la vie, y compris la vie elle-même, ne font que descendre. Elle aimait les chemins ensoleillés qui montent, et celui-ci, justement, ne montait pas. Il s'enfonçait, noir, sous des murs d'arbres compacts, il plongeait dans des entrailles végétales suspectes d'où on ne pouvait émerger qu'à moitié digéré. Déjà, des régiments d'insectes tout en dards et en vrombissements se précipitaient à leur rencontre.

Le propriétaire du chalet les attendait en bas, au fond du gouffre. Lui aussi avait son bataillon de mouches noires lui guerroyant autour, mais cela ne semblait pas l'incommoder. C'était un vieil homme. Il faut être vieux pour avoir l'habitude des gouffres. Bardés de verres épais, ses yeux de raton laveur les regardèrent approcher sans leur sourire. D'ailleurs, tout le temps que dura leur rencontre, il ne sourit pas, sauf une fois, très brièvement, lorsqu'elle mentionna qu'elle avait un chat.

Elle crut voir à côté de lui une chaloupe rouge,

couchée sur le flanc comme une agonisante, et en arrière-plan de l'eau, mais elle n'aurait juré de rien tant le rideau d'insectes carnivores se faisait opaque entre l'univers et eux. Il les entraîna plus avant dans la jungle, sautillant sur les rochers glissants, acrobate aérien traînant dans son sillage des balourds peu doués, et bientôt il s'arrêta, le bras cérémonieusement tendu car le lac était devant eux, encastré dans de molles montagnes. Un lac gris et grand, cerné de vert, du vert partout, uniformément vert. Des arbres, oui, mais pas de cette espèce hospitalière qui sert à donner de l'ombre et à accompagner des collations champêtres. Non. Des choses drues, maigres, au long cou tendu avidement vers la lumière, tissées tellement serré qu'elles ne pouvaient que renfermer des créatures enragées par la claustrophobie. *Le lac,* dit-il. Puis, levant son autre bras : *Le camp,* dit-il, et ils virent que l'unique chalet était là, au fond de la baie, comme effrayé par son audace, tentant de se dissimuler parmi la végétation.

Pour trente mille dollars il leur laissait tout : la chaloupe épuisée, les kilomètres d'arbres étouffants, de lac gris, de moustiques à nourrir. Et le *camp,* bien sûr, dans lequel ils finirent par échouer, trop heureux de panser leurs blessures de guerre — sauf lui, intact en apparence, qui leur prépara un thé noir tandis qu'ils grattaient leurs piqûres. Le chalet sentait le mulot et le prélart moisi. Ils avaient une jolie vue, ils voyaient le lac, et tout ce vert partout autour — du vert, une couleur après tout écologique, et qu'on dit si reposante pour les yeux.

Celui qui était avec elle dit : *D'accord.* Elle ne protesta pas, car l'argent n'était pas à elle, et puis l'été suffocant leur était tombé dessus et il fallait bien fuir quelque part. Mais l'été passerait en trombe comme tous les autres et après ils revendraient, tout se vend et se revend, même son âme. Le vieil homme sortit une clé et demanda en ne regardant qu'elle : *Aimez-vous vraiment ça ?*, et son regard n'avait jamais été si peu souriant et si hostile, et celui qui était avec elle répondit : *Bien sûr qu'on aime ça.* Le vieil homme posa la clé à côté d'elle sans la toucher, il reporta ses yeux sévères sur le lac sans plus les regarder et elle comprit soudain qu'il ne souriait pas parce qu'il avait de la peine.

Le camp et le lac étaient loin du village, et ce village n'était pas beau. Il abritait bien une église de bois, un commerce pour acheter du pain blanc et du bœuf, et quelquefois des bacs à fleurs devant des maisons de bois décolorées, mais là s'interrompait l'esthétique. Les deux échantillons humains qu'elle rencontra en achetant du pain n'étaient pas beaux non plus. Le premier demanda à l'autre, qu'il connaissait visiblement depuis longtemps : *As-tu tué ?* et l'autre répondit : *Ben non !* avec force détails désolés, et elle sut tout de la chasse à l'ours telle que pratiquée glorieusement dans ce coin de pays, il suffisait d'attirer les ours avec des affaires qui puent, et les ours, qui sont de mécréantes bêtes aimant les affaires qui puent, accouraient se faire nourrir d'une main et tirer de l'autre.

Des ours, elle n'en croisa guère cette première soirée où ils prirent possession des lieux, mais ce fut là la seule espèce vivante, à vrai dire, à faire preuve de discrétion. Ce bord de lac était en fait un zoo à aire ouverte dans lequel les insectes n'étaient pas les moins représentés. Ils œuvraient selon des horaires scrupuleux, les moustiques succédant aux mouches noires qui elles-mêmes relevaient les mouches à chevreuil, course à relais enlevée où l'on se passait le flambeau de la chair humaine. Il y avait aussi des papillons de nuit grands comme des chauves-souris et d'énormes hannetons aveugles dont les corps replets venaient buter sans cesse contre eux ; mais ceux-là, au moins, ne se nourrissaient pas. Plus tard, ils découvriraient dans le chalet des fourmis charpentières occupées à grignoter la totalité des poutres. Mais en attendant, au cours de cette nuit inaugurale, le chalet leur sembla un refuge presque rassurant, une loge un peu retirée d'où l'on pouvait observer sans trop de risques les défilés de la vie sauvage. Une famille de mouffettes musarda un moment dans les fourrés en échangeant des grommellements. Quelque chose d'amphibien traversa le lac. Quelque chose d'ailé lâcha dans leurs fenêtres un cri d'égorgé. Quelque chose de gros vint carrément frapper à leur porte : un porc-épic au pelage délavé et aux appétits opiniâtrement dirigés vers la colle de leur contreplaqué. Elle ne dormait pas. Son chat non plus ne dormait pas, engagé dans un safari excitant avec la colonie de mulots. Celui qui était avec elle ronflotait du sommeil paisible des intégrés. La nuit passait, de plus en plus blanche, et elle ne dormait pas.

Il n'y avait pas de place pour elle dans tout ce

fourmillement, elle était une intruse rejetée à jamais dans l'insomnie, une maladie combattue par les anticorps d'un organisme monstrueux.

Le matin suivant, elle était sur le quai à s'asperger d'eau froide lorsque le soleil la surprit. C'était un 10 juin, et ce soleil de juin était une flèche qui embrase, et voilà que la forêt prit feu, avec le lac et tout ce qui vivait autour. Dans la lumière de l'incendie, il n'était plus possible de ne pas voir. Elle vit des papillons à queue jaune, des oiseaux symphoniques, des lucioles accouplées et des libellules hélicoptères, elle vit les bourgeons neufs des épinettes étincelant comme des bagues, et tellement de couleurs et de bruissements, partout, une débauche de vies triomphantes. Dans le soleil de l'incendie, il n'était plus possible d'ignorer plus longtemps que cet endroit broussailleux, encombré, primaire, était en réalité un paradis, un jardin sacré dont on lui avait miséricordieusement confié la clé. À cause du soleil, elle s'étendit sur le quai, en ce 10 juin, et elle vit tout ce qu'il y avait à voir. Elle vit le sentier qu'emprunte chaque matin l'orignal pour aller boire, les chanterelles et les cèpes champignonnant dans la mousse, elle vit la chaloupe rouge qu'ils ravauderaient chaque printemps comme une part d'eux qui fuit mais qui persiste, elle vit toutes les fissures par où se faufiler pour comprendre le monde. Elle vit cette vieille dame qu'elle serait un jour, sautillant sur les rochers glissants d'un pas aérien, environnée de mouches noires qui ne la touchent pas.

JUIN

La Forêt interdite

La Forêt interdite commençait de l'autre côté de la butte, là où son oncle faisait pousser du *pot* au milieu des herbes sauvages. Jérémie avait reconnu les plants au premier coup d'œil, depuis le temps que leurs petites mains maigres se déployaient partout dans le salon chez lui. Chez lui, son père les trimait avec un amour qu'il ne montrait à rien d'autre, et il les déplaçait à tour de rôle sous les halogènes les plus bénéfiques, et il les fumait bien entendu quand il croyait Jérémie trop endormi pour sentir leur odeur de caoutchouc sucré. Son père, passe encore, son jeune père enfantin, toujours sur le point de pleurer ou de rire. Mais lui, le costaud, le prototype de l'homme parfait, mononcle Simon ! Jamais il n'aurait cru que mononcle Simon serait assez faible pour s'appuyer sur cette béquille-là. Tant pis, c'étaient après tout leurs affaires, des affaires d'adultes déprimants, sans intérêt.

La Forêt interdite s'ouvrait ici à ses pieds par un sentier bien marqué qui disparaissait vite dans les ténèbres. Avec un frisson d'effroi savoureux, Jérémie s'y enfonça, abandonnant pour toujours le soleil derrière lui.

Reste dans le sentier, avait ordonné son oncle. Ces mots-là l'avaient enchanté, parce que c'était exactement ceux qu'entendait Harry Potter, les rares fois qu'il osait s'engager dans la maléfique forêt de Poudlard. *Ne va pas plus loin que le pont de bois,* avait-il ajouté, un interdit inédit que Jérémie allait sûrement transgresser. Sinon, à quoi servait l'aventure, et que valaient d'ailleurs les interdits d'un fumeur de *pot*?

C'était comme de se glisser dans le ventre d'un château moisi.

Derrière lui, on ferma de grandes portes humides et il fut aussitôt enveloppé de silence et d'odeurs. Et de vert. Une embuscade de galeries vertes et de longues colonnes tordues enserrait des rochers géants et courait en débandade, à perte de vue. Toute trace humaine tenait maintenant à ce fil ténu, à ce sentier à moitié grugé par l'autre monde, l'autre règne. Le règne végétal. Le règne végétal portait bien son nom, c'était démesuré et c'était vivant, proliférant sans retenue comme si les villes n'existaient pas.

Il avança. Des parfums erraient comme des gaz. Les feuillages au-dessus de sa tête s'agitaient sans raison apparente. Le silence impressionnant n'était pas du tout un silence quand on écoutait vraiment, toutes sortes de créatures conversaient, craquetaient et s'interrompaient quand on passait trop près. Pas seulement des oiseaux. Il aurait pu avoir peur, pour de vrai. Il pouvait très bien imaginer à quoi ça ressemblerait d'avoir peur pour de vrai en ce moment, seul de son espèce parmi des milliers d'arbres. Si on jouait avec la peur, en se protégeant d'elle un peu, on pouvait la transformer en plaisir. C'est ce qu'il avait fait quand les flammes s'étaient mises à grandir autour de lui, dans sa vie précédente. Celui qui a traversé les flammes dans une vie précédente est sûrement apte à traverser les arbres.

Il tâta le canif dans sa poche. Il sentit le poids rassurant de son sac, chargé de jus et de provisions. Où avait-il la tête? Il lui fallait sans tarder une baguette magique, Dieu merci elles abondaient de chaque côté du sentier. Il en choisit une effilée mais solide parmi les branches mortes, et remercia le vendeur invisible en lui remettant un *gallion* d'or, invisible lui aussi. Maintenant, il était prêt.

C'était un sentier fascinant, contenant juste assez de monstres pour garder sur le qui-vive sans donner de sueurs insupportables, tantôt fermé comme un poing sombre entre les conifères touffus, tantôt ouvert à l'infini sur des clairières bienveillantes où le soleil s'engouffrait par coulées. Au moins deux fois, Jérémie fut tenté d'aller se perdre dans ces grands terrains de jeux lumineux, mais pas si fou, ce n'était pas parce qu'il venait de la ville qu'il allait oublier les Sombrals et les Centaures traîtreusement arc-boutés, pour sûr, derrière les longs troncs épars. Il resta sur le sentier sinueux, l'attention un peu en berne, des ondes de détente dans son corps content, et c'est ainsi que quelque chose le fit sursauter et trébucher. Étalé de tout son long, il brandit son canif devant lui, mais l'assaillant n'était qu'une grosse racine sur laquelle son pied avait dérapé. *Qu'une racine,* tu veux rire. Une racine, c'était vivant puisque ça appartenait à un arbre, et quantité d'arbres étaient des créatures ensorcelées et malveillantes. Jérémie suivit la racine des yeux : elle appartenait à ce sapin-ci ou à cet autre, ou peut-être à ce grand feuillu devant ou à celui-là, comment savoir, d'ailleurs elle n'était pas seule, le sentier au complet reposait sur des racines que des mousses et des aiguilles de pin reliaient entre elles comme des peaux de tambour. Jérémie fut parcouru de picotements d'effroi : TOUT était vivant ici, comment avait-il pu relâcher sa vigilance ? il était entouré d'êtres végétaux saturés de poisons et de sèves vénéneuses, déguisés en fougères, en arbustes, en taillis de fleurs inconnues, en mousses et en ARBRES, en ARBRES partout, qui frémissaient sous l'effet d'un petit vent invisible avant de s'entortiller autour de lui pour l'asphyxier. Il reconnut pourtant des fraises sauvages, dans un coin plus dégagé du sentier, et il osa l'empoisonnement en avalant quelques fruits à peine rouges, mais rien d'autre ne se produisit qu'une délicieuse acidité dans sa salive. Il joua à être empoisonné quelques minutes, tombant sur le sol et s'y tortillant avec des gargouillis de détresse, et soudain, il le vit. Un vrai animal. Un être gracile et joli, qui le fixa de ses grands yeux doux une éternité avant de disparaître sans bruit entre les arbres, le pompon de sa queue blanche battant contre son derrière. Jérémie n'avait jamais vu de vrais chevreuils, et celui-ci en était un, et il resta assis par terre un long moment le sourire aux lèvres, terriblement heureux sans savoir pourquoi.

Il recommença à marcher, mais ce n'était plus pareil. La sensation de bonheur étrange flottait quelque part dans sa tête, indélogeable, l'empêchant de deviner les ennemis probables, ou mieux, les tenant à l'écart. Il entendit le pont avant de l'apercevoir, d'abord un mugissement sourd bientôt compliqué par une giclée de notes cristallines, et tout à coup la petite armature de bois semblable à une illustration de calendrier se dressa devant lui, enjambant un torrent, un torrent miniature mais un torrent quand même, hérissé de rochers et d'écume blanche, troué de nappes d'eau tranquille dans lesquelles devaient grouiller les truites. Il eut tout de suite envie de s'asseoir sur le plus gros des rochers pour manger et refaire ses forces, comme il se doit chez les sorciers, et puis aussi pour *ça*. La sensation de bonheur étrange le ramenait à *ça*, à ce moment du printemps dernier où il avait été si heureux qu'il ne cherchait qu'à le revivre chaque nuit avant de s'endormir, loin des yeux de son père. Ici, c'était encore mieux que la nuit, mieux que son lit étriqué, c'était ici que ça reviendrait le plus fort, et qui sait, que ça l'emporterait pour de bon.

Le printemps dernier, il était mort. Il était mort assez longtemps pour en recevoir un savoir indestructible qu'aucune école ne lui donnerait jamais. Il *savait* maintenant comment c'était, être mort.

C'était extraordinaire.

Juste avant, bien entendu, c'était épouvantable, les

poumons en manque d'air, la poitrine sciée en deux, la chaleur paniquante, mais dès qu'on arrêtait d'avoir peur et qu'on décidait d'y aller, ça y était. Disparue la douleur, inutile la quête de l'air. On se trouvait tout à coup ailleurs. Le plus drôle, c'était de se trouver ailleurs tout en constatant que son corps, recroquevillé par terre, n'avait pas suivi. Mais on oubliait vite le corps et ce qui restait derrière, parce que là où on se trouvait, c'était accueillant de partout, transpercé de lumière — pas des spots aveuglants comme dans un spectacle ou de ces petits halos tamisés qu'affectionnait sa mère pour lire, non, de la lumière chaude, un bain de caramel doré, peut-être tout simplement une portion de soleil descendue jusqu'à lui. Et là, ils l'attendaient tous. Sa grand-mère Marie, son oncle Ti-Loup, le cou toujours orné de tatouages en forme de serpents, son ami Marc qui s'était noyé l'automne précédent dans la piscine du gymnase, et même Gilles Potvin, le voisin de la rue Marquette, qui n'était même pas mort. Et d'autres, aussi, qu'il ne connaissait ou ne reconnaissait pas, des êtres joyeux se pressant autour de lui avec des rires et de l'amour, amour oui, jamais il n'avait été accueilli quelque part avec autant d'amour. Et de légèreté. Il avançait avec une légèreté surprenante, il était une plume, un mouton de poussière, il était un ange sans ailes ni balai magique, il flottait dans l'amour de tous et lui aussi débordait d'amour, il n'y avait plus de différence entre eux et lui dans cette légèreté ensoleillée là, ils formaient tous une vraie famille comme il s'apercevait qu'il n'en avait jamais eu. Mais quelqu'un, était-ce

Mamie Marie ou tante Réjane? quelqu'un dont le visage s'estompait maintenant à chaque évocation lui avait dit qu'il ne pouvait pas rester, et ça s'était donc terminé abruptement, sans qu'il ait pu protester ou saluer Marc ou embrasser Mamie, il avait perdu le bonheur d'un seul coup et réintégré la carapace étouffante de son corps.

Après, la première chose qu'il avait aperçue, c'était au-dessus de lui le visage de son père dévasté par l'inquiétude, une telle inquiétude que ça devait aussi être une forme d'amour un peu poqué. Le visage de son père lui avait semblé pitoyable, comme si c'était lui, l'enfant, bien plus que Jérémie. Et il ne lui avait rien raconté, ni à ce moment-là ni plus tard, car on ne raconte pas son voyage dans la mort à un enfant.

Il avait su plus tard que le voisin Gilles Potvin était mort d'une crise cardiaque, la même journée. Mais personne ne lui avait dit pourquoi le voisin Gilles Potvin, lui, n'avait pas eu à revenir de là-bas, le chanceux.

Chaque fois qu'il tentait de se repasser le film, il en perdait des bouts. Aujourd'hui c'était la robe de sa tante qui n'avait pas retrouvé sa couleur, et l'éclat des sourires s'était à ce point terni qu'il n'y avait plus moyen de savoir si les dents de Marc avaient encore dans la mort les barbelés qu'on leur avait infligés dans la vie. Des morceaux entiers de la cohorte bienveillante qui l'avait accueilli avaient ainsi fini par se dissoudre, il ne savait plus qui était avec lui et qui parlait et si quelqu'un parlait finalement, les détails tombaient un à un, victimes du trou noir. Les détails tombaient mais la sensation de bonheur, elle, revenait intacte, diamant solitaire de plus en plus réfractaire aux descriptions.

Maintenant, le film avait bel et bien expiré, peu importent ses efforts de concentration pour le rembobiner. Il se retrouva de nouveau sur le rocher au-dessus des bouillons d'eau, étonné de mâcher un bâton de carotte insipide en alternance avec un demi-sandwich au fromage. Sa baguette magique était tombée dans l'eau. Il se sentit abattu, quelques minutes. Puis il se rappela qu'il était un sorcier, et rien d'ennuyeux ne pouvait lui survenir longtemps. D'abord, il fallait récupérer sa baguette et changer ce jus de pomme soporifique en jus de citrouille *(Citrouillus!)* ainsi que ces fades raisins secs en chocogrenouilles *(Morniflus!)*. Et poursuivre sa route bien au-delà du pont de bois, puisque c'était interdit.

Le sentier bifurquait à gauche, comprimé entre des fougères qui lui arrivaient aux aisselles et des plaques de mousse de la grandeur d'un tapis de salon. Impossible de ne pas se blottir un moment parmi les fougères, au cas où s'y seraient dissimulés des géants, et de ne pas se rouler au moins dix fois dans le moelleux de la mousse, question de s'enduire de protecteur à araignées. Car tous les sorciers, même les plus nuls, savent que la Forêt interdite est le domaine des Araignées effroyables, réputées pour leur tolérance zéro à l'endroit des humains.

Jérémie avançait maintenant avec assurance entre les arbres, comme si la forêt rapetissait ou que lui grandissait au point d'envahir l'espace et de commander aux mystères. Il savait qu'il fallait se préparer à une attaque imminente, et il ahanait sur le sentier qui s'était mis à monter dru, le nez vissé au sol que des insectes occasionnels qui n'étaient pas des araignées traversaient en se tortillant ou en cavalant raide, pas assez raide pour échapper à son talon vengeur. Quand il s'arrêta, le souffle court, il était arrivé à un plateau envahi par de grands érables. Derrière lui, comme par une fenêtre de gratte-ciel, s'étendait un vallonnement de verdure brisé soudain par la large flaque scintillante du lac, d'un argenté soyeux de patinoire. De là-haut, tout était beau et tout brillait, les quais des deux chalets bleus, l'île aux huards, et ce vaste pan rocheux qui ressemblait à un village de marbre. De saisissement, il s'accroupit au milieu du sentier, et il sursauta en découvrant qu'un chat l'observait, assis tranquillement sur une souche à quelques pas de lui. Un chat gris, barbouillé de blanc sans cohérence, comme s'il avait buté contre un pot de peinture en cours de route. Un chat!... Qu'est-ce qu'un chat domestique osait fabriquer en plein pays magique des Dragons, des Licornes et des Araignées géantes? Jérémie se leva, baguette brandie, mais le chat avait déjà filé entre les arbres, esquivant l'incantation mortelle qui lui fondait dessus.

Il avait bien fait de s'approcher du chat, et surtout de la souche qui lui servait de trône, car c'est par là qu'elles voyageaient clandestinement. Pas tout à fait des araignées, pour être honnête, et même tout à fait des fourmis, mais bon, fourmis et araignées appartenaient à la même espèce noire et foisonnante, toujours prêtes à squatter les maisons de leur minuscule présence répugnante. D'ailleurs, qui pouvait affirmer que ces fourmis-là n'étaient pas des araignées déguisées en fourmis ? Qui ?

Pour l'heure, elles voyageaient sans lui prêter la moindre attention, petite houle de pattes et de corps durs s'enfonçant dans les méandres de la souche et en émergeant sans discontinuer. Jérémie vit avec stupeur qu'elles formaient un ruban entre la souche et la forêt, mais un ruban interminable, décourageant à suivre tant il disparaissait loin dans des arbustes impénétrables. Sur cette autoroute à double voie à laquelle ne manquaient que les péages et les feux de circulation, elles allaient et venaient en une masse compacte et disciplinée, chacune dans son couloir, ne se dépassant pas, se heurtant de temps à autre, dans lequel cas les voyageuses accidentées se contentaient de se tâter brièvement des antennes avant de reprendre leur route. Celles qui arrivaient à la souche portaient souvent des brindilles ou de petits trucs informes entre leurs mandibules, celles qui partaient de la souche voyageaient les mains vides. Jérémie plaqua son bâton au milieu de l'autoroute. Les fourmis ne prirent qu'une fraction de seconde à l'intégrer à leur itinéraire. Il se planta tout entier dans leur chemin : il y eut un flottement chez les bestioles les plus proches interrompues dans leur élan, une inspection de pattes et d'antennes circonspectes sur ses running shoes, mais trois secondes plus tard, elles optaient sans plus d'angoisse pour un crochet autour des obstacles, imitées bientôt par l'ensemble de leurs congénères. Jérémie écrasa l'une des fourmis, pour voir.

L'écrasée ne réagit évidemment pas, et les autres poursuivirent leur route têtue comme si de rien n'était.

Qu'attendaient-elles pour l'attaquer ? Ne voyaient-elles pas à quel point il était gros ? Qu'y avait-il de plus menaçant que lui sur ce sentier qu'elles arpentaient en soldats aveugles, en zombies ? Jérémie eut l'intuition d'un univers complexe gravitant à jamais en parallèle avec le sien, une civilisation de codes et de motivations qui l'excluait totalement. On pouvait donc être minuscule et vivre autant que lui, peut-être mieux que lui, au sein de mystères jalousement gardés ? Il en ressentit un début de respect, qui se mua lentement en irritation, puis en colère tandis qu'il les regardait s'activer avec une détermination de travailleurs. Il commença à écraser systématiquement ce qui bougeait à sa portée. L'information circula jusqu'aux fourmis les plus éloignées sur le sentier, et bientôt toutes surent que la guerre était sur elles. Elles se dispersèrent rapidement de chaque côté de leur autoroute, Jérémie à leurs trousses, les traquant dans leurs repaires d'herbes et de mousses, les laissant à demi écrabouillées, les pattes faiblement agitées de S.O.S. Une faim immense, une avidité de pouvoir s'était emparée de lui, et il n'épargna pas les valeureuses qui traînaient leurs blessés et leurs morts jusqu'à la souche pour les enterrer ou les manger, il n'épargna pas les kamikazes qui avaient grimpé sur ses jambes pour le mordre, il n'aurait épargné ni les femmes ni les enfants s'il avait su les reconnaître. Bientôt, quand les victimes potentielles se firent invisibles sur le sentier, il s'attaqua à la souche. Il l'éventra à grands coups de baguette magique, et quand la baguette cassa, il prit une branche plus costaude pour poursuivre le travail, et les fourmis sortaient par dizaines, par centaines de leur maison démolie, en état bien évident de panique, s'égarant dans tous les sens, transportant des œufs entre leurs mandibules, l'attaquant aussi, de leurs morsures dérisoires, qu'il balayait d'un revers de main. Il reconnaissait ce sauve-qui-peut désespéré, il l'avait vu à la télévision dans des films de guerre ou dans les actualités au sein de pays barbares, et c'était étrange de constater à quel point les fourmis et les humains se ressemblaient quand il s'agissait de panique. Étrange aussi, et source d'un contentement féroce, de se savoir l'instigateur de cette panique, de se savoir enfin reconnu et craint. Tout le temps que dura l'extermination, une voix forte criait en dedans de lui : *Je suis là ! Regardez comme je suis là !* et quand il s'arrêta, plus rien ne bougeait de l'amas de bois pulvérisé qu'était devenue la souche, et les bras lui faisaient mal.

Quand il s'arrêta, l'excitation et le contentement s'arrêtèrent aussi, et ne subsista qu'un creux fatigué dans son corps. Il aurait voulu s'étendre pour dormir un peu, mais l'endroit — un cimetière de fourmis ! — n'était plus propice au repos. Les mouches noires avaient commencé à infiltrer ses vêtements et ses cheveux. Il convoqua Jerry Potter pour retrouver un peu d'allant, mais Jerry Potter faisait partie d'un jeu qui n'avait plus envie d'être joué. Il tenta de raviver sous ses yeux l'image gracieuse du chevreuil, entrevu plus tôt et disparu trop vite. Quelque chose de léger avait été perdu, qui ne semblait pas vouloir être retrouvé. Alors il pensa aux garçons et aux filles de sa classe, Tania, Jérôme, Pedro, Ying, Ahmed, en ce moment à l'école en train de préparer les examens de fin d'année, et pour la première fois depuis l'incendie, il regretta de n'être pas assis parmi eux, dans la bruyante solidarité de la ville. Il regarda le soleil encore aveuglant dans le ciel, désespérément immobile. Il se rappela qu'il était convalescent et peut-être à bout de forces. Il était temps de rentrer.

Il revit le chat. Le même chat gris et blanc, revenu sans qu'il s'en aperçoive, et même plus gros qu'avant, on aurait dit, l'observait de ses yeux jaunes accusateurs. Il avait assisté à tout, sans doute projetait-il de venger le massacre de ses alliées les fourmis. Jérémie en retrouva un sursaut d'énergie, et il se mit à le poursuivre avant d'être poursuivi lui-même, hurlant de frayeur plus que de colère. Il courut un moment derrière le chat, et tout à coup une voix l'interpella, pas une voix de chat, une voix humaine, assez puissante pour qu'il n'ait d'autre choix que de s'arrêter pile. Une femme se trouvait à quelques pieds de lui, accroupie dans un talus. Elle se déplia avec lenteur, interminablement, de la façon dont se déplieraient les troncs d'arbres s'il leur était permis de s'incliner, et enfin elle fut debout. Derrière elle, Jérémie eut la vision furtive d'une maison blanche barricadée avec des fleurs au milieu d'une clairière, et il sut du même coup qu'il se trouvait exactement là où il n'avait pas le droit d'être, chez madame Szach, celle à qui appartenaient les deux tiers du lac.

— Viens ici, dit le grand tronc d'arbre.

C'était décidément le genre de voix qui vous pulvérise ou vous *pétrifixe* sans vous laisser de chance. Il s'approcha, à contrecœur. Il vit le chat gris et blanc rôder autour d'elle, et puis médusé il le vit aussi accroupi plus loin sur un rocher, et il comprit en le voyant une troisième fois étendu de tout son long dans l'herbe que ce chat était en fait plusieurs chats, tous peinturlurés dans les mêmes teintes indécises, tous jumeaux ou de la même tribu bâtarde. L'un d'eux, peut-être celui justement qu'il venait de poursuivre, fit même mine de venir frôler ses jambes, et Jérémie se pencha hypocritement pour le caresser.

— Qu'est-ce que tu fais ici ? demanda la femme.

— Je reste chez mon oncle.

Elle demeura trois secondes sans rien dire.

— Tu es Jérémie, affirma-t-elle.

Il osa la regarder en face. Des touffes de cheveux blonds et blancs s'échappaient de sa casquette d'homme. Elle portait une vieille chemise jaune plantée dans un pantalon de coton sale, tout ça trop grand pour elle, et une sorte de panier arrimé à la ceinture d'où dépassait la tête de deux gros champignons. Jérémie pensa qu'elle avait l'air du diable, mais il ravala son jugement lorsqu'il rencontra ses yeux gris pénétrants, des yeux de sorcière. D'ailleurs, elle avait deviné son nom, juste à le dévisager.

— Vous êtes madame Szach, dit-il avec respect.

Elle avait sûrement un nom de sorcière, qu'elle lui dévoilerait en temps et lieu, lorsqu'ils deviendraient plus intimes. En attendant, et parce qu'il avait envie que ses yeux gris s'appesantissent sur lui avec admiration, il risqua une première confidence.

— Je viens de tuer mille trois cents fourmis.

Le chiffre était excessif, même en y ajoutant les bestioles sans nom étampées en cours de route, mais quoi qu'il en soit, la révélation de ses exploits n'obtint pas le résultat escompté. Madame Szach continua de le dévisager, une lueur modifiée dans le regard.

— Voyez-vous ça, dit-elle. Et pourquoi ?...

Jérémie fronça les sourcils, cherchant à lire l'approbation dans ces quelques mots éjectés à regret, puis elle en ajouta d'autres.

— Comment tu vas pouvoir te racheter ?...

Et comme elle attendait une réponse, et qu'il n'en avait pas, elle enfonça le clou bien profondément, pour s'assurer qu'il comprendrait.

— Tu viens de commettre mille trois cents meurtres. C'est bien ça que tu m'as dit ?

— Des bébittes ! s'insurgea Jérémie. C'est pas des meurtres, tuer des bébittes !...

— Ah non ?... Comment tu peux en être sûr ?

Il la dévisagea, démonté de rencontrer une ennemie là où il avait cru pactiser avec une alliée puissante. Tout le monde savait que les bébittes étaient des bébittes, c'est-à-dire des insignifiances vivant une vie, si on y tenait, mais une vie minimale et nuisible. Pourquoi faisait-elle semblant d'ignorer cette vérité primaire ? Néanmoins, il revit les fourmis en train de fuir, il se rappela leur affolement proche indéniablement d'une forme de douleur, et il garda un silence troublé.

— J'en ai peut-être tué juste trois cents, finit-il par plaider. Ou peut-être moins. Je les ai pas comptées.

Mais c'était terminé entre eux, jamais plus il n'y aurait de rapprochement possible, clamaient les yeux réfrigérants de la sorcière.

— Qu'est-ce que tu vas faire ? Il faut que tu fasses quelque chose pour te racheter.

Elle continuait de le tenir sous le joug de son regard, attendant des excuses, des larmes, des suggestions de châtiment. Jérémie se raidit pour mater la faiblesse qui lui coulait dans les jambes : une telle sévérité ne pouvait s'enraciner dans un simple terreau de fourmis, il fallait qu'il y ait autre chose, et il y avait autre chose, elle avait lu dans les replis de son cerveau et débusqué son autre crime, son véritable crime. Sorcière Szach. Il voulut lui tourner le dos et déguerpir, mais au contraire il s'approcha, plus mort que vif, car quelque chose dans ses yeux gris lui ordonnait d'approcher.

— Voici ce que je te propose, dit-elle, la voix maintenant teintée d'une douceur suspecte.

Rongeur céleste

Le petit garçon devait mourir.

Ça se passerait sur la falaise à la fin du jour, dans le rouge de la fin du jour, le meilleur moment pour les crimes ou l'amour illicite. L'homme qui tuerait le petit garçon porterait une vieille veste à carreaux rouges et même ses cheveux seraient rouges sous l'effet du soleil couchant.

Claire voyait nettement le boulanger dans le rôle du tueur. Oui, un visage comme celui du boulanger, lunaire et aimable, nous porterait un grand coup quand juste après le meurtre il se tournerait vers nous, marbré par les feux vifs du crépuscule. Ceux qui commettent des crimes ont des visages patibulaires et des regards déments, jusqu'à preuve du contraire, et celui-ci avec son expression de bonté tranquille ouvrirait devant nous un gouffre de perplexité. Ce serait le temps d'amorcer le générique d'ouverture, pendant que le fer est chaud et le spectateur mystifié.

Puis, Claire vit par la fenêtre que l'écureuil se

vautrait de nouveau dans la mangeoire, et elle quitta son scénario de film et sa table de travail.

Elle connaissait bien cet écureuil. Lui aussi la reconnaissait, jusque dans la forêt où il saluait son apparition occasionnelle de vibratos excités. C'était une femelle, le pelage roux brillant troué d'une tache plus claire sur la tête, le ventre depuis peu vidé, dodelinant comme un petit sac inutile. Chaque été, l'écureuil promenait son appétit de fraîche parturiente autour des mangeoires de Claire, et Claire n'y voyait pas d'inconvénient, au contraire. Tout le monde était le bienvenu aux mangeoires, bêtes à ailes ou à pattes bossant de jour comme de nuit, toute la marmaille forestière affamée, à condition de respecter le pacte. Il y avait un pacte entre eux, que cet écureuil-ci brisait sans arrêt.

Les chevreuils recevaient des pommes dans le sentier pentu près du lac, et comme ils étaient charmants, il leur était aussi permis de dévorer les fleurs de la rocaille et de semer partout leurs petites fientes dures.

Les colibris jouissaient également d'un statut particulier avec leurs abreuvoirs d'eau sucrée, dont ils cédaient de mauvaise grâce quelques gouttes aux fourmis et aux abeilles en fin de saison.

Mais les écureuils n'étaient pas en reste. Des paniers de graines de tournesol étaient suspendus aux cèdres à une hauteur agréable pour tous, et Claire les remplissait une première fois le matin pour les écureuils roux comme celui-ci, pour leurs congénères noirs aussi corpulents que froussards, pour les petits suisses aux bajoues sans fond, et elle les remplissait une nouvelle fois le soir pour les bâfreurs nocturnes, les écureuils volants dits polatouches, les ratons laveurs, les souris et les mulots.

Dieu merci, les rats n'avaient pas encore découvert la planque.

Plus haut dans un merisier, un tube de métal perforé par des fenêtres contenait des arachides non salées que seuls les becs des gros pics et des geais bleus parvenaient à cueillir.

Ainsi, il y en avait pour tous, chacun détenant à l'auberge sa table personnalisée où la nourriture ne manquait jamais, et dès lors il était entendu que la grande mangeoire du centre, offrant d'ailleurs le même tournesol trois étoiles que les paniers, était réservée à la multitude des oiseaux.

Entendu pour tous, sauf pour cet écureuil-ci.

Dès le début, il avait manifesté qu'il voulait tout. Le contenu des paniers et celui de la mangeoire, et pourquoi pas quelque boustifaille exotique chapardée dans le chalet, où il s'était faufilé deux fois par la porte entrouverte. Mais c'est la mangeoire qu'il préférait, exprès contre Claire, c'est là qu'il s'installait dès l'aurore en ne tolérant personne d'autre — égoïste et voleur, et ingrat fini en plus, avec ses progénitures multiples engraissées depuis des années aux frais de la maison.

La lutte avait pris plusieurs formes. La première, musclée, avait consisté à l'asperger au tuyau d'arrosage dès qu'il était pris la main dans le sac. Si l'attaque avait d'abord semblé le décontenancer, l'Écureuil avait su très rapidement comment se glisser du côté opposé de la mangeoire pour échapper au jet, s'adonnant à ce pas de deux avec une aisance ludique, son joli œil flegmatique rivé sur Claire pour y guetter la fin de l'orage. Claire avait ensuite carrément traficoté la mangeoire, la parant successivement d'une toiture de métal, d'un cylindre en guise de corde, d'une armure de tôle autour de l'arbre hôte... La mangeoire s'était muée en une forteresse hideuse tandis que l'Écureuil, surfant sur les surfaces métalliques, glissant le long du cylindre comme un sapeur-pompier, bondissant de l'arbre voisin, atterrissait gracieusement au milieu du tournesol sacré. Claire avait coupé l'arbre voisin. L'Écureuil bondissait toujours, elle ne savait d'où. À bout de stratégies, elle avait acheté une nouvelle mangeoire hors de prix, un modèle blindé en polymère indestructible à l'abri des écureuils, lui avait assuré le spécialiste — sauf exceptions, avait-il hélas ajouté.

Et maintenant, Claire l'observait avec fatalisme, petit mécanisme raide bougeant par à-coups, arc-bouté sur le grillage inexpugnable de la nouvelle mangeoire, farfouillant de la patte dans l'interstice barricadé et parvenant à en extirper des graines. Cet écureuil appartenait visiblement à une espèce modifiée capable de saisir et de manipuler, gène récessif qu'il était en train de transmettre à sa flopée de rejetons, et sous peu une armada d'*Ecureuillus Faber* envahirait les Laurentides pour disputer leurs outils aux hommes.

— Je vais devoir te tuer, lui dit posément Claire.

Elle arma sa fronde d'une pierre, le visa et le manqua de peu. Il s'enfuit en lâchant un glapissement strident qu'elle interpréta comme un au revoir.

Puisque le travail avait été sabordé, aussi bien l'abandonner temporairement. Elle se dirigea vers le quai, l'autel dévolu à l'adoration du soleil. Le début de journée s'annonçait trop glorieux pour le passer assise — assise à l'intérieur, s'entend, parce que sur le quai, face au lac lisse comme une peau, on s'asseyait dans la moelle même de l'univers.

Devant Claire, l'île aux huards élevait sur les eaux son petit château végétal. Tout bougeait au ralenti, les nuages, le soleil sur les arbres, et le huard justement, patient patrouilleur toujours sur le point de disparaître aux trousses d'un achigan. Seulement deux chalets se découpaient sur la montagne, celui tout bleu de Curé ancré dans une baie profonde, et le pavillon de rondins que Lila Szach louait à des touristes différents chaque été. Pour le reste, ce n'étaient que gros cèdres aux troncs tourmentés et bouleaux rutilant de blancheur, plaine d'eau dorée abruptement coupée par la falaise de granit d'où l'on pouvait plonger si on n'était pas effrayé par la mort. La cabane à bateau de Lila Szach, bleue elle aussi, émergeait à peine entre les rochers, avec son quai minimal conçu davantage pour les hérons que pour les humains.

Dans cette ordonnance primitive de ciel et d'eau, de rochers et d'arbres touchés par le soleil, résidait une beauté surprenante, capable de vous assommer de bonheur. Claire s'étendait sur le quai et oubliait de penser pendant des minutes qui étaient peut-être des heures.

Elle était revenue chez elle, dans son vrai pays. Elle se dissoudrait dans la sauvagerie pendant quatre mois et elle travaillerait, oui, mais comme une araignée fabrique sa toile ou un érable donne des samares, organiquement, sans l'angoisse de faire impeccable et vite.

C'était le meilleur, le début, quand l'été s'apprête à être éternel. Les oiseaux se lançaient des invites et des insultes d'un bosquet à l'autre, le grésillement des insectes tissait une rumeur obsédante. Elle n'avait qu'à tourner la tête pour buter sur le mauve des lupins et le rose kitch des phlox rampants, répandus en cascade sur les rochers et sillonnés de queues d'hirondelles, ces incroyables papillons jaune et noir et même bleu sous l'échancrure des ailes, maquillés comme pour une hallucination d'opiomane. *Tout cela est à moi,* se disait Claire, ramollie par la béatitude, *à moi jusqu'à ce que je ne sois plus.* Et quand elle ne serait plus, elle voyait très bien où elle serait, enterrée au pied des lupins et des phlox, elle imaginait ses cendres se mêler à l'humus et rester ici, indéfiniment ici, le seul lieu acceptable où ne plus être.

Mais en attendant, c'est le petit garçon qui devait mourir. Le métier portatif de Claire, exerçable n'importe où, consistait à faire mourir des gens dans des histoires qu'une chaîne de télé diffusait tard le soir, pour tenir les spectateurs éveillés le plus longtemps possible avant de les laisser choir dans les insomnies et les cauchemars. Claire livrait trois scénarios par année, et c'était suffisant pour vivre. Ses histoires étaient effroyables parce qu'elles démarraient avec une innocence et une douceur qui vous laissaient sans défense quand les âmes se révélaient pourries et les destins implacables. Claire ne savait d'où lui venait cet engouement professionnel pour les ténèbres, elle qui aimait tant le soleil. Dans la vie, elle était quelqu'un de tranquille et de gentil, avec des échappées de volupté et une propension à se laisser manger la laine sur le dos.

Elle ne savait d'où, non plus, lui était venue l'idée d'utiliser son paradis vert comme toile de fond pour la prochaine histoire, de s'inspirer à leur insu de ses voisins et des gens du village, en apparence impeccables tous. En apparence. Déjà, quand on zieutait par-dessus leur épaule, on apercevait de drôles de cartes dans leur jeu. Par exemple. Par exemple, l'épicier était aussi propriétaire du motel où des danseuses nues batifolaient les fins de semaine dans de la crème fouettée. La caissière du comptoir Desjardins avait percuté un orignal sur l'autoroute, y laissant à jamais sa colonne vertébrale et ses jambes de mannequin. Le maire avait été abattu par son meilleur ami lors d'une chasse à l'ours. Le boulanger faisait des gâteaux qui goûtaient parfois le haschich. Et qu'est-ce qu'un Noir de New York baraqué comme un acteur fabriquait à longueur d'année dans le village perdu de Mont-Diamant, à vendre des arbustes et du fumier ?

Chaque fois qu'elle revenait du village, Claire prenait des notes. Au magasin général, elle avait bavardé avec un ex-policier de Montréal, le crâne rasé au-dessus d'une longue queue de cheval, un visage raboteux mais une douceur de fille dans le sourire, écœuré du système, écœuré de l'amour, ayant trempé dans la dope et élevant maintenant des chèvres dans sa cambuse de l'autre côté du lac à l'Oie. Elle avait espionné un Coréen, seul de son espèce dans ce coin du globe, faisant du taï chi sur le terrain de tennis de la municipalité. À l'épicerie, elle avait surpris une dispute entre le proprio du camping et ses deux fils, de gros gars mous qu'il armait de carabines pour tenter de les viriliser, même s'ils n'avaient pas l'âge. Tout ça ne demandait qu'à servir. Et le pépiniériste, le Noir baraqué de New York. Comment survivait-il dans ce village tricoté serré, marié avec une fille d'ici, brunette et fade et épaississant de cinq kilos chaque année ? Toutes les fois que Claire achetait des fleurs ou des fines herbes, c'est la fille qui la servait en bavardant de température, pendant que du fond du terrain Claire voyait le Noir baraqué qui la regardait, et quand il ne la regardait plus c'est elle qui le regardait, sa démarche chaloupée, son corps de danseur valsant avec les sacs de terre ou soulevant du compost. Il fallait que les choses à fuir dans sa vie précédente aient été traumatisantes pour l'avoir expulsé jusqu'ici. Celui-là jouerait sûrement un rôle dans le film de Claire — dans sa vie peut-être aussi.

Il sécrétait du sexuel à pleins jets. Hier, quand elle s'était arrêtée à la pépinière pour quérir de nouveaux plants de basilic, c'est lui qui était venu vers elle, émergeant de la serre les bras nus jusqu'aux épaules. Ils s'étaient regardés crûment, tous les deux conscients du sexuel flottant autour d'eux plus insistant que l'odeur du basilic, conscients que ça devait se faire entre eux un jour, peu importe quand et où, ça se ferait. Elle était partie en oubliant de payer le basilic. Il faudrait donc qu'elle y retourne.

Mais en attendant, le petit garçon.

Il lui avait été donné par son voisin Curé.

Curé, de son vrai nom Simon, avait été le premier à acheter à Lila Szach un chalet bleu une vingtaine d'années auparavant. C'était un homme aimable, précocement retraité, souvent seul parce que sa femme était infirmière à Montréal et que ses grands enfants s'emmerdaient à la campagne, toujours dans son kayak à se laisser dériver sur le lac comme une bille de bois mort. Et voilà que la semaine précédente, elle l'avait vu cette fois en canot en compagnie d'un petit garçon inconnu, et quand il l'avait aperçue à son tour, prestement il s'était propulsé vers elle puisqu'il aimait bavarder autant qu'il aimait dériver. Le petit garçon était son neveu, c'est-à-dire le fils de son jeune frère Marco qui n'était jamais venu ici, voilà ce qu'avait appris d'abord Claire, suivi de quelque chose de plus inattendu à propos de cet enfant-là, *un traumatisme un accident un incendie survenu ce dernier printemps,* avait dit Curé sans verser dans les détails mais à voix puissante et nette, pour que l'enfant entende bien et comprenne qu'il n'y avait rien à cacher. C'était la façon de Curé, une franchise verticale qu'il appliquait partout. Mais peu importe. Cet enfant-là, en plus d'une brûlure laide qui lui gommait le côté du visage, était doté d'yeux immenses et noirs, des eaux sans fond qu'il avait posées sur Claire comme sur un objet dont l'usage nous est inconnu, et pas une seule fois il n'avait souri ni parlé. *Des yeux comme ceux-là commandent le sacrifice,* avait pensé Claire après qu'ils furent partis, *sans compter l'incendie en prime, rien n'est plus cinématographique qu'un incendie.* Elle tenait son personnage-clé, son mort, la racine de sa vie professionnelle. Quand elle avait son mort, elle avait presque son histoire.

Elle retourna travailler. Pendant trois heures, l'univers ensoleillé disparut au profit d'un paysage imaginaire fébrile se désâmant pour ressembler à la vie. Une fois le début amorcé — meurtre sacrificiel — et le décor planté — forêt, lac, village —, il ne restait après tout que la suite du film à inventer, peut-être sous forme d'un long flash-back où on remonterait à la source du crime, c'est-à-dire à l'arbuste, à l'humus, et même à la planète ayant produit cette fleur noire, cette éclosion de violence. L'un après l'autre, les personnages hypothétiques surgissaient sur l'écran intérieur de Claire et y passaient une audition, la caissière dans sa chaise roulante, l'ex-policier enfourchant sa moto, le boulanger suant parmi son levain, le Noir agenouillé dans le compost, tous esquissant les petits rituels de leur vie quotidienne, mais leur visage poncé par le grand air laissant apparaître ici et là les tavelures de la pourriture interne. Elle pensa tout à coup à Lila Szach, sa voisine. Lila Szach à elle seule constituait un mystère, une inspiration à défoncer le réalisme pour accéder à la vérité fantastique. Quel rôle de choix réserver à Lila Szach ? Une allure sans âge, une lueur d'éternité dans sa démarche sautillante et ses yeux intimidants, d'origine polonaise et de présent énigmatique, flanquée d'une colonie de chats semant la destruction autour d'eux et propriétaire de trop de terres pour ce qu'elle pouvait en faire. Parfois Claire s'aventurait chez elle pour cueillir des fraises sauvages ou des framboises. Lila Szach ne la chassait pas, la saluait même cordialement, mais ne répondait pas à ses invitations et ne l'invitait jamais elle-même à prendre le thé ou pourquoi pas une petite vodka, rien de rien, depuis douze ans aucun rapprochement susceptible de dévoiler à Claire les entrailles de sa grande maison blanche. Peut-être dissimulait-elle dans sa cave les cadavres momifiés de ses anciens amants. Quand elle lui avait vendu le chalet douze ans auparavant, Lila Szach avait cru bon d'ajouter, avec cet accent un peu rocailleux qu'elle n'avait pas réussi à perdre malgré une vie entière passée ici : *C'est le dernier morceau que je vends, ne me demandez pas d'acheter d'autre terrain, jamais.*

Jamais. Il fallait être bien présomptueux pour utiliser ce mot-là, comme si la mort n'était pas pour elle et que Claire n'allait pas lui survivre, lui ravir tôt ou tard les bribes de rochers et de plages qui prolongeaient naturellement son terrain.

Puis, quelque chose s'interposa une fois de plus entre Claire et ses cogitations, un vacarme, un charivari de jacassements furieux et de poils roux zigzaguant dans les grands cèdres autour de la mangeoire. Claire décida de ne pas lever les yeux. L'émeute, car c'en était une, gagna en violence et en bruit, annihilant toute velléité de concentration. Rongeur céleste, son infatigable harceleur, se trouvait sans doute au cœur de l'action, mais Claire sortit quand même ses jumelles pour constater de visu de quoi il retournait, qui était en train de se faire étriper et par qui. Routine : trois écureuils se poursuivaient. À bien y regarder, non. Un écureuil poursuivait deux écureuils, juchés l'un sur l'autre tel un lit à deux étages. Quand tout le monde vint à s'immobiliser quelques secondes, Claire reconnut dans le lit du bas *son* écureuil, le front taché de cette éclaircie reconnaissable. Il s'agissait ma foi d'une copulation publique, ou d'une tentative de copulation, pour ne pas dire d'un viol collectif, car le solitaire visiblement n'avait envie que de grimper à son tour sur la femelle en remplacement du petit rouquin qui s'y trouvait déjà, accroché tant bien que mal à sa monture et lui mordillant passionnément le cou. Ces agaceries viriles irritaient au plus haut point Rongeur céleste, femelle plus omnivore que nymphomane après tout, qui, piaffant à gauche et à droite pour se défaire de l'étreinte, se tordant à demi pour mordre, vociférant et ruant, finit par s'enfuir au loin avec l'encombrant cavalier sur son dos. L'autre, le prétendant évincé, resté seul la bite sous le bras, se mit à grignoter l'écorce de l'arbre pour se donner une contenance.

Claire pensa à Luc qui arrivait ce soir.

Comme tous les jeudis d'été depuis douze ans, vers les dix-neuf heures, Claire entendrait le mugissement de sa jeep dérapant sur les cailloux du stationnement, et comme tous les jeudis d'été, elle laisserait tout en plan pour bondir l'accueillir. Un étranger au visage fourbu sortirait de la jeep, mais très vite elle reconnaîtrait en lui une partie d'elle, un morceau de leur puzzle commun s'absentant souvent mais revenant se placer au bon endroit chaque fois. Ils s'étreindraient avec des sourires et des banalités affectueuses. Luc ferait quelques pas dans le gravier du stationnement en prenant de profondes inspirations, absorbant du même souffle le paysage, l'humidité musquée, le mantra des grives, le ciel sans bornes. Déjà, son visage serait mi-fourbu, mi-ravi, puis complètement ravi. C'est vers ce moment à vrai dire qu'elle se précipitait chaque fois, quand Luc descendait de voiture et laissait choir sa peau de citadin fatigué, quand il retrouvait l'enchantement et le lui communiquait par osmose.

Leur couple, comme tous les couples, reposait sur un enchantement partagé. Dès le début, quand ils auraient pu troquer leur appétit l'un de l'autre contre des enfants ou une grande cause, ils étaient tombés sur cette portion du lac à l'Oie, ce morceau de préhistoire préservé pour eux où la civilisation n'avait presque rien détruit de l'épiderme originel. Ça leur avait donné un grand coup, comme une révélation que le paradis existait. C'étaient deux sauvages, au fond, forcés depuis toujours de vivre à la ville, et qui retrouvaient avec la vraie terre sous leurs pieds une réponse à la plupart de leurs questions. Les trois jours semaine où Luc était au chalet, Claire ne le voyait qu'aux repas et à la fin de la journée. Chacun s'activait dans son royaume. Lui, c'étaient les pierres. Il allait débusquer loin dans la forêt de grosses pierres plates qu'il faisait rouler jusqu'au chalet et qu'il assemblait en chemins, en escaliers, en sculptures. Les pierres, et l'eau, dans laquelle il pouvait nager pendant des heures. C'était un minéral.

Ils descendraient du stationnement bras dessus bras dessous en épuisant tout de suite les sujets de conversation possibles. Lui à la ville à jongler avec des états financiers et des budgets, elle toute la semaine dans les meurtres sacrificiels et les écureuils, ça créait peu de prise pour les débats. Ils parlaient peu, on parle peu dans l'accointance harmonieuse du végétal et du minéral.

Ils seraient bien. Ils mangeraient quelque chose de savoureux qu'aurait mitonné Claire, ils boiraient du vin, ils assisteraient au spectacle du crépuscule éparpillant sur le lac ses orangés violents. Ils passeraient une partie de la soirée dehors à touiller un gros feu d'épinette. Ils parleraient de leurs invités à venir, ce samedi ou l'autre.

Entre eux, c'était doux et peu sexuel. Rien à voir avec les émotions fortes qu'on attend de l'amour, rien à voir avec l'amour, peut-être. Et pourtant, c'était si peu compliqué, si sain et réel, que ça devait être de l'amour sous une forme encore inexplorée, de l'amour comme chez les huards accouplés pour la vie, ou comme chez les pierres.

C'est vrai qu'il y avait parfois un moment étrange à la fin du repas du soir, une image récurrente qui apportait à Claire un bref désarroi. Dans la grande fenêtre maintenant noire, il lui arrivait de surprendre leur double reflet qui chatoyait dans le lac comme une émanation de défaite, deux formes immobilisées par la routine, attablées sans parole, qui venaient de manger le fromage et qui s'abandonnaient au vide, lui perdu dans ses pensées et serrant les poings sur une tension secrète, elle amollie sur sa chaise dans l'attente de quelque chose. Elle voyait tout à coup deux mondes silencieux et seuls, côte à côte peut-être pour l'éternité, et elle se disait avec effroi : pourquoi ? Dans quel but ? Deux êtres si parallèles, seuls sans pouvoir l'être tout à fait, deux univers mis de force ensemble, pourquoi ? Mais ça ne se produisait pas tous les soirs, et quand ça survenait ça ne durait pas, l'image se morcelait parce que Luc se levait ou se tournait vers elle pour l'embrasser, ou c'est elle qui se déconnectait de l'image et se mettait à parler.

Le silence était revenu. Mais il n'y a pas de silence dans les forêts de juin. Ce qui était revenu, c'était un espace nu traversé de sons, une plage de calme dans laquelle se mouvaient des comètes éparses, des vrombissements, des stridulations lointaines, des brassages d'air, des crépitements aigus, tout le petit peuple de la forêt bâillant et s'étirant et se faufilant dans les fourrés, avec à leur tête les oiseaux, de toutes les anfractuosités de l'espace les oiseaux s'adonnant à leurs sonores affaires d'oiseaux. Claire isola de la meute le bruant à gorge blanche, son favori, un petit chanteur opiniâtre vêtu comme un pauvre, une robe brunâtre mouchetée n'importe comment, mais quelle voix ! quelle voix de séducteur, se disait-elle chaque fois, qui vous attendrit et vous ramène directement en enfance si vous ne faites pas attention. Le bruant lâcha trois fois son frédéric mélodieux, que reprit instantanément un autre bruant peut-être offensé, et sur les entrefaites une silhouette qui n'était pas celle d'un oiseau ni celle d'un écureuil surgit dans le champ de vision de Claire et débarqua sur son patio, la forçant cette fois à se lever et à sortir.

C'était un homme. Un homme noir, terriblement noir contre la lumière ensoleillée du lac, les bras chargés de pétunias blancs dans leurs caissons.

Lui, précisément.

Monsieur Baraqué.

Il sourit à Claire, rajoutant du blanc au tableau noir, mais Claire ne sourit pas.

— *Hi! I am coming from Mrs. Szach,* dit-il.

Elle attendit la suite.

— *For you,* ajouta-t-il en lui tendant les caissons.

— C'est *Missize* Szach qui m'envoie ça ?

Elle était irritée et décontenancée, irritée de le surprendre chez elle, de se faire surprendre par lui, décontenancée par sa propre irritation. Comment avait-il su son adresse ? Et puis elle détestait les pétunias, surtout les blancs qui ressemblent à des kleenex usagés.

Il perçut tout de suite l'hostilité, déposa les caissons par terre.

— *Sorry,* dit-il, cette fois sans sourire. *Mrs. Szach had extra flowers, much too many. So I thought, she thought... Well.* Excuse.

Il battit en retraite sans plus d'explications et se dirigea à grandes foulées souples vers le stationnement.

— Attendez ! cria-t-elle. Jim !

Elle venait de se rappeler qu'elle lui devait douze dollars soixante-quinze, pour le basilic. Elle venait de se rappeler autre chose aussi, un élancement diffus qui s'était rallumé tandis qu'elle le regardait s'éloigner comme s'il dansait.

Il se retourna et demeura ainsi en suspens sur le terrain en pente, rien qu'à moitié immobile, les muscles prêts à entreprendre un autre mouvement, n'importe lequel, tourner comme un derviche, voler dans les airs — ou la saisir au lasso, pensa-t-elle stupidement, et la traîner par terre avant de se jeter sur elle pour la dévorer.

— *How come you know my name ?* demanda-t-il plutôt, et il ne bougea pas, ne fit pas mine de redescendre vers elle, du moins pas tout de suite.

L'ange de la mort

Quand le frédéric chantait à l'aube, il allumait toujours le même rêve dans l'esprit ensommeillé de Lila Szach. Elle rêvait que le frédéric chantait et qu'elle l'écoutait complètement nue, le dos appuyé contre un arbre, les jambes étendues sur de la mousse. Ses pieds touchaient ceux de Jan et de Fiona. Ils étaient trois dans ce rêve de paradis, quatre avec le chat, alanguis contre des arbres et enclos dans une clairière qui les protégeait de tout. Elle seule était nue, si l'on excepte le chat, et elle n'en était ni gênée ni étonnée. Le rêve les maintenait là sans que rien d'autre ne survienne, isolés dans une harmonie profonde, à écouter la modulation limpide de l'oiseau. Le frédéric chantait, hymne des élus, hymne à la joie d'être élu. Les deux autres, les trois avec le chat, étaient ceux qu'elle aimait le plus au monde, et dont elle se savait la plus aimée au monde.

Morts, tous. Le chat en premier, un gros tigré à l'intelligence exceptionnelle qui l'accompagnait comme un chien dans les bois et savait reconnaître les talles de coprins chevelus et de chanterelles. Mort de vieillesse et enterré près de la cabane à bateau. Pas comme sa mère Fiona, désintégrée à Wrocław par une explosion de gaz dans la jeune soixantaine, juste avant qu'elle ne vienne s'installer pour de bon à Montréal, ses pauvres débris éloignés d'elle à jamais dans un cimetière polonais glauque comme la guerre. Et Jan, l'homme de sa vie. Avec la mort de Jan était née la rage, une excroissance maintenant indélogeable dans l'esprit de Lila. Seule un peu de cendre de Jan, soustraite de haute lutte à sa famille, était enterrée sur une butte, mais Jan au complet continuait de vivre dans les moindres plants qui sourdaient du sol au printemps.

C'était un beau rêve qui partait bien la journée en apparence, et dont elle émergeait avec un sourire de faiblesse. Mais après, il fallait vivre en compagnie des fantômes et de la rage, et ça, non. Maintenant, elle était capable en plein milieu du rêve d'apostropher son alter ego avachi dans son paradis de brume : *C'est assez. Quitte ça. Quitte ça.* Ça ne fonctionnait pas toujours, mais parfois, oui. Elle se réveillait au beau milieu du trille répétitif du frédéric, le paradis en lambeaux, éberluée d'être seule, un peu maussade, un peu plus lucide. Quelque chose d'essentiel se détachait alors d'elle et tombait loin sans qu'elle se précipite pour le ramasser, une toute petite goutte arrachée à une mer d'attachements, un début de liberté.

Ce matin, le rêve avait avorté de lui-même, peut-être chassé par un chat qui venait de lui marcher sur les jambes, peut-être mort-né parce que le chant du frédéric avait manqué de conviction. Lila se leva de bonne humeur. Le soleil rampait déjà sur le plancher de bois franc et il n'était que six heures, le jour durerait éternellement. Tout de suite, elle sortit sur le patio sans prendre le temps de s'habiller, les chats galopant à sa suite, pour humer les odeurs de la chaleur naissante. Chaque mois de juin soufflait un vent d'amnésie sur le noir et le broussailleux. Chaque mois de juin, tout ce qui était encore jeune ou se rappelait l'avoir été se soulevait. Elle s'assit au soleil, nue, comme elle le faisait depuis hier, depuis quarante ans.

Au Mont-Diamant, en certains endroits précis, être nue était une chose sensée, et même recommandable. En certains endroits précis — sur son patio le matin, dans l'eau fraîche du lac, au milieu des graminées du grand champ, ou sur la mousse entourant la cabane à bateau... — Lila sentait impérieusement qu'il fallait se départir de tout ce qui s'enlève, frotter sa vraie peau contre la vraie peau du lac, de la mousse, des herbes, pour établir un contact franc avec la réalité. Ce n'était pas une question de nudisme — tous ces clubs branchés et ces plages dites secrètes où l'on exhibait ses appendices sexuels en colonie comme des pingouins, pouah ! —, c'était une affaire intime, quasi hygiénique entre le Mont-Diamant, le lac à l'Oie et elle-même, qui médusait la plupart des gens, y compris Jan. La plupart des gens, y compris Jan, ne voyait dans le corps nu qu'un appel à la copulation. Quand il l'apercevait dehors laisser systématiquement tomber ses vêtements, Jan se moquait d'elle brièvement, brièvement car tout de suite après il venait la rejoindre pour lui faire l'amour sur l'herbe. Et Simon.

Lila se rappelait encore le regard électrisé de son voisin Simon quand il l'avait surprise près de la cabane à bateau se roulant dans la mousse comme un chien — un lundi de juin, trente ans auparavant, autrement dit hier.

Comme chaque fois, elle observa avec amusement son ventre et ses jambes bronzées — un bien beau bronzage pour une enveloppe si crevassée et ballottante. Rien ne s'était déroulé comme prévu. On croit qu'on va vieillir doucement, presque à notre insu à force de lenteur, alors que ça se jette sur vous et ça vous démolit. Par exemple, son visage. Les petites rides qui se dessinaient dans la vingtaine au coin de ses yeux indiquaient un masque à venir qui n'était jamais venu. Les rides étaient restées menues, mais en contrepartie les yeux s'étaient enfoncés dans leurs orbites comme pour rejoindre un lieu intérieur connu d'eux seuls. Mais au moins ils étaient restés vaillants, ses yeux creux, assez pour dépister la robe fauve des cèpes dissimulés dans le sapinage. Pas comme sa mémoire, une vieille barge prenant l'eau de toutes parts. Et les genoux lui manquaient dans la montée du lac, même si elle les injuriait pour qu'ils tiennent bon jusqu'au premier croisement, celui menant au petit chalet de bois rond. Elle se déglinguait, tant pis, il fallait mourir si on ne voulait pas se déglinguer. *Veux-tu mourir, Lila?* se demandait-elle de temps à autre, juste pour sentir le frisson d'effroi grimper sur son échine avec une ardeur juvénile. Un jour, elle serait prête, mais pas maintenant, surtout pas ce mois-ci, le plus triomphant de tous, pas cet été non plus ni cette année, s'il vous plaît.

Tant de tâches restaient à accomplir. Encore aujourd'hui, la liste était costaude : convaincre le gros Laramée de poursuivre le nettoyage de la forêt malgré les mouches noires, suivre à la trace Bruno Mahone pendant qu'il réparerait sa pompe à égout, se faire livrer son épicerie de la semaine, mettre la dernière main au petit chalet avant de donner les clés à la nymphette qui louait cet été, vérifier chacun des articles de l'épicerie reçue car il y aurait fatalement une erreur, on ne pouvait se fier à personne du village même après des décennies passées à les faire tous vivre… Avec un peu de chance, il lui resterait assez d'énergie pour arroser autour de la maison les pétunias livrés en trop grand nombre et plantés tout de travers par le grand Noir qui s'entêtait à faire le pépiniériste à la campagne alors qu'il aurait dû faire le taxi en ville.

Quitte ça, quitte ça. Si elle ne coupait pas court, le flot de bile montait et l'engloutissait. Elle s'étonnait elle-même de sa toujours vivace capacité à haïr, de la fontaine de négativité qui ne s'était pas tarie avec les années comme tant d'autres liquides — au moins une forme de jeunesse perdurait là, même s'il ne s'agissait pas de la plus estimable.

Rien ne s'était déroulé comme prévu. C'est Jan qui l'avait propulsée ici, dans un univers informe où il y avait des arbres à élaguer, des routes à creuser, des fossés à vider, des chalets à construire, de la pourriture à combattre, des fortifications à défendre contre les termites et les affaissements de terrain, et des pompes, ah d'innombrables pompes dont dépendait toute vie sanitaire et qui n'arrêtaient pas de se rouiller, de se casser, de se défiler. Jan s'était occupé de tout, le temps de la cheviller ici bien comme il faut, et quand elle avait été séduite, réduite en miettes subjuguées, tout à fait accrochée à l'oxygène sauvage, paf il était mort. Elle aurait pu vendre. Chaque année des gens la harcelaient pour acheter, hier encore elle avait repoussé un agent immobilier collant comme une tique. Mais voilà, le mal était fait, elle était accro. Elle ne partirait d'ici que les pieds devant, et encore, des siècles après sa mort il faudrait s'adonner à des fumigations exorcisantes pour en chasser son fantôme.

Le recensement des choses à apprendre quand on est une femme seule est dégoûtant de complexité. Elle avait connu d'autres hommes qui auraient pu jouer les contremaîtres si elle avait accepté de cohabiter avec eux, c'est-à-dire de les écouter roter et sacrer, de nourrir leurs appétits sans fond, de humer le remugle de leurs aisselles après les corvées sudoriférantes. Après Jan, insurmontable. Quant aux délicats, aux intellectuels que son travail à Montréal l'avait amenée à croiser, ils cherchaient le livret d'instructions avant de manipuler la hache et souffraient d'allergie aux maringouins, aussi bien dire à la campagne. Donc, elle était devenue contremaître. Au village, où on continuait de la considérer comme une touriste — une touriste incrustée, entichée de nature et d'animaux vivants, la pire espèce —, elle pouvait compter sur une main-d'œuvre abondante mais tatillonne, et réfractaire à certains outils salissants, qu'il fallait harponner en dehors de la saison de la truite et de la motomarine, entre la chasse à l'arc, à l'ours et à l'orignal, et amadouer à grand renfort de pourboires et de paiement au noir, de préférence les fins de mois quand les allocations sociales avaient rendu l'âme. Par chance, il y avait Simon. Simon l'aidait, depuis toutes ces années, depuis la mort de Jan.

Simon. Simon faisait partie des tâches à accomplir aujourd'hui.

Elle résolut de commencer par lui. Si elle attendait la fin du jour, sa détermination fléchirait en même temps que le soleil. Elle n'avait qu'à descendre maintenant vers la cabane à bateau. Elle n'avait qu'à s'asseoir sur le quai face au lac et guetter la silhouette de ses avirons moulinant dans la lumière. Tôt ou tard, elle le verrait flotter sur l'eau. Elle le verrait bien avant qu'il ne la voie. Ses yeux, même enfoncés et plus vieux, étaient meilleurs que les siens — brève satisfaction.

Elle remplit les écuelles des chats, les caressa à tour de rôle et les laissa dehors à leurs rapines félines. Elle s'engagea dans le chemin, habillée jusqu'au cou pour désarçonner les mouches noires, un panier au bras au cas où quelque cèpe précoce, quelque gyromitre tardif lui sauterait au visage, sans compter les lupins sauvages qui font de si beaux bouquets. Les trésors étaient partout, discrètement noyés dans la verdure, ne demandant qu'un restant de jeunesse dans l'œil pour être débusqués : des fraises des champs, des fleurs de bois d'orignal, des racines de tiarelles qui remettent en train le foie le plus ravagé, un lièvre avec une moitié de pelage d'hiver cabriolant vers le fourré, des ouaouarons se draguant au bord de l'étang, des sabots de la Vierge qui auraient mieux fait de s'appeler couilles de Saint-Joseph vu leur panse joufflue, peut-être même un nid de grives tapissé de petits œufs bleutés, imprudemment bâti sur le sol entre deux mottes d'herbe... Jan avait dessiné le chemin pour qu'il serpente mollement entre les pruches, les bouquets d'érables, les mousses, les pierres plates, le champ de trèfles, sans essouffler ni exiger d'aboutissement, comme une promenade champêtre qui se suffit à elle-même mais qui assène au détour d'une courbe une récompense éblouissante, celle du lac au complet capturé dans sa lumière. Le plus important pour Lila, dans cette déambulation familière, c'était la certitude de n'y rencontrer personne, voire d'oublier un instant que d'autres humains existaient sur la terre. À cette heure matinale, au moins, elle était assurée de ne pas croiser sa voisine Claire, toujours fourrée sur son terrain à lui piquer ses fraises ou ses framboises, et certainement pas le Petit, le *Mały*, neveu de Simon, qui prendrait dix ans à digérer l'encyclopédie sur les insectes qu'elle lui avait ordonné d'apprendre par cœur avant d'oser se représenter chez elle. Seule, elle marchait, presque paisible. Mais est-on jamais seule? Tandis qu'elle marchait, elle voyait les bras musclés de Jan dessoucher le chemin devant elle, elle le voyait aussi en bas près du lac, en train d'assembler la toiture à laquelle il s'agrippait comme un singe, des clous pincés entre ses lèvres en guise de sourire, la masse rouge de la chaloupe derrière lui. Presque tous les jours elle se rendait à la cabane à bateau, en manière de pèlerinage vers le premier bâtiment qu'ils avaient érigé ensemble, et puis aussi pour ce qui s'était ensuite greffé sur le pèlerinage, cette éruption de vie affamée qu'aurait approuvée Jan mais qui maintenant était devenue une vieille chose répétitive, presque un autre pèlerinage. *C'est assez,* se disait-elle tout en marchant, *ça ne veut plus rien dire, c'est burlesque et ridicule, à ton âge, vieille folle, à ton âge.* Ça fonctionnait, quand elle s'injuriait elle devenait sèche et tranchante comme une hache, prête pour tous les abattis qui s'imposent.

Quelque chose bougea dans le taillis à sa droite, peut-être un porc-épic effrayé par sa grande silhouette humaine, mais non, c'était un chat, c'était VieuxMinou qui resta figé les poils dressés sur le dos comme s'il ne la connaissait plus, et quand elle l'appela, Mama et Picasso sortirent des arbustes. Les trois sacripants bien sûr l'avaient suivie, et maintenant ils faisaient les étonnés de la trouver là, ils mouraient d'envie de se précipiter vers elle mais prenaient bien leur temps, s'arrêtant pour humer des parfums invisibles avec cet air distant de jamais-vous-ne-me-ferez-dire-que-je-vous-aime. Dans le fond, elle n'avait jamais manqué d'accompagnement, sa vie ici se découpait en tranches selon les chats lui ayant fait l'honneur de leur affection soyeuse à tour de rôle, des bêtes errantes pour la plupart sauf le premier, le Tigré si intelligent mort avant Jan en emportant quinze années de jeunesse, puis il y avait eu les jumeaux Blanchon et Titnoir, exit quinze autres années, et maintenant ceux-ci, VieuxMinou courant sur ses dix ans, Mama et Picasso encore jeunots qui en avaient vraisemblablement pour une décennie — à peu près comme elle et peut-être plus qu'elle —, et ce serait la dernière tranche servie bien cuite d'une vie complètement foutue. Lila regardait les chats se rouler maintenant à ses pieds en totale abdication, elle sentait les odeurs du lac commencer à s'exhaler, mais elle ne pouvait plus bouger, lourde de nostalgie, poignardée tout à coup par la brièveté de l'aventure, quelle cruauté, nous donner à peine le temps d'apprendre trois pas de la vaste chorégraphie cosmique et nous retirer du ballet, quelle chiennerie. Puis elle vit par terre dans l'ombre des chats deux champignons, deux clitocybes à larges feuillets dont la chair un peu fade convient si bien aux potages, et tandis qu'elle se penchait pour les cueillir, la terre recommença de la porter avec légèreté.

Simon était sur son kayak, pétrifié près de l'île. Toutes ces heures qu'il passait sur l'eau restaient un mystère pour Lila. Elle aimait le lac, de loin, comme une aquarelle hyperréaliste qui illumine le mur d'un salon. C'est elle qui avait insisté auprès de Jan pour qu'il construise cette maison juchée haut sur la colline avec une vue imprenable sur tout, y compris sur le monde aquatique auquel les humains avaient cessé d'appartenir dès qu'ils avaient perdu leurs branchies préhistoriques. Comment se fier à un milieu qui vous asphyxie dès que vous y plongez la tête ? Bien sûr, les odeurs du lac, les canards, les loutres, les castors, les nénuphars, tout ça avait son charme, mais quel besoin de se coller dessus pour les apprécier ? La cabane à bateau avait constitué un compromis avec Jan, qui, bon nageur, se rendait tous les jours jusqu'à l'île pour tonifier son souffle et ses biceps. Simon habitait leur chalet d'origine. Il l'avait acheté après l'avoir loué plusieurs années, après surtout avoir supplié Lila sur tous les tons et accepté de signer un contrat invraisemblable qui lui interdisait de le revendre et même de le laisser à ses héritiers. Le contrat, probablement, n'était pas légal, serait invalidé à la première contestation, mais pour le moment, depuis vingt-cinq ans, il tenait.

Dès que le vent tourna son embarcation vers le petit quai où elle se tenait debout, Simon l'aperçut et leva sa pagaie vers elle en signe de reconnaissance. À distance comme ça, alors qu'il fonçait droit sur elle à grands mouvements sportifs, on pouvait se méprendre sur tout, sur son âge à lui et même à elle, sur les raisons de cette hâte joyeuse qui le précipitait vers le rivage, on pouvait inventer des histoires et y croire. Sans y penser, Lila avait ouvert le haut de sa grande chemise d'homme et cambré imperceptiblement les reins, et quand elle se vit soudain en train de se discipliner la chevelure, elle se raidit, furieuse contre elle-même. *Quitte ça, quitte ça.*

Si elle ne faisait rien, si elle laissait jouer la force d'inertie, il se produirait ce qui se produisait depuis trente ans. Simon Delisle amarrerait son kayak, autrefois son canot, d'une seule main à la bitte de métal. De l'autre main, il serait déjà occupé à prendre appui sur le quai et à se relever laborieusement, à rire comme on dit bonjour, pour créer des préliminaires joyeux. Cinq minutes plus tard, car le temps est précieux, ils seraient nus tous les deux à se poncer l'un contre l'autre, l'un contre l'autre leurs peaux nues de plus en plus délabrées sur le lit encastré à l'étage de la cabane à bateau. Amants, oui, comme il est dit dans le langage romanesque et puisqu'il n'existe pas de mot plus approprié, amants saisonniers depuis trente ans, depuis la mort de Jan, et même deux étés après la mort de Jan, puisque Simon avait des principes et un certain sens du décorum qui lui interdisaient d'approcher les trop visiblement mariées, les trop récentes veuves. Mais cela avait commencé dans sa tête bien auparavant, lorsqu'il l'avait surprise sur la mousse en train de se rouler comme un chien — comme une chienne... —, avait commencé avec cette image fondatrice imprimée à jamais sur la rétine du jeune Simon, depuis lors attendant son heure, patiemment, comme un chien justement qui se languit de la chienne après avoir reniflé les odeurs de son passage... Et cette image continuait de briller entre eux deux, Lila la voyait dans les yeux fermés de Simon lorsqu'il la forait sur le lit encastré de la cabane à bateau, c'est à cette image qu'il faisait l'amour depuis des années plutôt qu'à la femelle décatie de vingt ans son aînée en ce moment entre ses bras.

Et elle ?

Mon Dieu, elle. Elle n'avait rien demandé mais puisque c'était là, sans encombrement marital, sans souffrance pour personne, une sorte de Nautilus à l'usage des cuisses et de la libido, puisque ça ne mangeait pas de pain, comme aurait dit Fiona sa mère. La question était : mais jusqu'à quand ? La vieille machine fonctionnait encore, à l'aise dans ses rouages, répondant quand les boutons de démarrage étaient proprement astiqués. Mais fallait-il attendre qu'elle se déglingue jusqu'à la trame, l'auguste machine, fallait-il envisager d'être une octogénaire, une nonagénaire sémillante que l'on trousse pour découvrir sa couche pour incontinents ? Dans ses sarcasmes intimes, Lila se voyait en train de râler sur son lit de mort, et elle imaginait Simon, entre deux visiteurs éplorés, lui faisant des passes sous les draps, parvenant à tirer de son corps moulé par l'habitude un peu d'humidité entre deux hoquets d'agonie…

Obscène.

C'est le mot qu'il fallait employer. Elle dirait : Simon, j'ai soixante-seize ans, cela devient obscène.

Elle pourrait dire aussi, mais cela demanderait du courage : Simon, aide-moi à être vieille. Aide-moi à bazarder une fois pour toutes la belle femme, celle dont les restes dispersés se mettent à flamboyer chaque fois que l'éclairage se tamise ou que ta main d'homme les réveille, l'horripilante belle femme intacte en moi, la momie ensevelie sous des bandelettes de décrépitude qui réclame soudain de l'air et m'assaille de récriminations — *maudite vie putain de temps que m'avez-vous fait, au secours, délivrez-moi, je suis encore là…* Oui, même à soixante-seize ans, pourquoi pas à soixante-seize ans, même à cent et au-delà si ça se trouve, elle n'aura pas de fin à moins que tu ne m'aides à l'éradiquer en profondeur, à l'assassiner dans ses racines... Avoir été une belle femme est une malédiction.

Non. Tout compte fait, elle s'en tiendrait au mot : *obscène.*

Au moment même où le kayak de Simon venait heurter le quai avec un chuintement expérimenté, ils entendirent une explosion, comme un écho devenu fou qui fit lever des eaux le huard et se répercuta violemment dans la poitrine de Lila. Peut-être un coup de feu, quelque chose d'inapproprié et de très proche. Le huard passa en rase-mottes au-dessus de leurs têtes, gros corps essoufflé pourfendant l'air avec effort.

— Ça vient du chenal, dit Lila.

— Je vais aller voir, décida Simon en reprenant sa pagaie.

Il tourna l'embarcation vers le large, mais garda la tête un moment vers elle.

— J'ai vu un Princecraft, ce matin. Cent cinquante forces, je ne sais pas comment il est descendu ici.

Lila le contempla, incrédule. Il n'y avait pas de bateaux à moteur sur le lac à l'Oie, l'interdiction était formelle et implicite.

— Je pense que c'est le fils Clémont, ajouta-t-il.

— Qui ?

— Clémont. Tu sais bien, l'entrepreneur. Il avait un fils.

Il se remit à pagayer pour de bon, abandonnant un sourire apaisant derrière lui. Elle entendit encore quelques mots d'anesthésie, *t'en fais pas... tantôt... reviens... de suite,* et puis simplement le clapotis gracieux soulevé dans son sillage, s'amenuisant avec lui.

Si des bateaux à moteur osaient s'aventurer ici, Simon les chasserait. Elle se sentit presque calmée, l'écho de la détonation terrible s'assoupissant dans sa mémoire jusqu'à n'avoir peut-être jamais existé. Elle l'aimait bien, Simon. Elle se répéta à quel point elle l'aimait bien, en s'asseyant à même les planches humides du quai. Son large torse velu, son ventre mou, son corps réconfortant. Son sourire en coin perpétuel, comme si rien n'était jamais enrageant. Sa transparence. On comprenait immédiatement son langage, même le moins verbal, on avait accès à tous ses codes internes. Sa générosité. Il allait spontanément vers les inconnus, surtout les plus manifestement exécrables, il connaissait tous les propriétaires des lacs contigus à force de stagner devant leurs chalets et de leur soutirer des conversations. Elle l'aimait bien, ce qui n'empêchait pas de le trouver suspect. Pourquoi rendre service à n'importe qui ? Pourquoi s'enticher d'étrangers et leur arracher leurs histoires, si ce n'est par besoin maladif des autres, par autodénigrement, par manque de dignité pour tout dire ? Un faible sous sa toison de fort, Simon. Et puis aussi un bavard, qu'il fallait interrompre dans ses logorrhées occasionnelles sous peine de voir la nuit surgir avant d'avoir vécu le jour.

Sans crier gare, voilà que les vannes s'étaient rouvertes et que le fiel se déversait sur elle, éclaboussant Simon au passage et la plongeant dans la noirceur en plein jour de soleil. Elle se tâta la poitrine : qu'est-ce que c'était que ce malaise tout juste arrivé là, déjà lourd et muni de griffes ? Début d'angine ? Indigestion ? Ou ridicule faiblesse psychosomatique à l'idée d'affronter des bateaux à moteur et des armes illicites, elle qui pourtant en avait déjà tant vu, des braconniers et des condensés de bêtise humaine ?

C'était un mot. Un nom. Un nom rôdait à l'aveuglette en dedans, s'enfargeant ici et là et créant de l'émoi, un nom reconnu par son corps avant de l'être autrement et qui s'approchait de sa mémoire, lentement s'approchait et c'était terrifiant, et soudain, il fut là. En plein cœur, à l'endroit exact de son malaise.

Clémont.

Aussitôt reconnu, il prit de l'expansion, il eut un visage. Des yeux clairs à la coloration imprécise, une trace de blondeur dans les cheveux, un nez proéminant. Des lèvres mobiles facilement souriantes, sourire en surface, glace mince de printemps d'où suinte une eau très froide. Une tête de Viking ou de barbare, regardant comme on dépèce. *Ma petite Lila.*

Gilles Clémont.

Ma petite Lila, t'es pas raisonnable.

Un pick-up rouge flambant neuf en travers de la route, de sa route. *J'ai un droit de passage.* La femelle orignal écroulée au pied d'un arbre, maigre et haletante avec ses yeux de souffrance, incapable de se nourrir depuis l'automne, la mâchoire fracassée par une balle. *C'est-tu de ma faute si je suis un homme ?* L'ours éventré dans le champ, son champ à elle, sous un blizzard de mouches et de sang. *La vésicule biliaire, ça vaut de l'or.* Les perdrix qu'elle avait apprivoisées, décimées par les coups de feu. La frayère de truites obstruée par un filet. *T'as ben trop de terrain, Lila.*

Gilles Clémont, exterminateur.

Lila se leva. Trop d'agitation en elle, trop d'images, trop de douleur à l'estomac pour attendre que ça passe tout seul. Elle monta se terrer dans la cabane à bateau, désemparée par l'injustice qui permet aux morts de continuer à persécuter les vivants.

Comment échapper à une histoire inventée par soi-même, réactivée par tant de nuits d'insomnie, enfin jetée aux oubliettes durant des décennies, puis tout à coup ressuscitée par la même mémoire capricieuse qui l'a oblitérée ? On ne peut pas. L'histoire se déplie, fraîche comme le mois d'octobre d'il y a trente ans où elle a été inventée. Gilles Clémont roule sur la route, à bord de son pick-up rouge flambant neuf. (Tu le vois parfaitement, Lila.) Il s'arrête sur l'accotement de la 117, juste avant Lac-Saguay. Il ouvre son thermos. Il boit le potage à la crème jusqu'à la fin en regrettant de ne pas avoir de pain pour l'éponger. Il pisse dans le fossé, et puis il se branle un peu tant qu'à la tenir entre ses doigts. (Arrête, Lila.) Peut-être qu'il ne se branle pas, peut-être qu'il patiente jusqu'au bar de danseuses Prince où pour cinq piasses une autre le fera pour lui. Quelques bières et quelques giclées plus tard, il arrive à Mont-Laurier, où l'attendent son beau-frère (Mario ? Manuel ? Ménélas ?), un vieux copain (Pierre ? Paul ? Philippe ?), et l'hydravion (Bombardier ? Simons ?) qui les larguera tous trois dans la pourvoirie du lac Windigo, heureux compagnons de bamboula réunis six jours au paradis annuel, là où les toutous tombent tout frais des stands de tir, où l'alcool coule sans peur et la carabine crache sans reproche, libérés de la civilisation qui tiédit les fêtes. Peut-être qu'avant de monter dans l'hydravion il téléphone à sa femme (Martine ? Marie ?) pour se donner la permission de l'oublier complètement : *Chérie, je vais penser à toi,* peut-être qu'il glisse quelques mots affectueux à son fils (Jean-Marie ? Jean-Pierre ?) : *Qui c'est qui va rapporter un beau panache d'orignal à son ti-gars ?* afin de redevenir lui-même un enfant sans attaches, et le voilà envolé pour le paradis — et forcément aussi pour la mort, qui précède toujours le paradis dans la loi naturelle commodément oubliée. (Retiens-toi, Lila.)

Les deux premiers jours, avec ses compagnons de fortune, dans la lumière jaune foncé des boisés de l'automne laurentien, il fait tout ça. Boit comme un trou, tire comme un malade, mange comme un défoncé, dort comme un loir. Heureux comme un roi. Ce n'est que le matin du troisième jour que les symptômes apparaissent. La gorge sèche, étranglée. Le visage très pâle. Des nerfs qui sautent sans arrêt sur ses tempes, dans ses jambes.

T'as pas l'air dans ton assiette, Gilles.

C'est rien. J'ai dû trop manger hier soir.

Il avale quand même sa demi-livre de bacon par bravade, en dépit du cœur qui lui lève, il prend sa Winchester et va s'embusquer près du ruisseau à côté des empreintes de sabots. Bien des défauts, mais pas une femmelette, Gilles Clémont.

Les heures passent, mais ça, ça ne passe pas. Tellement de vertige qu'il doit se coucher par terre. Même allongé, un poids lourd lui écrase la poitrine et l'empêche de respirer. Il se cramponne à son fusil, il visse son attention sur l'orée de la forêt pour déjouer son malaise. Il voit bouger une ombre entre les aiguilles de sapins, mais quand il veut lever son arme pour viser, tout se met à trembler et flacoter, ses poignets, ses mains, ses yeux. *Sacrament.*

Son corps en entier, maintenant, est incendié par des feux de broussailles, des crampes qui déchirent les muscles et font semblant de disparaître pour mieux s'allumer ailleurs. *Qu'est-ce que j'ai, tabarnak?* Il réussit à se remettre debout avec difficulté, il marche comme un grand brûlé, zigzaguant sous les décharges de douleur. Quand, arrivé près du chalet, la nausée le prend et lui tord les entrailles, l'obligeant à se plier en deux pour vomir, il est presque soulagé. Enfin, un mal familier, une indigestion qui va le vider de ses cochonneries et le remettre d'aplomb, purifié comme un nouveau-né.

Pauvre Gilles. (Oui, Lila. Pauvre Gilles.)

Le beau-frère et le chum reviennent en fin d'après-midi, comme convenu, bredouilles parce que les cibles se sont montrées rétives. Ils trouvent Gilles à plat ventre sur le sol à côté de la bécosse, souillé par tous les liquides qui lui sortent du corps. Tandis qu'ils vont l'étendre à l'intérieur et le nettoient tant bien que mal, il parvient à esquisser un sourire héroïque : *C'est ton ostie de ragoût qui passe pas, Phil* (Pierre ? Pascal ?), mais tout de suite après il se tient le ventre à deux mains en hurlant de douleur, il vomit de la bile et des imprécations, il salit la couverture, *J'ai soif, criss, j'ai soif,* il réclame de l'eau sans discontinuer même s'il est incapable de la garder. Ses vêtements sont trempés, la sueur ruisselle sur son visage blême, creusé comme un masque d'halloween dessiné par un enfant, *J'ai soif j'ai soif,* et le beau-frère et le chum commencent à paniquer.

(Pas de téléphone cellulaire en ce temps-là de préhistoire technologique — encore aujourd'hui, les cellulaires n'arrivent pas à établir de ligne droite dans la géographie bosselée des vieilles Laurentides —, aucun moyen de locomotion sauf l'hydravion à venir dans trois jours, rien que l'angoisse qui fait un bien piètre véhicule…)

Miraculeusement il prend du mieux dans la soirée. Les crampes et les nausées disparaissent, la fièvre s'atténue, l'intérieur de son corps cesse enfin de se révolter et le laisse dormir en paix toute la nuit. Au matin, il est encore épuisé par l'attaque de la veille, mais il a retrouvé des couleurs et une portion de son humour habituel : *Désolé, mes tabarnaks, c'est pas cette fois-ci que vous allez hériter de ma carabine,* et il exhorte les deux autres à retourner à la chasse et à le laisser récupérer tranquille au chaud. Le beau-frère et le chum, qui ont gardé une petite inquiétude, reviennent tôt dans la journée avec les cadavres troués de trois lièvres qu'ils ont fait exploser à la balle à défaut de gibier plus consistant, et ils sont tout de suite rassurés par la vision qui les accueille, Gilles se berçant à côté du poêle à bois, souriant, amaigri mais affamé, de toute évidence guéri. Ce soir-là, ils célèbrent au rhum et à la fricassée de lièvre, surtout les deux autres, car Gilles prudemment se contente de sucer les os arrosés d'un bouillon et de boire une demi-bière, ce qui ne l'empêche pas de pousser quelques chansons égrillardes en l'honneur de sa résurrection : *Elle avait au cul au cul aucune adresse...*

(Tant de détails, Lila, fastidieux et insupportables, dont la mémoire de ton imagination tient à dresser la liste maniaque en manière d'hommage aux dernières explosions de vie de Gilles Clémont, pauvre pauvre Gilles Clémont dont la belle tête guerrière et le cœur sanguinaire s'apprêtent à retourner aux enfers, là où personne ne mérite de se rendre...)

Dans la nuit, il est réveillé par des crampes aux intestins, les mêmes en pire, en plus affûtées par l'accalmie, et la suite d'horreurs se déchaîne à nouveau, vomissements, diarrhées, implosions dans l'abdomen, sueurs, soif ardente, tremblements et hurlements de toute la chair, et à ce moment il sait, le corps ravagé mais l'esprit très lucide, il sait qu'il est en train de mourir.

Il le sait toute la journée et toute la nuit suivante, et l'autre jour encore lorsque l'hydravion finit par se poser près de leur campement, car c'est une agonie interminable qui prend le temps d'égrener les cellules du foie et des reins (cytolose hépatique et néphrotoxique, altération des mitochondries, destruction de la membrane des lysosomes, altérations nucléaires…) tout en laissant, raffinement de cruauté, l'esprit intact et disponible pour absorber chacune des particules de la douleur. Il le sait à l'hôpital où on s'agite autour de lui à tenter des transfusions et à passer au crible son pauvre sang pourri dans lequel on détecte tout de suite les amatoxines et les phalotoxines responsables de son empoisonnement : *Monsieur Clémont, avez-vous mangé des champignons? des champignons blancs, essayez de vous rappeler, monsieur Clémont?* Les deux autres, le beau-frère et le chum, jurent aux médecins que non, *de la booze et de la viande en masse mais pas de champignons*, et on leur explique alors que ça s'est sans doute produit avant, on leur énumère les propriétés mesquines de l'amanite vireuse, appelée vulgairement ange de la mort, qui entame la destruction immédiatement dans l'intimité des cellules, mais ne présente de symptômes que trois jours après son ingestion, la rendant hélas complètement et irrémédiablement mortelle. Gilles aussi jurerait que non, *pas de champignons*, s'il était capable de parler et d'entendre les questions, mais ce qui se passe à l'intérieur de lui rend toutes les autres réalités falotes et vaporeuses, même les baisers mouillés de sa femme et la petite main sale de son fils. À l'intérieur de lui il est le seul témoin du carnage et il crie de temps à autre pour alerter les autres : *La grande ourse!* Il crie *C'est elle, la grande ourse!* mais on croit qu'il délire sur les étoiles et les constellations alors qu'il est en train de nommer le mal qui le massacre, l'ourse enceinte à qui il a arraché l'abdomen des semaines auparavant pour lui soutirer la vésicule biliaire se tient maintenant rugissante dans son ventre et lui dévore les entrailles…

Tiens, Gilles, tu mangeras ça sur la route.
T'es donc ben fine, ma petite Lila.
Ça va rester chaud dans le thermos.
Je le savais que toi pis moi. Toi pis moi, Lila. Lila.

Elle s'était accroupie dans un angle mort de la cabane à bateau, à l'abri des regards mais pas des voix qui franchissent les corps solides. Elle essayait d'échapper à son nom, *Lila. Lila!* éjecté dans sa mémoire avec une odeur de cadavre et répercuté sur les flancs âpres du mont Diamant, *Lila! Lila!* elle se bouchait les oreilles et implorait silencieusement pour que ça cesse, mais Simon continuait de crier son nom et de l'attendre, s'ankylosant peu à peu dans son kayak près du quai de la cabane à bateau, et puis il décida que c'était assez et qu'elle devait être rentrée chez elle et il rentra aussi chez lui en pagayant ferme malgré les crampes dans son dos.

Dans le lac est le feu

On pouvait compter sur elles. La Grande Ourse, les jumeaux Castor et Pollux, les pépites brillantes de la Ruche, Aldébaran, Véga de la Lyre et les autres, toutes les autres étoiles dont il n'arrêtait pas d'oublier le nom, infailliblement de retour chaque nuit, d'ailleurs jamais parties, seulement invisibles par moments derrière l'étoile Soleil qui en menait large. On pouvait compter sur elles pour nous livrer les informations essentielles, d'où on vient, de quels atomes on se chauffe, depuis combien de temps et, surtout, où on va. Chaque nuit, les étoiles se tassaient un peu plus vers l'ouest, de manière qu'on ne les perde pas de vue et qu'on saisisse bien qu'elles allaient quelque part, que le voyage se faisait dans cette direction-là, toutes ensemble et nous avec elles, l'univers entier avec son convoi de galaxies, de gaz, de débris et de quelques rares acides aminés angoissés, filant en accéléré vers le grand Ouest cosmique. Qui était là, en Ouest extrême, à tirer vers soi la couverture de l'univers ? Peut-être les dieux auxquels on avait donné naissance, à l'étroit dans leur paradis en forme de loft, exaspérés d'être si nombreux alors qu'on leur avait laissé croire à chacun qu'ils étaient uniques.

Deux heures du matin. Simon buvait du thé sous les lumières du ciel, près de l'îlot où ne dormaient pas non plus les huards. Il s'était faufilé dehors à l'insu de Marianne, comme un adolescent qui découche pour aller retrouver sa tribu. Si elle l'avait vu sortir, Marianne l'aurait houspillé, doucement puisque ce n'était pas dans ses habitudes de s'emporter, mais le plaisir de Simon, fait de petits échafaudages fragiles comme tous les plaisirs, en aurait été ébranlé. Dieu merci, quand Marianne s'assoupissait, c'était pour longtemps et profondément. Il pouvait marcher autour d'elle et parler à voix haute sans que le monde dans lequel elle était maintenant emmurée se craquelle. Le plus difficile avait été de passer incognito devant la chambre de Jérémie, qui demandait qu'on laisse sa porte ouverte en permanence. Pauvre Raton, écorché si tôt dans la vie — un non-sens pour Simon qui aimait croire à l'impunité joyeuse de l'enfance, bien qu'il l'ait vue de plus en plus mise à mal dans le restant du globe et même ici, avec tous ces enfants soldats, ces enfants marchandises exhibant comme des vieillards médaillés des cicatrices de guerre beaucoup trop grandes pour eux. Jérémie s'était raclé la gorge au moment où Simon s'adonnait à des manœuvres de camouflage devant sa porte, et alors il n'y avait pas eu d'autre choix que d'entrer dans la chambre et s'asseoir sur le lit.

— Où tu vas ? avait demandé Jérémie sans préambule.

— Dans la cuisine, avait dit Simon, ce qui constituait une demi-vérité. Veux-tu un verre de lait, veux-tu un biscuit?

— Non.

Ce que voulait Jérémie ne parvenait pas à sortir en mots ni en exigences. Mais c'est sûr que ces yeux-là, qui vous agrippaient dans leur noirceur aussitôt qu'ils se posaient sur vous, vous demandaient quelque chose.

— Veux-tu que je reste avec toi un moment?

— Pas besoin, dit Jérémie.

Et il arbora un sourire confiant, un vrai sourire, avant de se tourner sur le côté et de fermer les yeux, mettant un terme aux appels informulés. Simon le contempla un moment, petites mains fermées sur les draps, petite tête gracieuse remplie à ras bords. Qu'adviendrait-il de lui, de tous les autres? Comment transmettre la confiance inébranlable en la vie, sans laquelle on chancelle d'épuisement même au début du voyage? Dans l'obscurité, Jérémie avait récupéré son beau visage d'enfant lisse d'avant l'incendie. Les brûlures dormaient avec lui, invisibles.

Il aurait dû l'emmener avec lui. Il aurait dû les emmener tous. Tous ceux-là en ce moment en proie à la laideur, prisonniers de lieux angoissants où la vie n'a aucune place pour étendre les jambes. Tandis qu'il se frayait un passage sur le lac, dans le coffre-fort béant de la nuit, tandis que la richesse déferlait sur lui — oh les étoiles foisonnantes, oh la silhouette de château de la falaise, et l'air tangible à force d'odeurs, et la soie noire du lac… —, tous ceux-là dans leur cachot de douleur continuaient de le dévisager sans ciller. Même l'été, il était abonné aux dépêches sombres de Médecins Sans Frontières, de Care, d'Amnistie internationale, qu'il dépouillait et relisait et commentait quand il ne fomentait pas des pétitions et des lettres d'insultes aux gouvernements d'ici et d'ailleurs, coupables de criminelles indifférences. *Mais arrête un peu,* disait Marianne, *reviens-en, qu'est-ce que ça te donne, qu'est-ce que tu peux y faire?* Et elle repartait pour l'hôpital soulager la détresse, elle qui avait la chance de pratiquer un métier immédiatement utile, le laissant seul avec son impuissance de privilégié.

Il pouvait ça, au moins. *Vous êtes avec moi.* Contre les corps explosés, les humeurs répandues, les enfants aux orbites creuses, pour amadouer la colonne de misère universelle dense comme un champignon atomique, il pouvait se tenir droit sur son kayak, l'esprit concentré. *Je te salue, Muhammad Bekzhon, dans la geôle de ton Ouzbékistan bâillonné où on te torture depuis des mois, je te salue, Nadezdha Kosenchouk, dont j'ai appris l'existence par Internet et qui crèves de faim en compagnie de tes quatre enfants sur les restes foireux de Tchernobyl, je te salue, Djamina Alohé du Darfour, anéantie par le meurtre de ton bébé Sahel et le saccage sexuel de ton corps, je te salue, tout petit Josef, en train de mourir du sida à Maradi dans le Niger avant d'avoir rien su du privilège de vivre...*

Il flottait seul dans la beauté précieuse, et eux, les damnés de la terre, croulaient sous le nombre. Il devait en choisir cinq ou dix au hasard, piger dans le vaste pool de la malchance humaine. Peut-être qu'au cœur de la beauté il se trouvait ainsi à dresser un autel clandestin qui purifiait la pourriture, une manufacture à transmuter la douleur en énergie radiante. On ne sait jamais. On ne sait jamais de quoi on est capable quand on se dépouille de son cynisme. Peut-être qu'à ce moment précis chacun de ces cinq ou dix interpellés recevait au milieu de sa tourmente une décharge d'espoir, la visite de quelqu'un d'inattendu, une ration de riz supplémentaire, voire une sensation de fraîcheur sur sa peau brûlée... On ne sait jamais si le miracle ne se tient pas à notre disposition, simplement dissimulé dans le noir.

Imperceptiblement, le courant l'avait rapproché de l'îlot. Les lucioles allumaient des feux intermittents dans l'espace, les chauves-souris piquaient vers l'eau comme des avions bombardés, les grenouilles réclamaient à grands cris de l'amour. Toutes ces créatures gracieuses, en apparente représentation, besognaient ferme en réalité — manger, se reproduire, dévorer et pourfendre avant d'être pourfendues, téléguidées par la force qui ordonne de perpétuer à tout prix la vie. Et lui ? *Et toi, Simon ? Où en es-tu dans le vaste dessein cosmique ?*

Quand il s'adonnait ainsi à la contemplation, la question arrivait comme un boomerang et le laissait d'abord sonné par la mélancolie. *Je ne suis nulle part,* avait-il envie de répondre, *j'ai fait si peu de pas, et peut-être dans la mauvaise direction.* Mais peu à peu, la mélancolie, inutile, s'évanouissait. C'est vrai qu'il était peu de chose, avait été peu de chose. Cependant, malgré le rien qu'il avait été, il avait maintenant *ça* à sa portée, mérité ou non quelle importance ? on avait placé sur son parcours ce milieu exceptionnel sans rien lui demander en retour, sauf peut-être un peu de gratitude.

Vu de l'extérieur, il menait une petite vie sans envergure. Il avait été professeur d'éducation physique, il n'était plus professeur de rien, à cause du mauvais état de sa colonne vertébrale. Il passait les mois d'hiver dans un condo de banlieue, à coacher bénévolement de jeunes joueurs de hockey, à lire trop, à participer à toutes sortes de discussions stériles, à s'enflammer pour des causes désespérées, à s'ennuyer de l'été. Il faisait les courses et le ménage, il cuisinait pour Marianne tandis qu'elle partait au front soigner les blessés dans un hôpital de Montréal. Le dimanche, il recevait à dîner les deux enfants qu'ils avaient eus ensemble, et c'était chaque fois pour lui une source d'admiration stupéfiée. Ça venait de lui, ces deux surgeons-là ? Comment imaginer qu'un arbre puisse donner naissance à des arbrisseaux si dissemblables ? Loïc et Jeanne avaient maintenant la presque trentaine, étaient tous deux mariés sans enfants, et exerçaient des métiers honorables — comptable et informaticien — auxquels il ne pouvait s'empêcher de trouver un relent de goût bouchonné. On pouvait dire qu'ils avaient réussi et que c'était de bons enfants, ils étaient *sauvés* comme se plaisait à le lui répéter son voisin de Saint-Lambert dont le fils était peut-être héroïnomane, et Simon bien sûr approuvait, sans être convaincu que le plus grand péril menaçant ses enfants ne se trouvait pas en réalité devant eux.

Mais l'été.

L'été, ses enfants disparaissaient, sa paternité aussi par conséquent, et en même temps cette aura de respectabilité qui nous fait déambuler dans la vie avec des raideurs de pingouin. L'été, sa vie n'avait plus rien de petit. Il était souvent un héros ou un roi. Parfois, il se sentait à égalité avec les feuilles et les mousses, et c'était parfait aussi. Le fait d'être seul la plupart du temps. Le fait d'être entouré d'eau sans relâche. Ça désintégrait les nœuds problématiques, ça créait dans l'esprit un espace lisse, une sorte de lac connecté à l'autre que les vents contraires ne brouillaient qu'en surface. Et quand les vertèbres de son dos le malmenaient trop fort, il n'avait qu'à se laisser glisser de son kayak. Dans l'eau, en état d'apesanteur, tout finissait par se liquéfier. Il nageait mal mais il flottait parfaitement. Il flottait en compagnie des huards qui avaient mis du temps à le tolérer, mais qui maintenant se contentaient de lui piauler dans les oreilles lorsque son gros corps monstrueux empiétait sur leur intimité. Il n'avait qu'à s'éloigner de quelques centimètres et ça rétablissait la confiance, ou plutôt l'indifférence de ces êtres élégants totalement occupés par leurs propres affaires, pour qui les autres peuplades n'existaient qu'en fonction de leur degré de succulence ou de menace. Même chose d'ailleurs avec les becs-scies et leur flopée de canetons, et le castor irascible qui ne battait plus de la queue qu'une fois sur trois à l'approche de son kayak, préservant de justesse la tradition de belligérance contre un ennemi visiblement maté. Tous ceux-là le laissaient dorénavant occuper sa place. Mais quelle était sa place ? Eau ou terre ferme ? L'évolution avait eu beau l'arracher à coups de millénaires à la vie aquatique, une partie de lui ne semblait pas vouloir s'en détacher.

Et puis l'été, il retrouvait Lila, sa reine revêche.

Il distinguait bien la tête de la femelle huard, découpée comme une estampe japonaise sur la masse noire des aulnes. Elle couvait sur un nid d'herbes. Il connaissait la couleur de ses œufs — beiges, marbrés de taches chocolat, jamais plus de deux — et la plupart de ses mésaventures quotidiennes, faites de joutes amoureuses, de chants à n'en plus finir, de grandeurs maternelles, de plongées extrêmes, de déglutitions laborieuses — car les poissons ne se laissaient pas gober vivants sans réagir. Le plus connu de ses exploits restait ces grandes vocalises déchirantes qui fendaient les nuits d'été et décontenançaient les citadins de passage. *(Un canard ? Voyons, tu me charries ! C'est un loup !)* Mais il y avait plein de menus événements extraordinaires dont il était le seul témoin : les leçons de plongée ou de chant données des heures durant au huardeau de l'année, aussi balourd et brun que celui de l'été précédent. Les rassemblements d'automne où ils se retrouvaient en rang d'oignons sur le lac, dix à la fois à jacasser, à faire le périscope, à plonger sous le voisin pour lui voir le ventre, à se lancer des duels vocaux, tous beaux dans leurs habits quadrillés et leurs casques noirs de guerriers… Et aussi les deuils. Quelques étés auparavant, l'un des deux huards avait disparu, et pendant des mois, l'abandonnée, la veuve, avait appelé son compagnon, jour et nuit appelé et pleuré, et l'on ne savait pas ce qui était le plus bouleversant dans cette histoire, entendre cet incessant chant de détresse ou découvrir à quel point les oiseaux sont capables de chagrin. Lila, bien sûr, n'en avait pas dormi de l'été.

C'est à Lila que Simon racontait tout ça, ces minuscules péripéties glanées en contemplant les huards ou n'importe quelle autre bête à plumes ou à poil s'adonnant à bouger près du lac. *J'ai vu le héron,* lui disait-il simplement. Ou : *Deux visons se couraient ce matin sur le rivage.* Ou : *Un urubu s'est perché sur le rocher.* Ou : *Un renard est venu boire devant moi.* Ou : *Les crapets-soleils sont gros cette année.* Et ça marchait à tous coups, ça déclenchait chez elle une bonne humeur immédiate :

— Comment gros ? Où exactement ? Que faisaient-ils ? Je veux bien ils couraient, mais ils couraient comment ?

Tout au sujet des animaux la ravissait, jusqu'à leur façon de se gratter et de déféquer. Elle entretenait des chats depuis toujours, des chasseurs longilignes et gris qu'elle s'évertuait à rendre végétariens comme elle — sans résultat, bien sûr. Elle avait apprivoisé les truites de l'étang un certain été, en les nourrissant de pain et de fromage au lait cru : les truites bondissaient littéralement à sa rencontre, jusqu'à ce que le grand héron s'émeuve de ce branle-bas comestible et y mette un terme. Qu'ils se mangent entre eux, déjà, ça passait de travers. Mais qu'ils souffrent à cause des hommes, ça, ça lui restait dans la gorge.

La première fois qu'ils s'étaient rencontrés, il ne l'oublierait jamais. C'était dans leur chalet, à Lila et à Jan, finalement devenu le sien. Jan l'avait accueilli sur le seuil — un grand type hâlé et séduisant qui resterait en travers de son chemin pour l'éternité, surtout après sa mort —, mais à ce moment-là Simon buvait du thé à l'intérieur, ravi du lieu et de son coup de chance, discutant de bail et de déménagement avec Jan, lorsqu'elle s'était engouffrée dans le chalet, les mèches blondes en bataille au-dessus d'une veste d'homme boutonnée de travers, des brassées de branchages dans les bras et tout de suite quelque chose de suspicieux et de féroce dans le regard qu'elle lui avait lancé. *Chassez-vous ? Ici, c'est interdit. Combien d'enfants avez-vous ? Est-ce qu'ils sont bien élevés ? Avez-vous des chiens ? Fumez-vous ?* Sa voix gutturale semblait un survêtement, une deuxième veste râpée jetée sur un corps délicat pour faire diversion. C'était certainement la plus belle femme qu'il ait jamais vue, quoique très peu féminine à vrai dire, munie de grandes mains et de sourcils broussailleux, avec une façon carrée de bouger et de dévisager les autres comme si elle était en guerre. Le test véritable était venu après, quand elle s'était mise à raconter ce qu'elle avait croisé le matin sur la route — *Un camion d'assassin, monsieur, rempli de martyrs et personne ne proteste, martyrs, oui, tu peux bien rire, Jan, mais ils s'en allaient tous à la mort et ils le savaient, leurs pauvres têtes collées à la fente étroite de la boîte du camion pour attraper au moins un peu d'air à défaut d'eau car on les assoiffe et on ne les nourrit plus pour ne pas gaspiller le grain, ça me donne envie de vomir, et j'ai croisé le regard de l'un d'eux, monsieur, oui, ça vous étonne qu'ils aient un regard, j'ai croisé son regard, des yeux presque bleus appartenant à un autre monde c'est certain, mais ses yeux m'ont cherché les yeux, je vous le jure, ses yeux dans mes yeux tentant de me communiquer de vivant à vivant sa peur monstrueuse...* Elle s'était tue brusquement, elle avait attendu sa réaction. Pendant ce temps, Jan versait de l'eau bouillante une nouvelle fois dans la théière et un rire muet lui déformait les lèvres, mais Simon savait fort bien que lui n'avait pas le droit de rire et qu'il était de la plus haute importance qu'il trouve quelque chose de pertinent, de compatissant à rétorquer, alors que tout ce à quoi il arrivait à penser non sans frayeur, c'était au jambon — délicieux — dont il s'était justement empiffré le matin même...

On lui avait loué, mais il avait manqué sa chance. On lui avait loué pendant dix ans, et on avait même fini par lui vendre, et Lila avait par la suite noué avec lui cette amitié particulière, mais il savait qu'il avait manqué sa chance. Si sa réponse d'alors — bredouillante, convenue, si peu mémorable qu'il n'arrivait pas à se la rappeler... —, si sa réponse avait été différente, le chemin qu'il avait vu entrouvert ne se serait pas refermé d'un coup sec, et peut-être que Lila, après la mort de Jan, peut-être que Lila se serait finalement laissée aller à l'aimer.

Même aujourd'hui, c'est ainsi qu'il continuait de voir les choses sans en être malheureux, une occasion passe que vous ne saisissez pas et jamais elle ne revient et c'est tant pis et même parfait comme ça, car vous étiez destiné à ne pas la saisir.

D'ailleurs, que serait-il advenu de Marianne et de lui si le chemin menant à Lila était resté ouvert ?

Ils dormaient tous en ce moment. Marianne, Lila, Jérémie et les autres. Près de chacun d'eux une lumière veillait pour faire croire à la vigilance et repousser les détrousseurs. Il connaissait le sommeil gratifiant de Marianne, il n'était pas inquiet pour elle. Lila, c'était autre chose. Chez Lila, en haut de la colline, le lampadaire qu'il avait programmé lui-même s'était allumé à minuit et s'éteindrait cinq heures plus tard, à ce moment des limbes où elle était enfin persuadée que personne n'a plus la force de nuire. Le reste du temps, elle voyait la malfaisance des gens perchée au-dessus d'elle et n'attendant qu'un moment d'inattention de sa part pour lui fondre dessus. Ce qu'elle aimait chez les bêtes, au fond, c'est qu'ils aient su échapper à la condition humaine. Mais en ce moment, temporairement elle dormait, écroulée dans son pays solitaire, riche souveraine de son petit royaume anarchique et pourtant mécontente, rêvant sans doute de guerres de pauvres, de luttes sans merci pour conquérir des territoires déjà à elle.

Ou peut-être rêvait-elle de Jan.

Elle ne l'avait pas digéré. Elle cherchait sans

relâche le coupable de la disparition prématurée de Jan, et comme il n'y en avait pas, c'est sur elle que le feu finissait par ricocher. Elle était abasourdie et décimée par sa propre impuissance. Quoi? On donne tout à quelqu'un, en pure perte, sans que ça l'immunise contre la mort? Avec Jan, elle était allée si loin dans l'abandon qu'il ne lui restait plus rien à donner ailleurs. C'est ce qu'elle osait dire à Simon, parfois, quand elle osait parler de Jan. Il comprenait, parce qu'il les avait vus ensemble. Ensemble, Lila et Jan étaient insupportables. Le couple idéal, primordial, squattant le paradis même s'ils en ont été chassés. À côté d'eux, les autres couples avaient l'air de fonctionnaires engagés pour la reproduction, de retraités insignifiants amalgamés pour amasser le maximum de rentes communes.

Tout cela était loin. Et pourtant quelque chose restait à obtenir, était là à portée de main, toujours insaisissable. Une si belle femme, qui accepte que vous la touchiez, une si belle femme fermée malgré tout à double tour, sa beauté cadenassée devant vous et elle vous montre la clé, et puis la cache, et la montre de nouveau.

Un jour, peut-être, il aurait vraiment accès à elle, quand elle serait trop vieille pour se protéger. Il ne désespérait pas. En attendant, il se savait le seul être humain accepté dans sa cour, le seul vassal à deux pattes trouvant grâce à côté de son peuple quadrupède.

Le lac bougeait et bruissait sous sa pagaie comme une masse animale primitive et puis retournait, aussitôt calmé, à son existence minérale. *Qu'est-ce qu'un lac?* se disait-il en y plongeant la main, en touchant la peau ondoyante qui le portait mais qui aurait pu tout aussi bien l'engloutir. Et une fois de plus, il était frappé de respect pour ce vaste corps informe et mystérieux, aussi vivant que du sang — le sang de la terre! —, au sein duquel tant d'êtres prenaient forme et trouvaient leur subsistance. L'été, bien sûr. L'hiver, on n'en parlait pas : tout coagulait et perdait son sens.

Le huard sur son nid avait relevé la tête et commencé à émettre des notes brèves, mélodieuses et patientes, mais qui n'en étaient pas moins des avertissements : je te vois, tu t'approches trop. Simon décida de repousser un peu leurs limites communes, de continuer lentement son avancée vers elle pour voir où cela deviendrait impossible. Presque aussitôt un ululement puissant s'éleva à sa droite, si près qu'il faillit perdre l'équilibre. L'autre huard se tenait à ses côtés, immense et brave, l'agate de son œil posée sur lui tandis que les clameurs de guerre déferlaient dans sa gorge et tombaient hors de son bec comme de gros corps étrangers. Simon prit le temps de contempler le collier et le haut du pourpoint noir et blanc, rarement ainsi exposés au regard, et puis il se mit en marche arrière, avec des rires et des mots d'apaisement. Et comme chaque fois, aussitôt sa bonne volonté démontrée, les huards s'empressèrent d'oublier son existence : le mâle plongea devant lui et sortit près du rivage, devant le nid. La femelle se leva de ses œufs, s'ébroua et, de sa démarche claudiquante de terrienne inconfortable, gagna l'eau tandis que son partenaire prenait sa place sur les petits en devenir. *Changement de garde*, se dit Simon, ravi. Quelque chose de neuf à raconter à Lila, pour faire monter en elle un plaisir de petite fille.

Il connaissait la petite fille qu'elle avait été. Des nattes blondes épinglées sur la nuque, les genoux toujours éraflés, déjà jolie comme un cœur. Il connaissait la maison de pierre avec des volets qui grincent, une maison un peu en ruine car son père était plus à l'aise avec la terre qu'avec les marteaux. Une belle tête forte et calme, son père, et sa mère une créature magnifique, *quoique avec un sacré caractère*, mentionnait toujours Lila sans tenir compte du sourire sarcastique de Simon. La belle enfance dans un village qu'avoisinaient les champs de seigle et les forêts de champignons, toute seule dans le cœur de ses parents en compagnie de chiens, de chevaux, de lapins et de deux chats, Kosmaty et Maciek, une ménagerie prémonitoire qui lui indiquait déjà où serait sa vraie famille.

Quand elle lui parlait de la Pologne, c'était comme par mégarde, souvent en fin de journée, après que Simon l'eut aidée à émonder des arbres ou à peinturer des balcons, tandis qu'elle remplissait leurs petits verres de vodka aux chanterelles. Une sorte de geyser incontrôlable propulsait à la surface les sédiments enfouis, la laissant sans défense, presque douce. Depuis la mort de sa mère, elle avait coupé presque tous les ponts, avec son pays, avec sa langue, avec sa famille. Ne restait qu'une petite-cousine distante, avec laquelle elle échangeait des lettres de loin en loin. Mais couper les ponts ne règle rien, couper les ponts fait naître des passerelles invisibles autrement plus insidieuses, qui nous relient à des fantômes plutôt qu'à des êtres véritables.

Le secret de son enfance tournait autour de son père, et de Markus. La voix de Lila devenait un filet desséché quand le nom de Markus faisait irruption dans son récit. Markus, exactement de son âge, dix ans et demi, avec qui elle revenait toujours de l'école vu qu'il habitait la maison en face, *Une bleue plus belle que la nôtre parce que vraiment bien entretenue, mais Markus n'en était même pas fier, il rêvait d'habiter un immeuble moderne comme à Kraków ou à Paris, où les gens vivent côte à côte chacun dans leur case en partageant les waters et d'autres choses comme ça qui font que l'univers est égalitaire et socialiste…* Markus, tout petit et des yeux d'adulte, premier à l'école, trop savant et sérieux pour être son ami mais assez pour qu'il l'impressionne énormément, ce qui est une forme d'amour.

Markus, juif.

(Elle disait : *J'ai cru longtemps qu'être* juif *faisait référence à une maladie grave et secrète que Markus avait attrapée à son insu et dont il pourrait mourir.*)

(Elle ajoutait : *Ce qui n'était finalement pas si éloigné de la réalité.*)

L'enfance est une chambre froide dans laquelle sont entreposées les graines de tout ce qui va lever et se déployer, et Simon avait les clés de la chambre froide de Lila. Quand elle lui assénait des mesquineries ou qu'elle avait ses yeux méchants, il voyait la petite blonde aux genoux galeux traumatisée par la trahison et la mort, qui s'exerçait à vivre désormais en supprimant l'amour et l'idée même de l'amour.

Depuis qu'il connaissait la petite blonde traumatisée, il pardonnait tout à la grande blonde blanchissante. Il avait ainsi par moments l'impression de la tenir dans sa main comme un petit oiseau sans défense dont il touchait le moindre contour, et puis paf elle s'envolait et il la perdait de nouveau.

Au-delà du chenal, les étoiles s'entassaient par grappes dans le ruban de la Voie lactée. Une seule cuillérée de matière d'une étoile à neutrons, se rappela Simon, une seule cuillérée pèse un milliard de tonnes, autant que tous les voitures, camions et autobus réunis de la planète. C'est de ce genre d'informations démesurées que l'humanité a besoin, se disait-il en pagayant vers le chenal, besoin de perspective, besoin urgent de décoller de la fourmilière où les mélodrames se cognent les uns aux autres.

Le chenal formait un corridor d'un demi-kilomètre, engorgé par les nénuphars et les constructions pharaoniques des castors. Seules les très légères embarcations pouvaient s'y faufiler, dont le kayak de Simon. Et au-delà du chenal commençait le lac Campeau, un grand plan d'eau sinueux peuplé normalement, si on le comparait à l'anomalie sauvage du lac à l'Oie, c'est-à-dire peuplé comme il se doit de pelouses dévalant jusqu'à la rive et de chalets nés côte à côte comme les boutons d'une éruption de varicelle. Simon connaissait au lac Campeau plusieurs de ces tondeurs de pelouse et de ces propriétaires de bateaux agressifs, la plupart sympathiques et émouvants quand on se donnait la peine d'écarter les superficiels sujets de mésentente. C'était peut-être là son plus grand talent. Même de parfaits inconnus se livraient avec lui à des confidences qu'il n'avait pas demandées, lui remettaient d'office les clés de leurs chambres froides comme à un concierge incorruptible. Tandis qu'il passait en kayak, les riverains en train de bichonner leur gazon ou les solitaires embusqués sur un quai derrière leurs livres levaient la tête un moment, et c'en était fait d'eux. Simon ralentissait pour les saluer avec ce sourire vaste dont il ne mesurait pas l'effet, et ça commençait comme ça, tout petit, avec des conversations courtoises de fond de tiroir — *Ils annoncent de l'orage, Les bouleaux sont mangés par la mineuse cette année, Avec le prix de l'essence c'est devenu un luxe de monter dans le Nord…* Et puis la fois suivante ou l'autre d'après, lui toujours dans son kayak et eux sur la rive, quelque chose se tissait à mi-chemin entre la terre et l'eau sur lequel ils se mettaient à avancer sans crainte pour y déposer leur fardeau. Jacques Béloin, au bungalow poli comme un œuf et à l'humour épuisé — *A beau mentir qui vient Beloin…* — avait perdu un fils dans un accident improbable dont ni lui ni sa femme ne se remettaient — *Une branche d'arbre, Simon! En plein Montréal! Une branche d'arbre sur la tête d'un p'tit gars qui marche sur le trottoir, si c'est pas une malédiction, qu'est-ce que c'est?...* Les Nguyen, qui encerclaient leurs belles fleurs de hideux grillages pour les protéger des chevreuils, s'inquiétaient de leur citoyenneté canadienne toujours reportée — *We are not home, Mister Delisle, we pay taxes and work hard and we are honest but we feel we are not welcome home...* Et Jean-Guy Talbot, au faciès de motard et au passé de policier, qui avait recommencé sa vie en compagnie de chèvres qu'il élevait dans un champ aride et caressait comme des chiens, ne se lassait pas de lui narrer les désolations de son ancienne existence — *Toujours sur la coke et violente à part de ça, j'ai essayé fort mais l'amour peut pas vaincre la dope...*

Simon écoutait beaucoup mais parlait autant, il adorait ces échanges d'une liberté totale qui lui inspiraient des commentaires ou des suggestions audacieuses sur des situations de crise, et même d'ordinaire tracasserie quotidienne, et quand il sentait un cul-de-sac ou une noirceur inutile appesantir la conversation, il se retirait. Pour toutes ces raisons, on le surnommait Curé dans les alentours, il le savait et s'en amusait, lui qui était né de parents agnostiques lui ayant appris à ne jamais fréquenter les églises.

Il y avait des exceptions. Certains êtres humains, malgré tout, ne se laissaient pas estimer facilement. Jeff Clémont, par exemple. C'était l'un des surgeons d'une lignée bien implantée dans les Laurentides, le fils de Gilles, que Simon avait à peine connu puisqu'il était mort dans la jeune quarantaine. Il se rappelait de Gilles comme d'un beau type entreprenant, un peu fendant, qui l'avait tout de suite appelé Fiston et qu'il trouvait plutôt amusant sous ses airs de matamore. Il se servait par contre beaucoup trop de sa carabine. Son fils lui ressemblait peu, sauf pour l'air de matamore et la carabine. Il venait d'acheter une section du lac Campeau et il nourrissait de grandes visées, qui horrifieraient Lila quand elle viendrait à les connaître. Mieux valait garder Lila le plus longtemps possible dans l'ignorance, surtout des deux castors abattus dans le chenal par le fils Clémont, qui avait protesté et nié fortement même quand Simon l'avait pris sur le fait. Simon l'avait jaugé en quelques minutes de conversation. Quand un homme vous dissimule ses yeux en parlant, c'est mauvais signe, signe que la guerre est possible.

Aux abords du chenal culminait le chœur des batraciens, rainettes et ouaouarons confondus dans une clameur polyphonique enveloppante comme un mantra. Culminaient aussi les fanaux des mouches à feu, et les piqûres des maringouins, hélas, qui venaient de prendre leur place dans le combat pour la survie, attestant que l'été était bel et bien engagé et qu'il était peut-être l'heure, entre-temps, de regagner ses quartiers de sommeil. Simon se mit en marche arrière, tentant d'embrasser tout dans un dernier regard, dans une seule inspiration, les étoiles, l'eau dense, les insectes, la vie vibrante… *Je vous salue, Ying Tsien et Kwon Do, à qui en ce moment on extrait des organes dans un hôpital militaire de Beijing pour vous châtier d'appartenir au Falungong… Je te salue, Maria Sonaro, survivante du séisme qui a anéanti ta famille à Bogotá… Je te salue,*

Youssouf Makhtar, coincé entre des raids israéliens et des tirs du Fatah al-Islam. Je te salue, Khaled Mahmoud Assar, enterré vivant dans la prison de Guantánamo. Je vous salue, Sara et Ben Aaron de Tel-Aviv, dont la maison vient d'être pulvérisée par le Hezbollah. Vous êtes avec moi. Ceci est aussi à vous.

Le cri le surprit alors qu'il frôlait l'îlot, un cri perçant semblant sourdre du centre de la terre pour venir déchirer la nuit en deux. Il resta saisi, la pagaie hors de l'eau, incapable de décider à quel corps connu cela appartenait, à un raton laveur en guerre peut-être, ou plus vraisemblablement au grand duc fondant sur un mulot. Des couinements de protestation s'élevèrent parmi les autres créatures de la forêt, et puis tout retrouva un silence effarouché, plus profond qu'auparavant. Simon se mit à ramer ferme pour se calmer, quel cheval galopant que l'anxiété, quel colis fragile que la paix de l'esprit, jusqu'à ce que le cri s'élève de nouveau et lui glace le cœur, un cri plus retenu mais plus effroyable pourtant car il venait de révéler sa vraie nature, un cri de femme, un cri de femme violentée provenant du côté de chez Lila.

En quelques moulinets frénétiques il fut près de la cabane à bateau, mais ça venait d'à côté, c'était devenu un gémissement rampant et continu émanant du petit chalet de bois rond loué par Lila, et Simon s'y précipita même s'il n'avait pas encore rencontré celle qui l'occupait depuis la veille, force majeure, la porte était verrouillée mais il défonça du poing la moustiquaire de la grande fenêtre et se retrouva dans le vivoir plongé dans l'obscurité à crier à son tour, force majeure, à crier : *Avez-vous besoin d'aide ? Qui est là ? Sortez de là !...*

Et quelqu'un en effet sortit en trombe de la pièce du fond, une grande silhouette mince munie d'un bâton qui fonça sur lui en grondant, il faudrait donc se battre, lui que la violence révulsait, et le bâton de baseball s'abattit tout près de son épaule tandis qu'il saisissait le bras de l'agresseur en prenant conscience du même coup que c'était une femme, gracile et jeune et aussi peu agresseur que lui-même, et il chuchota cette fois au lieu de crier : *Du calme ! Arrêtez !* et la silhouette menue et longiligne stoppa aussitôt tout mouvement comme un automate à la pile épuisée. La lumière se fit, car il avait trouvé le commutateur.

Devant lui une jeune femme nue se protégeait les yeux de la lumière crue, encore palpitante de colère : *T'es qui, toi ? Qu'est-ce que tu fais ici ?* et puis elle s'empara d'une couverture pour en draper son long corps somptueux tout en continuant de le dévisager avec indignation. Simon recula en balbutiant des simagrées de phrases... *Suis votre voisin... C'est à cause des cris... Je suis Simon... Simon, le chalet d'à côté... J'ai entendu des cris...* Oh la situation embarrassante qui ne laissait entrevoir aucune issue harmonieuse, et pourtant la jeune femme fit une volte-face inattendue en amorçant un sourire.

— Des cris... Ben oui.

Il nota qu'elle était aussi grande que lui, puisque leurs yeux se toisaient sur la même trajectoire, et qu'elle avait une tête singulière, à la peau très blanche, la peau d'une princesse qui n'aurait jamais connu le soleil, et au crâne délicat surmonté de courts épis dorés. Sous ce gracieux casque de guerrière, les traits se dessinaient avec une précision extrême, comme surlignés au feutre noir : la bouche mobile, les yeux comme des olives vertes, le petit point d'exclamation du nez…

— J'ai pensé que…, hasarda-t-il. Un rôdeur… Même si je n'en ai jamais vu ici…

— Je fais des cauchemars.

— Ah. Mon Dieu.

— Ça peut m'arriver de crier. J'avais averti la vieille dame.

— Lila, se sentit-il obligé de rectifier.

Il eut un geste navré vers la fenêtre.

— J'ai bousillé votre moustiquaire. Demain, sans faute, je la répare.

— C'est un *deal.*

Elle fit un sourire espiègle qui lui découvrit de petites dents carnassières, et Simon pensa qu'elle avait l'âge de sa fille Jeanne, mais l'ombre d'une très vieille âme, en même temps, dans le regard.

— O. K., voisin. On recommence, cette fois-ci comme il faut. Moi, c'est Violette.

Elle tendit une grande main délicate, aussi blanche que son visage, qui broya celle de Simon avec une fermeté redoutable. Il ne put s'empêcher de rire en pensant au bâton de baseball qui avait bien fait de ne pas lui atterrir sur l'épaule.

— Violette. Désolé encore, Violette, vraiment désolé.

— Merci de vous être précipité à mon secours.

— Un cauchemar, hein?... Tout un cauchemar, dit-il en souriant.

Elle continua de le regarder sans ciller, avec ses beaux yeux de jeune aïeule.

— Tout un cauchemar, répéta-t-elle.

— En tout cas, vous savez vous défendre, ajouta-t-il joyeusement.

Il sut tout de suite qu'il venait de dire une sottise. Elle ne réagit pas, mais une nuance métallique vint ternir son regard vert, et le sourire demeura sur son visage comme un masque derrière lequel elle s'était retirée très loin.

— Oui, dit-elle après un moment. Maintenant, je sais me défendre.

Finalement, il resta dans le petit chalet de bois rond pendant près de deux heures. Violette s'était rhabillée malgré l'heure tardive — ou précoce, car on ne savait plus par quel bout parler de la nuit —, ils avaient calfeutré ensemble tant bien que mal l'ouverture béante de la moustiquaire par laquelle pénétraient des hordes assoiffées de maringouins et de brûlots. Ils s'installèrent à la seule table du chalet, et ils burent le restant du thé de Simon, ce qui la mit en verve pendant un moment. C'était de la tisane de cannabis, lui révéla Simon, destinée à mater ses douleurs au dos, mais qui viendrait tout aussi bien à bout de ses cauchemars. Même si elle se montra d'abord tentée par la gaieté, Violette dérapa très vite dans le vif du sujet. Elle parla longtemps, précipitamment, comme pour empêcher

Simon de la quitter pour aller dormir. Elle avait énormément de choses à livrer à propos de sa vie, même à trente ans, et surtout un immense besoin de les aérer à l'extérieur d'elle-même. Ce qu'elle racontait atterra si fort Simon qu'il perdit l'usage de la parole et la laissa défiler ses histoires sans songer à l'interrompre ou à lui poser une seule question, ce qui était bien éloigné de sa nature.

Quand il reprit son kayak et le chemin vers chez lui, la nuit était trempée d'humidité et on ne voyait plus les étoiles. Il songea qu'ils avaient contaminé la nuit, à force de noirceur. Il se sentait lui-même malade de tristesse, et il avançait sans énergie, comme un rafiot sur le point de rendre l'âme. Pauvre petite Violette, pauvre petite fille. Qu'elle soit encore capable de sourires chaleureux et de beauté tenait du miracle. Il revit soudain, dans un choc, la première image d'elle, qu'il avait rangée dans un coin nébuleux de sa mémoire pour cause d'étrangeté. Maintenant, tout était net : le long corps nu s'apprêtant bravement à livrer bataille, bâton à la main, n'avait qu'un sein.

Pourquoi la perversion ne s'arrêtait-elle pas d'elle-même, quand elle avait épuisé son oxygène ? Qui permettait que la famille, que le père de famille, que ces berceaux essentiels de la vie manquent aussi lamentablement à leur nature ? Simon, accablé, tourmenté, pagayait sans fin et il retournait en même temps sa propre vie dans tous les sens, en scrutait les interstices pour y déceler des manquements. Avait-il été lui-même impeccable ? Avec Jeanne et Loïc ? Avec

Marianne ? Quelqu'un avait-il souffert à cause de lui, sans qu'il s'en préoccupe ?

Oui. Quelqu'un.

Assis sur le quai comme un enfant abandonné, les bras autour des genoux, la tête basse et bafouée, Marco le regardait s'approcher. Simon cessa de respirer : son petit frère Marco, né trop tard, par accident, dont plus personne à vrai dire ne voyait la pertinence, son petit frère bousculé par lui et toujours repoussé, et perdu depuis lors dans une sorte de brouillard, par quel miracle son petit frère Marco se trouvait-il sur le quai ?

Jérémie se leva pour accueillir Simon. Dieu qu'il ressemblait à son père, ainsi gommé par l'ombre. Simon ne savait s'il allait se mettre à pleurer ou à rire, de soulagement. Il choisit de gueuler un peu, parce qu'après tout cela faisait partie de ses tâches.

— Qu'est-ce que tu fabriques debout, à cette heure-ci ?

— Toi non plus, tu dors pas.

Il aida Simon à accoster, tourna sur la grève le kayak comme il l'avait vu faire. Simon le prit impulsivement contre lui et l'étreignit. Jérémie, étonné, garda les bras ballants.

— Qu'est-ce qui se passe dans ta grosse tête, Raton ?

— Est-ce qu'elle est morte ?

Simon le repoussa doucement, l'observa avec perplexité.

— De quoi tu parles ?

— La femme, dit Jérémie avec hésitation.

Simon ne tenta pas de comprendre, ni de s'étonner, tout territoire inconnu appartenait désormais au domaine des rêves et de l'épuisement. La seule chose qu'il acceptait de comprendre, c'est qu'ils avaient tous deux rigoureusement besoin de sommeil. Il prit Jérémie par le cou, comme il ne l'avait jamais fait avec Marco, et il l'entraîna vers le chalet.

— Demain, grommela-t-il, l'épaule frêle de Jérémie calée contre son torse. Demain, je t'emmène en canot.

Marco

Ça avait commencé avec l'oiseau de proie, une énorme chose, une sorte de faucon qui se tenait en plein milieu du chemin, raide sur ses deux pattes, la tête complètement déjetée sur le côté, le cou brisé. C'était un miracle qu'il soit vivant, un miracle monstrueux. Il avait fallu le déplacer, car il n'arrivait qu'à sautiller sur place et à bloquer un peu plus la voie. L'un de ses yeux était mort : l'autre dardait sur lui un regard doré et féroce tandis que Marco le saisissait avec répugnance et le déposait de l'autre côté du fossé. Le cœur de l'oiseau battait frénétiquement contre ses paumes, et Marco en garda le souvenir nauséeux dans ses mains, même après qu'il se fut garé près des deux autres voitures. Pourquoi lui ? Il arrivait tout juste de Montréal, fragilisé par trois heures de conduite parmi des chauffards stressés par leurs vacances, déjà qu'il s'était perdu dans la fourche du village en raison des directives trop floues de Simon, et voilà que son premier contact avec l'horrible campagne était cet oiseau horrible, sur lequel n'importe qui d'autre aurait pu buter avant lui, mais non. Il pensa à Jé et il se concentra sur sa respiration. Il était ici pour Jé, peu importent les présages maléfiques.

Personne ne l'attendait, sauf Marianne. Les deux autres étaient partis canoter sur le lac, c'est donc Marianne qui le pilota vers ses *appartements*, précisa-t-elle en riant, où il apprit avec stupeur qu'il dormirait seul dans un cabanon à peine plus grand qu'une cellule de moine, sans même l'électricité, submergé par les arbres. Il ne laissa rien paraître de sa consternation à Marianne, qui chérissait visiblement ce cagibi éclairé au propane dans lequel elle et Simon allaient peut-être s'ébattre quand l'exotisme faisait défaut à leur relation, et qui contenait un grand lit et une petite table, et dehors une pompe et une cuvette et des toilettes au-dessus d'un trou comme au Moyen Âge. On l'autorisait à s'adonner à ses ablutions dans le chalet principal — trop aimables, tous.

Presque tout de suite après, il y avait eu le serpent. Il avait laissé Marianne partir devant, soi-disant pour *défaire ses bagages et s'installer*, lui qui n'avait qu'un léger havresac à vider, mais c'est vrai qu'il s'était installé, la pièce d'Arrabal ouverte sur la table puisqu'il devait potasser son texte avant les répétitions de juillet, et suspendue au-dessus du lit l'amulette contenant le poème de Rûmî qui le suivait partout — *God breaks your heart again and again, until it stays open.* Et un pétard déjà roulé en guise d'accélérateur de beauté.

Dans le pétard flottait immanquablement le visage de Laurie, et il pouvait s'adresser à ses larges yeux de biche sans craindre qu'elle lui tourne le dos comme dans la vraie vie, tester les arguments pour la convaincre quand il la reverrait en personne. Le pétard était de bon conseil à condition de ne pas dépasser la dose pétillante : après, c'était Endormitoire et Compagnie, ou alors le cerveau se muait en une plaque tectonique dérivant vers l'angoisse.

C'est en ouvrant la porte qu'il l'avait vu. Il n'avait pas trop compris de quoi il s'agissait au début, car ça se traînait en zigzag sur un rocher plat et ça avait une grosse tête surmontée de deux antennes frétillantes, et puis il avait crié et le serpent s'était un peu plus dépêché vers les fourrés, même si le crapaud enfourné dans sa mâchoire, petites pattes trépignant à l'extérieur, lui faisait comme un frein. Un petit serpent mais un serpent quand même phagocytant un crapaud, ça dépassait les bornes de l'horreur supportable, et la panique de Marco s'était transformée en fou rire parce que c'était décidément TROP, ça ressemblait à une formidable mise en scène destinée à rendre fou le héros — mais le héros riait, et les spectateurs avec lui.

La totale était survenue pendant la nuit.

Auparavant, il y avait eu l'après-midi et la soirée à traverser, malgré le trac, malgré ce sentiment de pauvreté déshydratant qui lui tombait dessus parfois juste avant d'entrer en scène : *Je suis nul, personne ne m'aime, ils vont me flusher.* Les autres avaient pourtant été parfaits. Jé avait repris un peu de poids et de couleur, ça faisait plaisir à voir. Ils se tâtaient furtivement du coin de l'œil, en attendant que Marco se décide à parler, en attendant surtout que Jé cesse de gigoter ici et là loin de toute promiscuité engageante. Simon se montrait fréquentable pour une fois. Il avait troqué ses habituels sermons sur la montagne contre une sollicitude enjouée qui lui allait comme une robe à une bicyclette, mais au moins il était généreux avec l'alcool et il s'était mis dans la tête d'être amusant, jouant de l'harmonica, proposant d'invraisemblables jeux de piste qui n'intéressaient personne et ne se démontant devant rien. Marianne était égale à elle-même, un peu lunatique, impeccablement souriante et gentille, si facile d'accès qu'on en perdait un peu d'estime pour elle. Non, c'était lui et rien que lui qui bloquait, invité récalcitrant et surnuméraire dans un groupe qui avait déjà ses habitudes, morceau de pur rock-and-roll censé s'emboîter dans un puzzle représentant le bord d'un lac.

Il savait que tout baignerait dès qu'il aurait parlé à Jé. Une fois le gros morceau effrité, le reste des difficultés s'éparpillerait en cailloux insignifiants qu'il n'aurait qu'à pousser du pied, quitte à se fouler un peu la cheville. Mais il ne se décidait pas. Pourtant, il n'avait qu'à répéter les mots que Pétard et lui avaient déjà judicieusement choisis ensemble, il était prêt pour le sacrifice, il dirait à Jé : *Écoute, Jé. Si tu veux, à l'automne, si tu veux...* Dieu que c'était difficile, simplement d'y penser le mettait en apnée, comme sur le bord d'un précipice, comme sur le point d'entrer sous les spots de la scène et de découvrir brutalement qui de la vie ou de la mort va remporter la victoire. Il fallait des préliminaires, voilà ce qui manquait. Oui, il coincerait Jé dans les toilettes, il n'y a pas de lieu infamant, et il lui lancerait sans aigreur :

— Qu'est-ce qui se passe ? Tu veux pas me parler ?

Jé clignoterait des yeux un moment, aveuglé par l'affrontement.

— Ben non, grommellerait-il.

— Ça se passe bien avec Notroncle ?

— Ben oui.

— T'aimes ça être ici ?

— Ouais.

— Oui ou ouais ?

— J'aime ça.

— *Good.*

Quand Jé ferait particulièrement semblant de ne pas écouter, ce serait le moment de plonger. *Go !*

— Au mois d'août, si tu veux, tu peux aller avec ta mère. Ça va me faire de la peine, mais je suis capable.

Et là, Jé resterait dans la position de non-écoute, comme si le pire était encore à venir.

— Comprends-tu ? Tu peux rester avec Laurie. Je le sais que c'est ça que tu veux.

— Non.

— Non ?

Marco sentirait une joie aiguë le traverser, la vie plutôt que la mort serait finalement en train de remporter la victoire.

— T'aimes mieux rester avec moi ?

— Ni un ni l'autre. Vous deux ensemble, ou personne.

Ça se déroulerait peut-être comme ça. Match nul, tout à recommencer. C'était une possibilité parmi huit millions d'autres. En attendant, il n'avait toujours rien dit et la soirée prenait de la barbe, Saint-Jean oblige ils étaient maintenant dehors à se chauffer la couenne et à incinérer les moustiques devant un feu de camp et des pièces pyrotechniques éventées qui faisaient pschch... plutôt que pow! — sacré Simon qui ne ménageait aucun effort dans le kitch campagnard. Par chance, un autre morceau inadaptable s'était joint au puzzle, une voisine, une très jolie fille excessivement grande avec une drôle de tête enveloppée dans un foulard, Violette qu'elle s'appelait, et l'on voyait tout de suite que c'était une rigolote qui ne s'ennuyait pas dans la vie, même si elle semblait célibataire. Comme lui, en fait. Il fallait qu'il recommence à se voir en célibataire, ça n'allait pas de soi, il avait toujours en lui un *nous* enfoncé et indéracinable, un *nous* tendre comme les yeux de la Laurie du début, mais il allait bouter hors de lui toute cette merde geignarde et redevenir un *moi* libre.

Ça avait été le meilleur moment de la soirée, pendant que Violette le regardait, il avait retrouvé son aplomb et son humour et pris le crachoir, leur déclamant des bouts de la pièce d'Arrabal avec une verve authentique ou inventant carrément des scènes, il était un maudit bon acteur aussitôt que des spectateurs acceptaient de l'aimer. Même Simon s'était enquis, le front plissé par la gaieté : *Est-ce qu'on peut aller voir ça, cette pièce-là, nous autres?* et les yeux embrumés de sommeil de Jé étincelaient de rire, du fond du hamac.

Ce sont les meilleurs moments qui sacrent le camp le plus vite, et sans crier gare le cœur de la nuit les avait saisis et assommés, Violette et Marianne étaient parties se coucher, la tête de Simon dodelinait devant le feu en laissant échapper des ronflements.

Quand Jérémie s'était levé de son hamac, une voix assoupie en Marco s'était réveillée brusquement : *Go !* et Marco avait délicatement retenu son fils par la manche.

— Viens-tu dormir avec moi ?

Jé l'avait regardé avec découragement.

— Où ça ?

— Dans mon cabanon.

— Y a juste un lit !

— Un GRAND lit.

Marco se forçait à garder un ton *cool*, bien au-dessus de ses affaires, et il y parvenait.

— J'ai ma chambre dans le chalet, dit Jérémie, embêté, ma chambre à moi tout seul.

Il regardait ses pieds, maintenant, pour être sûr de ne pas croiser le regard de Marco.

— Hier matin, ajouta-t-il en guise d'argument massue, j'ai vu un chevreuil par la fenêtre de ma chambre.

— Mais il doit y en avoir plein, de chevreuils, dans le bois autour du cabanon… ! Tu penses pas ?…

Jé haussa les épaules et continua de regarder ses pieds en bâillant. Marco lui tapota le bras en lâchant son grand rire d'acteur.

— *Cool.* Oublie ça, Jé. On se voit demain !

Il n'allait quand même pas se mettre à quêter, à téter, à soudoyer plus petit que lui.

Le chemin était d'un noir increvable malgré sa lampe de poche, et au moment où il aurait commencé à s'énerver et à imaginer des mouvements dans les buissons, il aperçut devant lui la cabane illuminée. La bonne fée Marianne s'était sans doute glissée tôt à l'intérieur pour allumer tout ce propane, et du coup, il s'en trouva si rasséréné qu'il décida de poursuivre un peu plus loin sur le chemin, pour se faire violence, pour mater la maudite peur qui lui trouait le ventre de la même façon que le halo de la lampe de poche trouait la nuit, et alors le faucon fit irruption dans son esprit. Le faucon, qui était un busard selon Simon-qui-sait-tout, le faucon était là quelque part, près du fossé où il l'avait déposé — dans quel état, maintenant, lui qui n'était déjà pas joli à voir. Il s'immobilisa, la lampe balayant le boisé sur ses côtés. Tout ce silence lourd de menaces, ce silence habité par l'innommable, et il y avait des inconscients pour s'installer au milieu de ça des mois durant et prétendre qu'ils y étaient à l'aise.

Il le vit surgir dans la lumière, et son pouls s'accéléra. Bon sang. Il était plus gros et plus effrayant que dans son souvenir, debout comme un bibelot sinistre sur ses pattes raides, dans la position où il l'avait laissé. Il s'ordonna d'approcher, il s'accroupit à côté de la chose, la lampe flageolant dans ses mains. Rien à faire, ça ne s'arrangeait pas de près, cette fale grise et gonflée, cette tête énorme chue monstrueusement de travers…

Et puis mon Dieu. L'œil. L'œil doré était fixé sur lui, pathétiquement vivant, chargé d'imprécations et de douleur. Marco se recula avec un cri étouffé, et un menu branle-bas agita alors le ventre de l'oiseau, dans le halo de la lampe un petit rongeur et des insectes noirs dérangés dans leur travail quittèrent les plumes et le corps chaud qu'ils étaient en train de grignoter vif.

Il courut jusqu'au cabanon. Après, il se dirait que c'était sa faute, il n'aurait pas dû brûler ce qui lui restait de force joyeuse auprès de ce cadavre vivant, il avait introduit des ondes maléfiques en lui, et ni l'intérieur douillet du cabanon, ni les draps frais embaumant le muguet, ni même le bouquet de fleurs sauvages déposé gentiment par la fée Marianne sur la table ne pouvaient désormais infléchir le cours mauvais des choses. Il fuma un dernier pétard, pour au moins sombrer rapidement dans le sommeil. Et en effet, il sombra.

Il se réveilla quelques heures plus tard, avec le sentiment d'une présence flottante dans la pièce. Sans ouvrir les yeux, son esprit alourdi enregistra un bruit d'ailes à quelques centimètres de sa tête. Sans ouvrir les yeux, maintenant complètement alerte, il pria pour que ce soit un papillon de nuit, de la sorte énorme qui parasite les forêts tropicales, il pria avec ferveur à l'encontre du courant de malignité qui se déployait, inexorable, il pria pour que ce ne soit surtout pas *ça*.

Mais c'était ça.

La peur ancestrale, gravée dans le fardeau génétique, la mère de toutes les peurs fondit sur lui tandis que la chauve-souris tournoyait et rasait les murs, le frôlait de son vol erratique et paniqué et recommençait sans répit, et bientôt, ce n'était qu'une question de secondes, elle s'échouerait dans ses cheveux et il en mourrait.

Il parvint à ramper hors du lit en entraînant les draps, il traficota longtemps *oh Dieu du ciel christ pour l'amour!* avant de trouver la porte et la serrure tandis que le bruissement d'ailes allait s'intensifiant, et enfin il fut dehors, écroulé sur l'herbe, hébété et frissonnant, la porte fermée derrière lui sur l'horreur extrême.

C'est ainsi que Jérémie le trouva, enroulé dans les draps, couché en boule par terre.

C'était encore la nuit, et Jérémie trimballait avec lui une lampe de poche et un sac de couchage, dans l'intention tardive de réparer ce qui pouvait se réparer.

Marco se dressa sur un coude et alluma lui aussi sa lampe de poche. Ils restèrent ainsi face à face, s'éclairant mutuellement, aussi éberlués l'un que l'autre.

— Écoute, dit Marco. Il faut que tu m'aides. Il y a une chauve-souris.

— Ouach, fit Jé en frissonnant. Tu veux dire : une chauve-souris… à l'intérieur ?

— Il faut que tu m'aides à la tuer.

Jérémie se mordit longuement les lèvres.

— On peut pas, dit-il finalement. C'est un meurtre. C'est une vie, donc c'est un meurtre.

Marco le regarda, sidéré. Un petit rire exténué lui sortit de la bouche.

— *Come on,* dit-il faiblement.

— As-tu pensé à ouvrir la fenêtre ?

Marco le regardait toujours. Il amorça le même petit rire, qui s'étrangla dans sa gorge.

— Comment ça se fait que tu sais ça, pis que moi à mon âge je le sais pas encore ?

Et il se mit à sangloter, enroulé absurdement dans des draps fleuris, recroquevillé sur le sol humide. Après un moment, il sentit la petite main froide de Jé se poser sur son cou.

— Arrête, p'pa. T'as fumé. C'est juste à cause de ça. Arrête.

Mais Marco ne savait plus comment fermer ce qui venait de s'ouvrir, et il sanglotait, et il ne savait pas comment arrêter, jusqu'à ce que la voix de Jé revienne, douce comme de la soie.

— Viens. Je vas dormir avec toi.

JUILLET

Le règne animal

L'orage avait duré trois heures. Au début, ils s'étaient installés sur le patio, un campari à la main, comme devant un spectacle. Des ballots de nuages pourpres et noirs roulaient sur la montagne, tailladés par des éclairs magistraux auxquels répondaient avec un léger retard les cymbales du tonnerre. La pluie et le lac formaient une muraille dense en ricochant l'un sur l'autre. C'était beau et violent, comme une réminiscence du big bang. Et ça se dirigeait, ciel vénéneux et traîne d'eau opaque, droit sur eux en grondant.

Bientôt, les artificiers avaient perdu totalement la maîtrise du spectacle. Claire et Luc avaient dû fuir à l'intérieur où les avaient rejoints les trombes d'eau poussées par le vent et s'abattant avec fracas sur les vitres, soulevant les meubles du patio comme des fétus, menaçant d'éventrer les murs. Claire s'était blottie dans un coin sans fenêtre tandis que Luc restait bravement au milieu du salon à surveiller l'avancée de la fin du monde.

Deux jours plus tard, ils n'avaient toujours pas

retrouvé l'électricité, ni le téléphone, ni même l'eau courante, puisqu'un éclair avait percuté le fil chauffant de la pompe. Des dizaines d'épinettes et de pins adultes jonchaient le sol, arrachés avec leurs racines ou brisés en deux comme du petit bois d'allumage. Plusieurs étalaient leurs longues carcasses désolantes en travers du chemin, et l'un d'eux s'était carrément effondré sur la jeep de Luc.

Ils avaient déblayé une partie des cadavres, la scie à chaîne de Luc s'était ensuite enrayée, et maintenant ils s'activaient à la hache et à l'égoïne, sales, échevelés et silencieux comme des survivants de cataclysme. Ils travaillaient depuis des heures dans l'humidité et la chaleur accablantes, torturés par les mouches à chevreuil pugnaces qui parvenaient à dénicher, sous leurs vêtements et leurs capuchons, le millimètre de peau accessible avec lequel repartir en triomphe. De grosses vanesses amiral, écloses en même temps que les mouches à chevreuil, promenaient leur somptueuse livrée noir et blanc au-dessus des branchages, mais Claire n'était certainement pas apte en ce moment à s'adonner à la contemplation des papillons. Elle s'épuisait à ébrancher un tronc touffu dont les rameaux semblaient repousser à mesure, la sueur lui rigolait dans les yeux, les pieds lui brûlaient dans les bottes, elle était poissée de gomme d'épinette, lorsque la blanche apparition avait surgi de la forêt. Une fille en jupe longue, un joli foulard de soie sur la tête, des anneaux dans les oreilles, chaussée — avait noté Claire avec ébahissement — d'escarpins de cuir, s'en venait vers eux, franchissant les souches massives et disputant délicatement aux branchages ses dentelles blanches qui s'y accrochaient. Puis elle avait atterri devant Claire, enjouée et souriante, et elle avait pris la peine d'ajouter un rameau de tilleul au bouquet d'hémérocalles sauvages qu'elle tenait à la main.

— Quelle tempête ! avait-elle lancé gaiement. Quelle beauté, hein ?... Avez-vous beaucoup de dommages ?...

C'était Violette, qui se ferait quelques jours plus tard bien autrement connaître à Claire, mais qui pour l'instant était une extraterrestre, une citadine déplacée qui s'ébaudissait d'admiration devant la fureur des éléments laurentiens pendant que deux éléments laurentiens s'ébaudissaient eux-mêmes devant elle.

— Ouais, avait dit Claire, trop interloquée pour en dire davantage.

— Pas mal de dommages, avait ajouté Luc.

Elle avait emprunté leur chemin et disparu vers la route en enjambant gracieusement les quelques troncs d'arbres qu'il leur restait à décimer.

Elle était bien tombée, finalement. Après son départ, Claire et Luc avaient échangé un long regard et s'étaient vus tels qu'ils étaient, monstrueuses créatures de caoutchouc gluantes et crottées jusqu'aux yeux, et ils avaient ri un bon coup, ce qui ne leur était pas arrivé depuis des jours.

C'était souvent ainsi, souvent les autres qui leur servaient sans le savoir de ciment. Par exemple, les fins de semaine où ils recevaient des amis, ils s'apercevaient à quel point ils avaient tous deux perdu la faculté de parler pour ne rien dire, à force d'être enveloppés de grandiose. Plus ils avaient de visiteurs, plus leur connivence augmentait. Ils aimaient leurs amis, mais ils étaient sans arrêt unis dans une désapprobation tacite envers eux. Leurs amis bavardaient trop, bougeaient trop, ignoraient tout des lois élémentaires qui ont cours dans la nature. Les pires étaient les amateurs de fleurs et de jardins. Ils venaient ici, stupéfaits par tant de luxuriance éparpillée, et une fois que Claire et Luc les avaient baladés dans les tourbières sauvages et les clairières moussues, ils sortaient des pelles et des seaux et tenaient mordicus à rapporter dans leur jardin des nymphéas, des bébés sapins, des plants de rudbeckias, des lichens qui mettent cinquante ans à croître d'un centimètre. Ils s'insurgeaient quand Claire les accusait de pillage, ils croyaient sincèrement mettre en valeur des fragments de flore dont la beauté se trouvait ici gaspillée, au milieu de tout ce *rien*, et ils étaient si désolés qu'on leur interdise l'accès à ce vaste supermarché de verdure au demeurant gratuit qu'ils partaient en froid et ne revenaient pas. Il faut dire qu'ils n'étaient plus invités.

Mais même les amis chers, ceux dont elle était le plus proche, avaient parfois des maladresses douloureuses qui les faisaient temporairement choir dans son affection, sinon dans celle de Luc. La fin de semaine précédente, sa copine Simone, perdue dans des jacasseries interminables, avait déplacé sans attention sa chaise de plage et s'était assise de tout son poids sur une grenouille. Claire avait senti son cœur flancher. *Sa* grenouille. Celle dont elle surveillait l'apparition sur la plage chaque fin d'après-midi, une grenouille qui était la grâce même, poudrée d'or et de vert lumineux, vêtue de satin, et à propos de laquelle Claire se disait : *Je voudrais une robe comme celle-là, dans un tissu qui gante comme celui-là,* cette même grenouille était maintenant à demi écrabouillée et avait mis deux jours à mourir, reconduite à l'ombre d'une roche par les bons soins de Claire, tentant de sauter et n'y parvenant pas, sa petite langue ahanant avec peine hors de sa petite gueule, et puis paf n'ahanant plus du tout. Bien entendu, personne n'avait pu compatir au chagrin *ridicule* de Claire, personne, sauf Luc.

Et puis, les fromages. Pourquoi fallait-il que les amis se croient obligés d'apporter, *Non non n'apportez rien,* des fromages quand ils étaient invités ? Bien sûr, le village de Mont-Diamant était dépourvu de bien des délicatesses, y compris de celles-là, mais une fois les visiteurs repartis, Claire se retrouvait avec des quantités phénoménales de Munster, de Brie de Meaux et de Stilton qu'elle seule n'arrivait pas à avaler, et il n'était pas question de les offrir la fin de semaine suivante parce qu'ils se trouvaient trop décatis, et elle n'osait pas les jeter, des produits si luxueux, de sorte qu'une odeur de vieux fromage imprégnait continuellement le frigo et la cuisine, incitant Luc à refaire la même blague chaque jeudi soir à son arrivée : *C'est quoi ton parfum, déjà ? Roquefort printanier ?...*

Mais il n'y avait plus de jeudis soir en ce moment, puisque Luc était installé à demeure pour ses quinze jours de vacances, qui avaient débuté magistralement avec l'orage. Ils n'avaient pas eu le temps de retrouver leur quotidien harmonieux et ludique, mais ça ne tarderait pas. Luc ne l'empêchait pas de travailler, et il était l'allié royal des fins de journée, quand l'eau du lac est transparente et chaude, les brochettes d'agneau juteuses à point et que le feu d'épinettes pétarade sous les étoiles. Et puis aussi, et puis surtout, ces deux semaines avec Luc allaient clore définitivement le malencontreux chapitre *Jim.*

Ça ne servait à rien de regretter, mais elle regrettait. Elle regrettait d'avoir laissé parler le corps, ce vieux cheval traître qui vous traîne des lieux durant pour une botte de fourrage. Elle l'avait eu, son fourrage, et ça ne valait ni le déplacement ni les désagréments générés par la suite.

Monsieur Baraqué avait un châssis splendide et des mains sachant y faire. S'il avait su se taire, il aurait été dangereux comme une drogue dure, dangereux comme un nirvana qui choit sur un méditant inexpérimenté. Il y avait deux parties à *l'expérience* — comme Claire tenait à nommer l'épisode —, deux parties si nettes et contrastées qu'elles s'annulaient l'une l'autre et remettaient en question l'existence même de *l'expérience.* La première relevait du règne animal, c'est tout ce qu'elle pouvait en dire. Ce type était un caramel qui vous oblige à le manger et qui vous mange en même temps. Cette fois-là qu'il était allé inopinément lui porter des fleurs — les pétunias blancs qu'elle méprisait... —, elle avait abdiqué, avant même de combattre. Il fallait passer par là, la montée de lave exigeait de gicler, personne ne peut intimer à un volcan l'ordre d'aller se coucher dans son trou. Elle avait senti les cellules de son corps se dresser toutes sur la pointe des pieds tandis qu'il la regardait, il aurait dû examiner la monnaie qu'elle lui tendait — les douze dollars soixante quinze du basilic... — mais non, c'est sa bouche qu'il prenait à la place, il la déshabillait comme un salaud juste en lui regardant les lèvres, qu'elle avait alors entrouvertes sur un sourire effondré.

— Mon... *my husband is here. Almost here.*

Il avait compris tout de suite.

— *O. K. When?*

— Lundi. *Come Monday. Monday afternoon.*

— *I'll be here.*

Ce n'est pas elle qui parlait, c'était ses cellules animales hérissées qui commandaient ce qu'il fallait dire, le même type de cellules grouillant et batifolant chez les chiennes et les truies, c'étaient ses cellules de jument qui hennissaient pour réclamer leur botte de foin.

— *I need compost for my flowers,* avait rajouté à voix piteuse sa partie raisonnable — sa pauvre raison, la queue entre les pattes et lâchant un dernier jappement avant d'aller se terrer dans sa niche.

— *I'll bring some,* avait-il dit, sans arrêter de lui dévorer les lèvres.

La fin de semaine et même la demi-journée précédant ce lundi, elle arrivait à se persuader que le prétexte était le tout, l'horticulteur viendrait lui porter de la tourbe aux crevettes et il n'y avait aucune raison pour que ça ne s'arrête pas là. Aucune raison, raison, raison — la raison toujours cantonnée dans sa niche, à gémir comme une misérable que personne ne songe à nourrir.

À treize heures, elle faisait les cent pas dans le stationnement, pâle sous son hâle, survoltée et tourmentée, quand le camion de Jim était arrivé en trombe et s'était agenouillé devant elle, et au moment où elle avait vu briller comme des pierres noires ses yeux derrière le pare-brise, elle avait senti à quel point la nature était d'un nu obscène autour d'elle. Il avait bien pris son temps pour sortir et fermer la portière, les hanches souples, les muscles des bras moirés au soleil, et tandis qu'il la regardait elle avait hâtivement arraché ses vêtements sans attendre qu'il la touche.

Les détails importaient peu et se dissolvaient d'eux-mêmes (Est-ce que c'était bon ? De quelle longueur son sexe ? Qui faisait quoi ?), elle était revenue à elle, seule dans le chalet, la peau égratignée par les branches mortes des épinettes qui formaient une couche peu moelleuse, le sang zigzaguant dans les veines à toute allure, repue et désemparée, bête knockoutée par le rut.

Il n'y avait rien à regretter à propos de cette partie de *l'expérience*, en fait, puisqu'elle était inscrite, aussi inéluctable qu'un orage qui vous fauche vos pins centenaires. S'ils avaient été deux lièvres ou deux ratons laveurs qui se rencontrent dans la forêt, tout aurait été si simple, si pratique. On broute, on gambade, bang on bute sur une odeur irrésistible, paf on saute sur le corps qui transporte cette odeur, bye on se sépare et on ne se revoit jamais. Mais il fallait parler. Parler, et se saluer, et agir civilement comme si quelque chose perdurait une fois les sécrétions séchées, et surtout recommencer au plus vite.

L'animal satisfait n'avait rien à dire, rien à ajouter. Quelle relation viable pouvait-il entretenir avec sa nourriture ?

Jim avait appris le français sur le tas, avec des bûcherons et des ouvriers des Laurentides, et c'est ainsi qu'il le parlait, en déversements broussailleux où les débris de joual et d'anglais mêlés faisaient des bosses partout. L'écouter était si proprement débandant que Claire avait tenté chaque fois de le ramener dans l'universelle langue du Bronx, mais il tenait ferme à son sabir, croyant séduire ainsi la nouvelle *p'tite K'béqwâse* qui venait de s'ajouter à sa collection bien garnie, car c'était un dragueur-né greffé sur un chaud lapin — pour reprendre le mode animal qu'ils n'auraient pas dû quitter. Il avait donc fallu parler un peu cette fois-là en se relevant du matelas de branches d'épinettes, et comme il avait oublié d'apporter le compost, il était revenu le lendemain et il avait fallu à ce moment parler un peu plus longuement pour essayer de décourager le renouvellement de l'*expérience*, et plus il insistait et parlait, plus le désir de Claire se terrait dans les limbes, et soudain il avait cessé de parler et lui avait touché les lèvres des yeux, et les deux animaux aux ventres sans fond s'étaient alors de nouveau jetés l'un sur l'autre. Mais de cette fois ultime, superfétatoire, Claire n'était vraiment pas contente, *l'expérience* s'en était trouvée altérée, et tout ce qui s'était ajouté autour et à la suite, commandé par la civilité non animale, avait achevé de déconstruire l'édifice.

Elle avait quand même griffonné des notes mentales toutes les fois qu'il parlait et se révélait davantage, c'était le bon côté de son métier qui apprêtait les restes au lieu de les jeter à la poubelle. Comme tous les petits gars n'ayant guère eu de chance, Jim s'était fabriqué un ego maximal qu'il entretenait assidûment, il était un acteur primitif de la stature de Brando à qui Hollywood envoyait souvent des scénarios indignes de lui, il avait un don de guérisseur au bout des doigts et pouvait soigner les malaises existentiels de Claire juste en lui touchant les cuisses. Il s'était allumé lorsqu'il avait su qu'elle écrivait pour la télé — maudite bouffissure de l'ego contagieuse, à laquelle avait succombé Claire en se révélant aussi — et il lui avait dit, toute trace de courbette langagière disparue, dans la langue universelle de la domination : *You must write something for me.*

Claire ne souhaitait pas le connaître davantage. Elle savait injustes les grandes lignes qu'elle retenait de lui (macho et *bullshitter*), mais tant pis, elle n'était pas un tribunal pour être tenue à l'objectivité, et il lui suffisait tel quel, macho et bullshitter, pour le personnage qu'elle lui tricoterait autour. Bien entendu, un type du Bronx qui vient jardiner dans un coin perdu des Laurentides et qui vous incendie en vous reluquant la bouche méritait mieux, comme exploration, mais elle ne serait pas celle-là qui se livrerait sur lui à ces plus sérieuses excavations. Nul doute qu'il s'en trouverait d'autres pour faire le travail. Au moins deux de ses petites amies à qui il faisait sans doute la passe de la bouche s'étaient manifestées par téléphone portable *(Ohhh Alison… How are ya?… Ohh Lili… So glad to hear ya…),* et il les avait promptement éconduites tandis que Claire achevait de se rhabiller.

Le jour étirait ses lumières finales quand Claire et Luc avaient déposé leurs instruments de bûcheron, le nettoyage du chemin enfin terminé, et eux harassés, à court d'énergie. Ils étaient retournés vers le chalet sans parler, englués dans un même mécontentement. Et tandis qu'ils marchaient, deux grives solitaires avaient commencé à égrener leurs chants en cascade, transformant la forêt en cathédrale, et bientôt une chouette rayée s'était jointe aux choristes, *hou-iâ, hou-iâ,* et sans s'être concertés ils avaient ralenti le pas, gagnés par l'harmonie qui baigne les cathédrales. Claire avait pris la main de Luc et ils avaient marché ainsi jusqu'au chalet, leurs mains salies par la gomme d'épinette l'une dans l'autre.

C'étaient des choses comme celles-là qu'il n'était pas question que le malencontreux chapitre Jim mette en péril.

Le téléphone sonnait. Toutes les lignes avaient donc été réparées pendant qu'ils s'échinaient à coups de hache et d'égoïne dans leur chemin puisque le téléphone sonnait. Claire s'était précipitée vers l'appareil sans prendre le temps de se débarrasser de ses bottes crasseuses, saisie par un pressentiment. Elle croyait avoir été explicite, la fois qu'il avait osé. Visiblement, elle ne l'avait pas été assez. *(Don't call me here!... Do you understand? No phone call! NEVER!)* Cette fois-là, Jim ne tenta pas de la convaincre de quoi que ce soit au bout du fil, il ne dit rien tandis qu'elle ne disait rien elle-même, paralysée par le regard de Luc sur sa nuque, simplement laissa-t-il courir ce silence inconfortable de quelques secondes avant de raccrocher.

Elle devrait donc retourner à la pépinière pour le faire cesser. Elle trouverait comment, mais il cesserait. Ce n'était pas sérieux, ces œillades pâmées qu'il lui réservait quand ils se croisaient par inadvertance au village — encore avant-hier, à l'épicerie... —, ça faisait vraiment mauvais acteur. Le bobo était pourtant minime : il trouvait ardu d'être congédié avant de congédier lui-même, il renonçait difficilement à une partenaire de fornication si accommodante (je lui mire les babines, elle me tombe dans les bras).

Enough.

Et pour se prouver à quel point c'était assez, Claire s'attela tôt le lendemain matin à son scénario, remettant sa visite à la pépinière à un jour ultérieur, et intégrant *l'expérience* au plat déjà en concoction. Le reste de la semaine, elle oublia Jim.

Ça levait bien. Le portrait de tout un village, assorti de ses prolongements sauvages, était en train de venir au monde, la vie commençait à sortir de rien, de ce réservoir infini qu'est le rien. Claire soignait particulièrement ses personnages secondaires, car les personnages secondaires ne savent pas qu'ils sont des personnages secondaires. Elle aimait surtout de ses personnages secondaires leur statut de gens ordinaires, livrés aux coups de couteau du temps sans protection, sans compensations luxueuses. Dans son histoire, ça tombait bien, il n'y avait que des personnages secondaires. C'était un village tout ce qu'il y a de banal, composé de braves gens à la bouille avenante, semblables à Curé et à sa femme Marianne, avec un gérant de caisse populaire, un boulanger, une jeune femme qui avait perdu ses jambes dans un accident, une autre qui dansait nue dans de la crème fouettée au Château Repotel, un ex-policier qui élevait des chèvres, un épicier qui épiciait, un horticulteur noir qui horticultait (quand il ne draguait pas les filles adoucies par leur macération dans de la crème fouettée)... Les fins de semaine, les femmes jouaient aux cartes et aux fers, les hommes allaient boire un coup au Château Repotel ou inventaient des tournois sympathiques tels que ceux du Cochon graissé et de la Barouette gigoteuse...

Que du plaisant et du convivial.

Sauf que. Il n'y avait pas d'enfants dans ce village.

Autre incongruité : les petits gestes étranges, à saveur de rites, dans lesquels chacun dérapait à tour de rôle, en plein milieu du quotidien (le boulanger se couvrait soudain la tête de farine, l'horticulteur se mettait à manger du compost...).

Les habitants de ce village, sous leurs dehors benoîts, formaient en réalité une secte. Une secte vénérant la Nature.

Et qui dit secte et vénération dit fatalement sacrifice.

La secte offrait des sacrifices à la Nature, quand il s'en présentait, quand les sacrifiés se pointaient d'eux-mêmes sur son territoire. Ça n'allait pas de soi, il y avait bientôt dix ans que le village n'avait rien pu offrir, et la Nature commençait à s'irriter, à lâcher des pluies diluviennes, à dessécher les jardins, à acidifier les érables...

Il fallait, de toute urgence, un sacrifice.

Il fallait un enfant.

D'où l'immense poussée d'allégresse collective lorsqu'un petit garçon, au début de juin, s'en vint candidement loger au village, tout juste rescapé d'un incendie, convalescent et adorable, les yeux déjà alourdis par la prémonition du sacrifice...

Claire nageait comme un poisson dans cet univers abracadabrant, elle le maintenait d'une poigne ferme dans des eaux à la fois contemporaines et occultes, et elle ne craignait surtout pas de le saupoudrer quand il le fallait avec de larges pincées d'humour. Par exemple, la grande prêtresse du village, puisqu'il en fallait une, avait les traits de Lila Szach, bougonne et déplaisante. Le village lui avait octroyé d'office ce statut de prêtresse, et elle s'en branlait, et elle s'en serait bien passé, et elle s'acquittait de ses tâches avec une mauvaise humeur revancharde : choisir le lieu et l'arme du sacrifice, préparer les incantations, désigner un bourreau et l'introniser — satanées corvées qui n'en finissaient pas.

À propos du bourreau, malgré tout, un flou persistait. Ce bourreau refusait d'endosser les traits du boulanger, ou de Curé, ou de n'importe qui du vrai village. Claire ne parvenait à voir que sa vieille veste à carreaux rouges, et son expression horriblement aimable quand il levait sa hache sur l'enfant. C'était une expression à la recherche d'un visage.

Et puis, Violette.

Il avait fallu pratiquer une brèche dans le scénario pour y insérer Violette.

Claire n'en croyait pas ses oreilles lorsque Violette, un matin de la semaine, était venue frapper à sa porte pour lui offrir son incroyable histoire, le genre de cadeau dont la vie se montre généralement peu prodigue. C'était si riche que ça ne pouvait pas s'encastrer dans un autre ensemble, ça commandait de prendre toute la place, et Claire se retrouva donc avec le sujet de son prochain scénario déjà dans la poche, celui de l'automne. Mais en attendant, elle tenait à utiliser immédiatement ces grands yeux verts et rieurs, ce jeune corps longiligne amputé par le cancer, et elle avait écouté religieusement Violette en ne perdant aucune miette de ses confidences, en la relançant, en freinant sa propre imagination qui exigeait de galoper illico avec des bribes fumantes de l'histoire.

Violette avait appris que Claire écrivait et qu'elle était payée en retour. Elle avait justement besoin d'un auteur estampillé officiellement, d'un travailleur laborieux qui sait ordonner ce qui a priori ne semble qu'un magma d'épaves flottantes. Elle avait accepté le verre de vin blanc que lui offrait Claire, et elle avait tout de suite commencé. Elle avait le sourire facile, elle s'exprimait avec une jolie voix haut perchée, sauf à certaines évocations particulièrement pénibles où la voix et le sourire lui avaient chuté d'un cran. Au début, Claire s'était dit qu'elle avait devant elle une mythomane finie, tant cette vie malmenée était excessive et semblait copiée sur les récits misérabilistes dont raffolent les amateurs d'*Allô Police* et de journaux jaunes, mais ma foi, canular ou réalité, la prise était trop belle pour ne pas la considérer. Peu à peu cependant, l'authenticité de Violette s'était imposée d'elle-même, et Claire avait relégué dans l'ombre ses propres desseins, atteinte par une vague de compassion.

Ce que voulait Violette, c'était un guide, un facilitateur d'accouchement. Elle avait loué expressément ce chalet perdu dans la nature pour écrire un livre sur sa jeune vie fertile en rebondissements macabres, elle entendait parvenir à ses fins en trois mois de solitude, même si elle n'avait jamais rédigé autre chose dans sa vie adulte que des rapports annuels pour une compagnie d'assurances. Pour Claire, il s'agissait visiblement là d'une mission impossible, mais elle n'en avait rien dit, lui prodiguant au contraire conseils, encouragements et verres de vin blanc. Et Violette était repartie chargée à bloc, abandonnant derrière elle le fin sillage de son parfum de fleur.

Bien entendu qu'elle méritait une place de choix. Elle serait l'Étrangère, la mère du petit garçon aux yeux noirs, celle qui le conduirait candidement à la mort en l'installant pour sa convalescence dans ce chalet cerné par une secte sympathique dont la seule faiblesse était de sacrifier les enfants. Elle aussi en mourrait, comment faire autrement, mais les modalités de son éradication restaient encore à inventer.

Le téléphone avait sévi de nouveau quelques jours plus tard, juste après les deux morts de Rongeur céleste.

Claire était dehors, à remplir d'eau sucrée les mangeoires des colibris. Elle entendait vrombir au loin la scie à chaîne de Luc en train de maltraiter quelque tronçon d'arbre, tout respirait l'ordre, le soleil figé au milieu du ciel, Luc s'activant dans la forêt. Et les colibris criblant l'air de leurs sifflements aigus et de leur vol en U, baïonnette au bec. Le colibri, isolément, est un petit monsieur plein de dignité, smoking à queue émeraude et pourpoint de rubis s'il vous plaît, mais il suffit qu'ils soient deux pour que la dignité déguerpisse. Claire les observait avec une impuissante désapprobation. C'était un grand mystère que des créatures si gracieuses, que l'on nourrit pour le privilège d'observer de près la beauté, puissent pour quelques gouttes de sirop se pourfendre l'un l'autre avec cette laide férocité. La même mesquinerie semblait avoir cours chez tous les oiseaux, peut-être chez la totalité des êtres dont l'état naturel est d'être affamé. Quoi qu'il en soit, Claire nourrissait les colibris qui se faisaient la guerre tout en méditant sur leur intolérance à plumes, quand elle vit du coin de l'œil Rongeur céleste atterrir sans bruit dans la mangeoire centrale. Machinalement, elle s'approcha de lui — d'elle — en l'engueulant. Rongeur céleste, selon son habitude, manifesta un grand énervement de parade, l'arrière-train lui tressautant comme un jouet mécanique tandis que le devant de son corps restait parfaitement à l'aise et déshabillait avec méthode le tournesol interdit. Machinalement, Claire arma sa fronde d'une pierre, se préparant à le manquer pour la millionième fois, mais non. La pierre atteignit l'écureuil à la tête, le projetant par terre où il resta sur le dos, parcouru par des tressaillements d'agonie.

Claire poussa un cri de triomphe. Mais en s'approchant du petit corps agité, c'est la consternation qui la gagna. Si simple. Si rapide, si à la portée de tous, comparativement à l'effarante complexité de l'évolution qui avait abouti à cette petite bête à poils soyeux. Elle venait de tuer. Elle venait de se mettre en travers de la création, de sabrer dans le tourbillon d'une minuscule vie énergique dont plein d'autres minuscules vies énergiques dépendaient, si l'on se fiait aux tétines roses nourricières sur le ventre blanc. Bien sûr, les écureuils étaient de la vermine, tous, des rats camouflés sous l'esbroufe de leurs queues en panache. Et celui-ci en particulier dévorait tout, et le tournesol coûtait cher.

Foutaises. Le tournesol ne coûte rien quand on a les moyens d'avoir une vie humaine.

Claire contemplait la belle fourrure fauve, le ventre

parfaitement blanc. Aucune tache de sang visible. Et si elle lui versait de l'eau sur la tête, comme elle le faisait avec les oiseaux qui se cognent aux vitres ?

C'est ainsi que Luc la trouva, agenouillée près du corps de l'ennemi, lui baignant le crâne avec sollicitude.

— Mais qu'est-ce que tu fabriques ? s'inquiéta-t-il.

L'écureuil miraculeusement reprenait conscience, se tournait de lui-même sur le ventre, clignait ses petits yeux maquillés de blanc.

— On va le déplacer, décida Claire.

Elle ordonna à Luc d'aller chercher la cage à chat, qu'ils avaient récupérée sur le bord de la route et qu'ils gardaient sans motif. Maintenant, le motif était là : ils allaient transporter dans la cage Rongeur céleste et le larguer assez loin pour qu'il ne retrouve jamais le chemin de la mangeoire défendue.

Aussitôt dans la cage, Rongeur céleste revint tout à fait à la vie. Dans les dix mètres qui les séparaient du stationnement, il se rua si frénétiquement sur les barreaux de métal qu'il parvint à se taillader toute la tête. Encore dix mètres, et il ne faisait pas de doute que ce petit fou serait mort, vidé de son sang. Claire saisit le bras de Luc.

— Libère-le.

Et comme il hésitait, elle se jeta sur la serrure et fit glisser elle-même la porte. Rongeur céleste disparut aussitôt, un éclair roux en dents de scie sur le sol, et dans la cage quatre ou cinq touffes de poils sanguinolents. Ils eurent quand même le temps de voir que l'éclair s'acheminait directement vers la mangeoire.

Le téléphone sonnait tandis qu'ils pénétraient ensemble dans le chalet, et tous deux firent un mouvement pour s'en emparer.

— Laisse, dit Claire.

Encore une fois, ses pressentiments la préservaient du pire. Le long silence qui l'accueillit, émaillé de bourdonnements diffus d'oiseaux, provenait certainement de la pépinière. Elle attendit que Luc soit monté à l'étage pour laisser sourdre en coup de poing :

— *Fuck you, Jim.*

Un rire léger lui répondit, suivi d'une voix traînante :

— C'est pas Jim.

Une femme, une jeune femme. Le déclic se fit, aussi lumineux qu'inquiétant. Comment s'appelait-elle, déjà, cette gentille boulotte, cette brunette insignifiante qui portait des tabliers disgracieux sur des robes de hippie démodées et qui disait, postée devant le tiroir-caisse de la pépinière : *Ils sentent bonnes, hein, les basiliques ?...* Comment s'appelait la femme de Jim ?

Claire se revit à l'épicerie la semaine précédente lorsqu'elle avait buté sur eux deux dans l'allée : Jim lesté d'un pack de bières et osant des œillades, et sa femme devant lui, marchant sans regarder personne et puis avisant tout à coup Claire, un sourire mou, *Bonjour madame,* mais un éclair dans l'œil, un éclair de lucidité certainement, et à ce moment Claire avait remarqué, frappée soudain de commisération, son ventre rond, son ventre flagrant de femme enceinte…

Elle ne disait plus rien au bout du fil, la femme de Jim. Mais montait de son silence un courant sulfureux, une vague de malignité palpable qui voulait blesser et qui blesserait, et Claire raccrocha vite avant d'en être atteinte.

Mais sans doute était-il déjà trop tard.

À l'ombre des fraisiers

Les arthropodes étaient un petit peuple effroyable aux innombrables yeux dressés tout le tour de la tête, trimballant des armes complexes en forme de cisailles, de stylets, de becs suceurs et de jets d'acide, se livrant à des transformations magiques et à des guerres sanguinaires en toute impunité, carrément sous les pieds de la myope espèce humaine. À vrai dire, tout ce qui était petit et pouvait s'écraser du talon était un arthropode. Les insectes étaient des arthropodes, les araignées étaient des arthropodes, mais les araignées n'étaient pas des insectes parce qu'elles avaient huit pattes. Pour être un insecte la condition était claire : six pattes, point final.

Jérémie avait le nez dans l'herbe et le menton sur les mains. Ainsi étalé à l'horizontale, rien des manigances clandestines des arthropodes ne pouvait lui échapper, à condition de rester immobile. C'était le plus malaisé, ne pas se gratter quand un petit arthropode insolent à tête de maringouin venait vous sucer le sang, ou qu'un autre avec sa carapace de coccinelle vous piétinait la joue, mais on n'est pas un sorcier du nom de Jerry Potter si on est incapable d'endurer la torture — au moins une seconde. Au début, il s'était faufilé sous un buisson à larges feuilles tout près du petit chalet, afin de ne pas perdre ce qui pouvait s'échanger entre Laurie et Marco tout en se livrant à ses scrutations, mais Laurie l'avait tout de suite épinglé sur le fait : *Mais relève-toi! Tu vas tout te salir!* ce à quoi Marco avait immédiatement rétorqué : *Laisse-le donc jouer, c'est un enfant!* Pour ne pas avoir l'air de donner raison à l'un plutôt qu'à l'autre, Jérémie était allé plus loin poursuivre son travail. De toute façon, il n'y avait plus rien à attendre du petit chalet, c'était bel et bien fichu. La semaine de vacances de Laurie tirait à sa fin et le score parlait de lui-même : ses parents s'étaient engueulés sous ses yeux trente-neuf fois, contre deux seules fois embrassés, et encore, les embrassades ne comptaient pas vraiment parce qu'elles avaient eu lieu dans la même première soirée, avant que leurs retrouvailles ne commencent pour de bon.

Une sauterelle venait d'atterrir sur son genou, preuve que son camouflage était parfait. *Sauterelle,* lui décréta Jérémie, *t'es un orthoptère et tes oreilles sont cachées sur tes pattes d'en avant!* Ainsi démasquée, la sauterelle s'empressa de bondir au loin. Mais Jérémie se maintenait ainsi à l'affût pour prendre sur le vif des créatures autrement plus spectaculaires : la chenille verte du papillon Queue d'hirondelle, qui fait sortir de son thorax un dard rouge puant quand vous la dérangez, ou le coléoptère noir appelé Carabe qui projette ses jus digestifs sur sa proie et attend tranquillement qu'elle fonde pour l'avaler. Ou le meilleur du meilleur, le film d'horreur total : la bibitte appelée Scolie. La bibitte appelée Scolie s'empare de la larve de la bibitte appelée Hanneton, et puis la tourne pour l'étourdir et l'empêcher de fuir, et puis l'emprisonne dans une chambre qu'elle construit avec de l'herbe. Et là, dans la salle de torture, Scolie pond son œuf sur la pauvre larve Hanneton, et en accéléré l'œuf Scolie devient une grosse larve Scolie, et ce que fait alors cette grosse larve Scolie vous en donne pour votre argent : elle enfonce sa tête dans le ventre de la prisonnière et elle lui aspire tous les liquides du dedans, schlurp !... Pour avoir la chance d'apercevoir ça, oui, il pouvait tenir encore une petite heure par terre, la loupe à la main, immobile comme un cadavre malgré les piqûres et les crampes partout.

Par chance qu'en ce moment il y avait les arthropodes. Laurie et Marco l'écoutaient religieusement quand le soir il les assommait de ses histoires, même s'il pouvait suivre en même temps la trajectoire de ses mots s'enfoncer dans leurs yeux vides et mourir là avant d'atteindre quoi que ce soit. Dans leur tête, Laurie et Marco n'étaient plus disponibles pour rien à force de ruminer leur guerre en silence, et les arthropodes de Jérémie étaient bienvenus qui maintenaient debout les murs extérieurs de la maison commune, si tout le reste était effondré. En temps ordinaire, on ne lui aurait accordé qu'une demi-minute d'attention, et maintenant c'était le *jackpot*, aussi bien en profiter. Il les ligotait comme les araignées font avec les diptères qui sont des mouches *et qui ont seulement deux ailes c'est pour cette raison qu'on dit : diptère et qu'elles volent plus vite que toutes les autres à quatre ailes, c'est drôle on pourrait croire que quatre ailes valent mieux que deux mais non, et la sorte de guêpe qui s'appelle Braconidœ a dans le cul un outil capable de percer du bois dur comme le bureau de Laurie ou la pipe à hasch de Marco, tous les insectes et même les araignées qui sont pas des insectes à cause d'un excès de pattes ont des antennes qui peuvent détecter les odeurs à des kilomètres de distance, et savais-tu ça que les hommes sont encore incapables de produire de la lumière froide qui est une chose extraordinaire parce que tu perds pas ton énergie en chaleur ? mais les lucioles et les vers luisants en font, de la lumière froide, et la chitine c'est la robe des insectes c'est dur comme de la pierre enfin pas tout à fait parce que j'en ai écrasé une couple, c'est rempli de pigments que les Indiens utilisaient pour teindre leur linge, il y en a beaucoup qui s'occupent de leurs petits et qui donnent des soins parentaux complets et qui pensent même à stocker de la nourriture pour leur étape future de larve, il y a quatre transformations, ça commence par des œufs, qui deviennent des larves ou des chenilles ça dépend si c'est des lépidoptères ou des coléoptères, qui deviennent ensuite des chrysalides ou des nymphes, et ensuite des imagos, tous les adultes insectes s'appellent des imagos, je me demande si on dit un imago une imaga comme en espagnol amigo amiga ?…*

Parfois, Laurie, dont la tête vacillait de sommeil, sortait tout à coup de sa torpeur pour poser sur Jérémie un œil stupéfait : *Hein ? Qu'est-ce que tu dis là ?…*

et ensuite, elle en faisait trop pendant un moment, exigeant de feuilleter le livre duquel Jérémie tenait la totalité de ses nouvelles connaissances et se figeant de dégoût devant les gros plans en couleurs : *Que c'est laid... Beurk... Mais c'est sûr que c'est un beau livre... Elle est fine, la voisine, de te prêter ça...*

(Fine ! On pouvait trouver bien des choses à dire à propos de Sorcière Szach, mais le mot *fine* ne figurait décidément pas dans la liste.)

Pendant ce temps, Marco rongeait son frein et quand il n'en pouvait plus il sautait à son tour dans l'arène puisqu'il n'était pas question de laisser tout l'espace à l'ennemi, il coupait le sifflet à Laurie pour réclamer du sommeil pour son fils : *As-tu vu l'heure ? Une chance que je suis là, viens on va aller en bas te débarbouiller avant que tu te couches,* et Laurie le torpillait de ses yeux lance-flammes et aurait craché sur ses restes calcinés s'il s'en était trouvé tandis qu'elle enfilait ses mains les plus douces pour flatter et chatouiller Jérémie qu'elle appelait mon cœur, *Dors bien, mon cœur...*

Dans ce rôle de bonbon qu'on s'arrache, Jérémie aurait dû être heureux mais il ne l'était pas, tout était trop artificiel et chambranlant, tout annonçait trop la fin du monde. D'ailleurs, il suffisait qu'il se retrouve seul avec l'un d'eux pour qu'il perde soudain son statut d'enfant choyé pour accéder à celui de juge suprême, sommé de constater l'inadéquation de l'autre et de fatalement choisir son camp. Marco était le plus fragile des deux, tellement fucké par les événements qu'il ajoutait de la vodka à son jus de luzerne biologique.

T'as entendu, hein ?... C'est elle qui s'en va. C'est elle qui veut s'en aller. Moi je fais tout pour que ça marche, tout, j'ai même arrêté de fumer. C'est vrai qu'il ne sentait plus du tout le *pot*, surtout depuis qu'il buvait quantité de jus de luzerne amélioré.

Laurie ne se défendait même pas d'être celle qui s'apprête à tout bazarder. Au contraire. Elle s'installait à côté de Jérémie pour lire un de ses gros romans qu'elle traînait partout avec elle, et elle laissait tomber de petites phrases rageuses qui crucifiaient Marco et le balançaient déjà dans les affaires classées. *C'est pas de sa faute, il est immature. Pauvre lui. Quinze ans d'âge mental. Moi, c'est pas un deuxième enfant que je veux, c'est un homme. Ça va être une délivrance, même toi, tu vas voir que c'est une délivrance.*

Quand il avait la tête ainsi à la hauteur des fraisiers, Jerry Potter pouvait très bien se transformer en insecte lui-même et voir tout ce que voient les insectes grâce à leurs milliers d'ommatidies assemblées en globe. La jungle de l'herbe formait un rideau dense traversé d'embûches que ses six pattes n'en finissaient plus de monter et de descendre, et puis survenait une montagne de granit — un rocher ! — qu'il devait escalader pour que le paysage dévoile au loin ses nourritures vivantes et ses points d'eau fraîche. Hourra, du sommet il apercevait, au-delà d'un immense marécage (plaque de mousse) hérissé de petits arbustes (lichens), un lac gigantesque (flaque d'eau) au pied d'une montagne (souche d'arbre) où il ferait bon se reposer après s'être abreuvé, et il s'en allait vite sur ses six pattes dansantes, il descendait la montagne et dévalait l'Amazonie forestière et montait et descendait et montait et bang butait soudain sur quelque chose de blanc et d'écumeux dans un arbre (brin d'herbe), qu'il tâtait au moyen de ses antennes circonspectes pour ne pas choir imbécile dans une toile d'araignée inédite, mais non, il se mettait soudain à rire de tous ses élytres en reconnaissant le *crachat de coucou* qui servait d'abri à un bébé cicindèle succulent dont il ne ferait qu'une bouchée. Mais à ce moment en face de lui, glissant sur le sol spongieux avec une écœurante célérité, survenait un mille-pattes appelé *iule* pourvu d'un bec cisailleur, et la bataille immédiatement s'engageait sans merci, il éjectait son acide sur le monstre en forme d'intestin qui parait la salve tout en lui saisissant l'élytre gauche avec vingt de ses horribles pattes, ils roulaient l'un sur l'autre en crissant et en battant des mandibules et les neuf cent quatre-vingts autres pattes du iule qui n'est pas un insecte on se doute pourquoi allaient l'étouffer de leur étreinte visqueuse lorsque ses ailes du dessous se trouvèrent miraculeusement libérées et il s'envola. Il avait de vraies ailes sous ses élytres de coléoptère, il pouvait voler et il s'envolait, au-dessus de la jungle et des fraisiers géants il volait hors du danger, il volait inondé de soleil et de lumière avec une légèreté surprenante et tout à coup autour de lui d'autres êtres pleins d'amour se pressaient et l'entouraient de leur chaleur protectrice, il était accueilli dans un univers ensoleillé rempli d'amour et de légèreté au sein duquel il reconnaissait tout à coup Mamie Marie et tante Réjane et l'ami Marc qui riaient et le saluaient avec tendresse, et il se sentait incroyablement aérien et heureux, jamais il n'aurait pu imaginer qu'on puisse être autant heureux…

Jérémie ouvrit les yeux et tout s'interrompit, la sensation de légèreté la première puisque ses jambes se trouvaient complètement ankylosées sous lui. Il se retourna lentement sur le dos, palpant le rêve et la réalité, le souvenir de la mort et la présence de la vie, et ne sachant plus rien avec certitude. Il se leva tant bien que mal, ébloui par la vraie lumière beaucoup plus crue que l'*autre*, à moins que l'*autre* ne soit la vraie, et que ceci ne soit que l'antichambre du vrai monde dans lequel il faut attendre interminablement l'heure de réintégrer sa place véritable.

À quelque distance devant, il voyait s'agiter les adultes, Marco et Simon grimpés sur la toiture du chalet bleu en train de réparer ce que le gros orage de la semaine précédente avait abîmé, Marianne et Laurie inclinées sur les fleurs du jardin et papotant comme des amies qu'elles n'étaient pas, les imagos d'un côté et les imagas de l'autre et lui nulle part entre eux. Ça se passerait à la fin du mois d'août, il avait très bien saisi la conclusion vers laquelle tendaient tous les cris et les gémissements haineux du petit chalet, à la fin du mois d'août il serait séparé entre ses imagos de parents, écartelé à jamais dans des débris de famille où ne peut pousser aucun bonheur. Toutes les autres voies avaient été dynamitées, ne subsistait plus aucune chance que ça ne s'en aille pas là. À moins que. À moins que le mois d'août n'arrive jamais. C'était la planche de salut. Peut-être fallait-il répéter certains mots plusieurs fois comme on frotte une lanterne magique — Osmétérium osmétérium phéromone phéromone phéromone — pour avoir accès à un pouvoir surnaturel, *Faites que le mois d'août n'arrive jamais*, mais quels mots et combien de fois, l'entreprise était terriblement hasardeuse, peut-être suffisait-il de lâcher l'incantation partout où des bribes de pouvoir dormaient, *Faites que le mois d'août n'arrive jamais*, en face du lac où brillait la haute falaise, dans une grotte au fond du royaume végétal de la forêt, ou même à quatre pattes à côté des insectes pour qu'ils la colportent à leur reine, au grand dieu de l'été, à celui au-dessus de tout le monde — puisqu'il y a toujours un chef pour superviser chaque activité, il y en avait forcément un affecté à sa vie.

Maintenant, les imagas avaient abandonné les fleurs et les fines herbes et unissaient leurs voix pour l'appeler, *Dîner, Jérémie, Viens dîner...* les imagos descendaient du toit à la queue leu leu sur l'échelle comme des fourmis géantes — fourmis, oui, il n'y avait pas moyen d'échapper longtemps à la présence obsédante des fourmis.

C'était difficile à admettre, mais sur cinq arthropodes se faufilant dans l'herbe, trois étaient des fourmis. Plus question certainement de penser à les toucher, même du regard. Il feignait donc de les ignorer, mais ne pouvait empêcher ses yeux de voir à quel point elles grouillaient partout. Marianne s'en plaignait à Simon de sa voix patiente : il n'y avait jamais eu autant de fourmis dans la maison que cet été-là. On ouvrait le lave-vaisselle, on tombait sur une petite horde noire qui s'enfuyait dans la tuyauterie. On prenait une pêche dans un panier, dix fourmis s'en écartaient en débandade. Et le gâteau des anges, pourtant hermétiquement scellé dans le garde-manger : Marianne l'avait jeté avec horreur au bout de ses bras, troué de galeries qu'il était, infesté de part en part par une ondulation de pattes et de minuscules corps durs. Jérémie gardait un silence préoccupé. Bien entendu, il y avait un lien entre leur présence et la sienne dans la même maison, un lien inavouable. Il lui faudrait consulter Sorcière Szach, car le sortilège de réparation ne fonctionnait décidément pas. Il avait beau additionner les connaissances sur les arthropodes — et les fourmis —, le malaise s'amplifiait. Les connaître davantage lui donnait même des frissons à rebours. Comment avait-il osé s'attaquer à une mafia aussi puissamment organisée ? Il existait en Europe des supercolonies de fourmis rayonnant sur des sentiers de plus de cinq mille kilomètres, traversant les frontières des pays au nez imbécile des douaniers. Il existait des types de fourmis incapables de nourrir leurs propres larves, et qui prenaient en esclavage des ouvrières d'autres colonies pour faire le travail à leur place. La plupart des fourmis qu'on apercevait étaient des ouvrières, des femelles soldats rapportant au nid des renseignements, des aliments ou des cadavres. Elles n'avaient pas d'ailes. Les mâles avaient des ailes, mais ils restaient terrés dans le nid, affectés en permanence au service de la fécondation. Quand les femelles avaient des ailes, ce qui arrivait une ou deux fois dans l'été, c'est qu'on avait affaire à de jeunes reines sur le point de s'envoler pour fonder de nouvelles colonies. Penser à toutes ces colonies en train de grossir sous la terre pouvait donner des cauchemars. La semaine précédente, les nouvelles reines pullulaient dans les fenêtres du chalet. Jérémie les avait observées avec impuissance. Les tuer était hors de question. Il avait plutôt tenté d'en sauver une, dont les grandes ailes maladroites s'empêtraient dans une toile occupée par une petite araignée belliqueuse. Et puis il s'était arrêté net, soucieux de garder une prudente neutralité : déjà qu'il s'était aliéné les *Formicidæ,* il n'allait pas se mettre mal avec les *Arachnidæ.*

Les fourmis dans la maison de Simon et de Marianne s'appelaient des *Lasius niger.* Mais connaître leur nom ne conférait aucun pouvoir sur elles, ne permettait certainement pas de les tenir à distance des pêches et des gâteaux des anges.

Heureusement, son oncle était là pour rétablir un peu l'insouciance. Il affirmait, sourire amusé au coin des lèvres, que les fourmis se chiffraient sur la planète par milliards de milliards : dans ces conditions, en avoir dix ou douze dans son lave-vaisselle n'était pas si extravagant, en loger un petit millier dans son plafond restait dans les limites du raisonnable. Et il adressait un clin d'œil à Jérémie, tandis que Marianne s'emportait pour de bon.

Malgré ses blagues répétitives et son insistance à entraîner les autres dans sa passion aquatique, l'oncle

Simon était certainement le Moldu le plus agréable qu'un sorcier puisse fréquenter. Il n'était pas sans arrêt à vous mettre des bâtons dans les roues comme la plupart des adultes, il vous portait assez de considération pour vous laisser vivre. À condition de se pointer dans le chalet aux heures de repas et avant le coucher du soleil, Jérémie pouvait vagabonder où bon lui semblait, et même refuser les promenades en canot sans qu'il s'en formalise. Et puis surtout, il était solide comme un chemin, comme une forêt. Ça se savait qu'on pouvait compter sur lui si quelque chose de malfaisant se présentait. C'était un vrai adulte, un imago comme il allait de soi que les imagos sont — et comme n'était pas du tout Marco, qui avait dû recevoir à la naissance un cœur de larve éternelle.

Quand l'heure du départ était venue pour Laurie et Marco, chacun était monté dans sa propre voiture, augurant la nouvelle vie catastrophique qui s'étalait devant. L'oncle Simon avait désamorcé le drame en parlant beaucoup et en empêchant que les yeux se rencontrent trop longtemps, et puis après, les deux voitures effacées d'un trait de poussière, il avait gavé Jérémie de yogourt à la noix de coco, le meilleur. Et il était resté à proximité mine de rien, à attendre, à manifester qu'il était prêt à discuter de tout ça, de Laurie et de Marco en train de prendre à jamais chacun leur voiture, du mois d'août qui arriverait en trombe à moins qu'un maléfice ne le fauche en chemin. Et quand il avait compris à la tête de Jérémie que ce n'était pas le moment, plus tard peut-être dans dix ans une bonne conversation mais pour l'instant pas le moment, il avait plutôt proposé une balade jusque chez Sorcière Szach.

SS (comme l'appelait parfois Jérémie par souci d'économie) avait de toute évidence ensorcelé oncle Simon. Rien de surprenant. Vous placez une bonne proie accommodante à côté d'une sorcière de sa stature, et à quoi d'autre pouvez-vous vous attendre ? Elle n'avait dû avoir à formuler distraitement qu'un ou deux sortilèges mineurs, et l'affaire était dans le sac : il lui mangeait dans la main, soumis jusqu'à la moelle. En ce moment, il parlait aussi fort que chez lui et il semblait déplacer autant d'air, mais on voyait bien que tout ça n'était que de la crème de gâteau. Elle le manipulait du regard et tout à coup elle le congédiait dans sa voix intérieure, et il éprouvait le besoin irrésistible de partir sans l'avoir prémédité. Et il laissait Jérémie derrière, avec elle, puisque c'est ce qu'elle avait muettement ordonné.

Sorcière Szach n'était pas encore amadouée, loin de là. Mais deux fois il était arrivé à lui parler, à soutirer une amorce d'échange. Il fallait la soigner pour rétablir coûte que coûte les liens — de sorcier à sorcier, unis contre les forces du Mal. Et il fallait s'assurer qu'elle ne dénoncerait jamais le crime qu'elle avait lu dans sa tête. Mais de cela, étrangement, il n'était pas vraiment inquiet. L'heure venue, ça se passerait entre eux deux, sans intermédiaires : elle lui demanderait des comptes et déciderait de l'éliminer, à l'aide peut-être du maléfice d'*Avada Kedavra,* à moins que d'ici là il n'ait impeccablement accompli son devoir de rachat.

En attendant, ça commençait toujours de la même

façon, dans une sorte d'humiliation. SS marchait lentement en affectant d'être seule. Ou pire, elle parlait à ses chats. Il la suivait pas à pas en maintenant une petite distance réglementaire, servile comme un domestique. Parfois elle fourrageait dans les fleurs autour de sa maison, parfois elle s'élançait d'une jambe athlétique dans la forêt. Sans un regard pour lui. Il suivait. La dernière fois, il n'avait pas suivi, il avait commencé à rebrousser chemin et elle s'était abruptement retournée, ayant tout vu de ses yeux derrière la tête — sorcière ou diptère, même avantage. *Où tu vas?* avait-elle sèchement ordonné, et il avait compris que telles étaient les directives, la suivre inconditionnellement sans rien exiger en retour, sans surtout parler le premier.

Il arrivait qu'elle s'arrête et qu'elle perde tout à coup de l'altitude — son grand corps plongeant dans un arbuste et foudroyant quelque chose dans sa main. Il connaissait la suite, il attendait, soupir rentré, qu'elle lui ouvre la main sous le nez, qu'elle laisse s'enfuir une bestiole paniquée qu'il avait la tâche d'identifier sur-le-champ. Mais comment retrouver dans ces miniatures sautillantes une parenté avec les grandes illustrations immobiles de l'encyclopédie? *Succube!* osait-il. Ou : *Lucane!* Ou : *Faucheur!* Et elle lançait triomphalement : *Puceron!...* (Il aurait dû le savoir, quand elle fouillait les fleurs, c'était deux fois sur deux : Puceron.) Le pire, elle osait écraser Puceron entre ses doigts en défiant Jérémie du regard : *Celui-là on peut!* disait-elle sans autre forme d'explication, et il percevait une sorte de rire ricocher contre ses yeux de métal.

Une fois Simon désintégré, il se retrouvait donc de nouveau seul avec elle. Quand il aurait passé l'épreuve des premières minutes d'invisibilité, peut-être pourrait-il poser ses questions. Mais cette fois, Sorcière Szach laissa tomber les préliminaires :

— J'ai en visite une petite fille de ton âge. Elle est en bas, près du lac. Jessie, qu'elle s'appelle. Elle vient de Pologne. Veux-tu jouer avec elle ?

Où c'était, déjà, Pologne ? Il n'était pas question pour l'instant de jouer, il était Jerry Potter en service commandé.

— Jouer à quoi ? demanda-t-il pour gagner du temps.

— Elle joue dans l'eau, près de la cabane à bateau. Elle est avec sa mère. Je suis sûre qu'elle aimerait mieux être avec toi.

Est-ce que c'était un ordre ? La voix de SS était aimable, sans aspérités, presque une voix de mère.

— J'aime pas trop l'eau, dit-il enfin en lui jetant un regard coulissant, prêt à battre en retraite s'il le devait.

— Ah bon, dit-elle sans insister. Bon.

Elle commença à marcher vers le boisé en lui tournant le dos. Là, il était en pays de connaissance, il emboîtait le pas en se faisant le plus silencieux possible. Elle seule avait le droit de marmonner :

— Téléphoner à l'hôtel de ville… Le gros Laramée à payer… Il faudrait au moins un dessert, mais plus tard. Plus tard, disait-elle à voix basse, semblant s'adresser à ses propres pieds.

Et à voix plus haute, vraisemblablement pour lui :

— Regarde où tu marches. Je veux pas que t'en écrases.

Décidément, on revenait toujours à la case départ : aucune confiance, même après qu'il eut stoïquement toléré les monstrueuses reines fourmis dans les fenêtres du chalet (tout en ayant, il faut dire, applaudi en silence les Ignorants qui les écrasaient).

— Je parle de chanterelles, ajouta-t-elle. Ça me prendrait quelques chanterelles.

Qu'est-ce que c'était, chanterelles ? On allait bien voir.

Dans la forêt, il commençait à avoir ses habitudes. Il savait prendre des raccourcis sans perdre le tunnel central, celui qui permettait d'émerger vivant du règne végétal : il suffisait de marcher en gardant la lumière du soleil au même endroit. Il savait reconnaître la plupart des bruits provoqués par les écureuils, et beaucoup provenant des oiseaux. Les autres appartenaient à des créatures sans nom qu'il n'était pas pressé de rencontrer. SS s'était engagée dans la forêt, dans une éclaircie parallèle au sentier principal. Il pouvait voir à sa démarche attentive qu'elle traquait les monstres, elle aussi, scrutant leurs traces jusque sous les fourrés, et bien sûr elle n'en trouvait aucun puisqu'ils s'aplatissaient de terreur dans leur terrier à son approche. Pour une fois, il la précédait un peu tout en feignant de l'ignorer, se retournant vaguement toutes les deux minutes, arrachant des feuilles au passage et torturant du pied les racines sans que les arbres osent riposter.

C'était finalement fantastique de voyager en compagnie de quelqu'un de redoutable, ça permettait de souffler un peu, d'être pour une fois de l'autre côté de ceux qui ont peur.

Quand il se retourna, elle avait disparu. Il la chercha des yeux en faisant semblant qu'il ne cherchait rien, et au fur et à mesure qu'il ne la voyait toujours pas, il fut bien obligé de se mettre à la chercher pour de vrai avec un début de panique. Peut-être avait-elle été enlevée par Lord Voldemort en personne, le sorcier en chef du Mal ? Peut-être avait-elle endossé sa cape d'invisibilité et le surveillait-elle avec un sourire goguenard, à deux cheveux de son visage ? Il entendit tout à coup sa voix : *Ici ! Je suis ici !* doublée d'un bruit de bouche comme elle en faisait avec ses chats, et en tournant la tête il l'aperçut entre les arbres, assise sur un gros rocher à quelque distance, ses yeux gris appuyés sur lui en forme d'ordre. Aussitôt qu'il s'approcha, bien entendu elle recommença à l'ignorer, toute ployée vers le paysage devant, qui valait la peine d'être regardé il faut dire car ils se trouvaient sur le grand plateau aux érables qui permettait de tout voir d'en haut sans être vu, de capter le lac au complet avec son île, ses chalets bleus et ses insectes humains.

Lui aussi était capable de ne pas bouger et de regarder sans rien dire, comme elle, et il en fit aussitôt la preuve en s'étalant sur une plaque de mousse, la tête contre un tronc d'arbre. Le paysage en bas était brillant comme un spectacle sur une scène éclairée, la falaise semblait couler droit dans le lac et y dissoudre un argent liquide très pâle et précieux, de toute première qualité. La petite maison de la fille aux foulards était vraiment petite, vue d'ici, et la fille aux foulards elle-même, grande comme elle l'était, aurait semblé une termite naine si elle était sortie en ce moment sur son patio. Il savait qu'elle s'appelait Violette à cause de son oncle qui disait Violette par-ci, Violette par là, *on va inviter Violette à manger ce soir, Violette aimerait sûrement ça que tu ailles lui porter des fraises,* mais pour lui c'était la fille aux foulards point, elle en avait au moins dix de couleurs différentes dans lesquels elle s'enroulait la tête, et surtout l'appeler par son nom aurait signifié qu'ils avaient franchi une étape dans l'amitié, ce qui n'était absolument pas le cas. Elle avait des yeux en soucoupes qui cachaient plein de choses, et derrière ses nombreux rires il n'y avait pas de rire du tout. Au début, elle lui donnait des écorces de pamplemousse confites dans le sucre quand il passait par chez elle, et puis elle s'était fâchée noir après lui la dernière fois, et il n'allait certainement plus lui dire un mot ni accepter désormais la moindre de ses écorces dégueu qui goûtaient finalement beaucoup plus le pamplemousse que le sucre. Il lui avait simplement mentionné l'évidence, simplement dit ce qu'il voyait : *Tu vas mourir, hein ?* et voilà qu'elle s'était tout empourprée et s'était mise en colère comme s'il lui avait lancé des bêtises : *Mais pas* du tout ! *Je suis en rémission, je suis complètement guérie ! Pourquoi tu dis ça ?...*

L'autre chalet bleu plus grand que l'on apercevait d'ici, devancé par une belle plage douce, était aussi à éviter. La femme qui habitait là était tout sourire et tout miel, et si ce qu'elle offrait n'était pas des sucreries, *Veux-tu une prune? Veux-tu des cerises?* il se sentait quand même avec elle comme un puceron qu'une fourmi bichonne pour mieux lui voler son miellat. Elle voulait sans arrêt lui parler et le faire parler surtout, et une fois elle avait même osé mentionner le mot *incendie,* que personne ne prononçait en sa présence, et son instinct de sorcier lui avait alors ordonné de déguerpir.

Finalement, les femmes d'ici semblaient une espèce nuisible à esquiver — excepté sa tante Marianne bien sûr, toujours gentille les rares fois qu'elle y était, et excepté Sorcière Szach, étonnamment, qui n'était peut-être plus une femme du fait qu'elle était vieille et sorcière par-dessus le marché. Et comme elle venait de lire son nom dans sa tête, elle choisit ce moment précis pour lui parler.

— Tu vois la falaise, là ?

Ce n'était pas une vraie question. Il se contenta de la regarder pour l'encourager à poursuivre.

— On dirait jamais ça, mais ça prend deux heures pour s'y rendre. Quand j'étais plus jeune, j'y allais. Monte, descend, c'est pas facile. Deux heures au moins.

Elle souriait. Elle avait enlevé son chapeau, et ses cheveux blancs et blonds bougeaient au vent comme chez une vraie femme. Jérémie pensa que son pouvoir était réellement visible en ce moment, tandis qu'elle ressemblait pour une fois à une vraie femme et qu'elle souriait. Elle regarda Jérémie, qui ne détourna pas les yeux au prix d'un grand effort.

— Jan venait avec moi, une fois sur deux. Il plongeait. Tu imagines ? Il plongeait d'en haut. Brrr !

— Brrr, répéta Jérémie avec conviction.

Il prit une voix d'adulte cérémonieux pour encourager l'intimité à grandir entre eux.

— C'est qui, Jean ?

Ses yeux gris retournèrent se poser sur la falaise d'en face.

— JAN, dit-elle lentement. Il est mort. D'ailleurs, tu es étendu sur lui.

— Hein ?

Elle se mit à rire, surtout lorsqu'il se leva précipitamment pour scruter la mousse avec inquiétude.

— J'ai enterré une partie de ses cendres sous la mousse. Regarde, la belle pierre blanche, là...

Il y avait effectivement une grande pierre blanche fichée dans la mousse, sur laquelle des mots inconnus ou des dessins étaient gravés. Il réfléchit quelques secondes, puis se rassit tranquillement au même endroit, au-dessus des vieilles cendres.

— S'il est mort, déclara-t-il avec assurance, c'est qu'il est plus ici.

SS l'observa sévèrement.

— Ah non ? Où il est ?

— Il est dans un très bel endroit.

Il détourna la tête parce qu'il n'avait pas envie pour l'instant de s'engager avec elle dans ce voyage-là.

Il l'avait peut-être croisé, son Jan, parmi les êtres souriants venus l'accueillir.

— C'est un très bel endroit, se contenta-t-il de répéter.

Mais il faut être mort pour pouvoir y aller, brûla-t-il d'ajouter.

— C'est ce qu'on dit, en tout cas, conclut-il plutôt, prudemment.

Elle le regardait toujours, les lèvres maintenant froncées par un chaud-froid de sourire qui pouvait tout aussi bien être amical que moqueur, ou complètement au-dessus de la mêlée. Mais au moins elle le regardait, et c'était comme une table dressée en vitesse pour qu'on mange sur un coin et qu'on s'installe un temps, le temps de poser une question.

— Est-ce que vous connaissez des incantations ?... des incantations magiques ?

Aïe, c'était terriblement risqué, et trop direct, et sans doute maladroit, mais finalement il n'était pas mécontent de son audace puisqu'elle ruminait maintenant une réponse, preuve qu'il l'avait saisie sur le vif.

— Si j'en connaissais, dit-elle enfin sérieusement — le chaud-froid de sourire maintenant grimpé dans ses yeux —, si j'en connaissais, quel intérêt j'aurais à te les révéler ?...

Oups. Celle-là, il ne l'avait pas vue venir.

— On pourrait faire des échanges, dit-il après réflexion. Moi, par exemple, j'en connais une.

— Qu'est-ce que c'est ?

— Ben !...

Un fou, tiens ! Une cervelle de maringouin ! Il allait se mettre à table sans garantie de retour d'ascenseur ? D'un autre côté, si elle n'avait qu'à lire dans ses pensées pour faire choir ce qui s'y trouvait, ses cachettes ne valaient pas de la chiure de mouche (ou caca de diptère).

— O. K., abdiqua-t-il. D'abord la mienne.

Faites que le mois d'août n'arrive jamais. C'était étrange comme les mots qu'il avait si souvent ânonnés dans sa tête prenaient de l'expansion, ainsi lâchés à voix haute, devenaient des cerfs-volants ornés de couleurs crues qui ne pouvaient plus échapper à l'attention de ceux, en haut, qui détenaient le pouvoir. Ceux en haut, ou en bas. À commencer par elle, SS en personne. Elle manipulait maintenant le contenu de son panier — deux petits champignons misérables — mais il avait eu le temps de voir ses yeux avant qu'elle ne les dissimule, de voir que l'incantation avait pénétré le gris en profondeur et même attiré un peu d'eau à la surface.

— C'est ça, une chanterelle, dit-elle en lui montrant les avortons orangés. Si tu en trouves, des comme ça, tu me les apportes.

— O. K.

Il attendait. Elle se leva lentement, sans le regarder.

— Il est temps de rentrer, dit-elle.

Et comme il ne se levait toujours pas, elle lâcha un petit rire contraint.

— D'accord, je vais t'en donner une, moi aussi. Une… incantation. Et après, tu rentreras chez toi.

Chez lui. C'est vrai qu'il avait le sentiment de rentrer chez lui dès qu'il dévalait la colline et s'engageait dans le sentier débouchant sur le petit pont de bois, dès que la forêt l'enfermait entre ses murs tapissés d'odeurs. Chez lui. Puisque c'était chez lui, pourquoi devrait-il en partir ? *Faites que le mois d'août*... Il s'arrêta en plein milieu de la phrase. Il était bien embêté, à vrai dire, depuis que Sorcière Szach lui avait fait cadeau de son incantation à elle, qui venait contredire et même annuler la sienne. Et qui avait toutes les chances de réussir, vu la précision avec laquelle elle lui avait énuméré les ingrédients requis. Trois aiguilles de pin, deux feuilles d'asclépiade...

Dans l'éclaircie ensoleillée il y avait des asclépiades, des plantes à lait dont aimait se gorger le Roi des papillons, selon le livre, et il les trouva précisément là où SS avait dit qu'elles seraient, serrant l'une contre l'autre leurs fleurs mauves fatiguées et leurs grosses feuilles caoutchouteuses qui lui laissèrent sur les doigts un jus blanc collant qui n'avait rien à voir avec le lait. L'une des feuilles montrait nettement des rognures, comme si une bestiole y avait mis récemment les dents. Il s'accroupit pour mieux voir, et là-dessous bien sûr se cachait la chenille, énorme, annelée de blanc, de jaune et de noir, exactement comme dans le livre. Le cœur jubilant, il se préparait à capturer la bête sur sa plante, lorsqu'il entendit des branches craquer fort devant lui. Entre les feuilles des asclépiades, il vit un homme qui traversait le sentier à quelques mètres devant lui, un homme âgé habillé comme en automne, et qui marchait avec la tranquillité d'un propriétaire. Jérémie s'accroupit tout à fait pour voir sans être vu, indigné qu'un étranger ose arpenter le territoire de Sorcière Szach avec cette assurance fendante. L'homme bifurqua soudain et sembla vouloir foncer droit sur Jérémie, qui se colla au sol en retenant son souffle, et l'homme passa tout près et grimpa en direction du plateau des érables. Ce devait être après tout un invité de Sorcière Szach, le père ou le grand-père de cette petite Jessie avec laquelle il n'avait pas voulu jouer, et il attendit pour s'emparer de la chenille du Monarque que l'homme dans sa vieille veste à carreaux rouges, décidément bien trop chaude pour juillet, ait disparu entre les arbres.

Kurki

Il faisait trop chaud. Tant de mois et de jours à espérer que ça arriverait, à se languir de l'été et de sa chaleur paradisiaque, et voilà qu'on y était et que ça ressemblait finalement à l'enfer. Que faudrait-il espérer, dorénavant, pour ne pas être déçu? La fraîcheur de l'hiver? (On en reparlerait quand on y serait, à claquer des dents dans l'iceberg de janvier.) Lila marchait en s'arrêtant tous les cinq pas, intensément mécontente, envahie de sueurs, sur le bord de l'évanouissement. Cette folie, aussi, de quitter la pénombre presque confortable de la maison pour s'engager dans le boisé étouffant. Cette folie de bouger tout court, alors que même les oiseaux ne volaient pas. La cigale s'époumonait d'allégresse, mais les cigales, ces brindilles sèches, ne connaissent rien à la misère de la sueur. Ni à l'insomnie, d'ailleurs. Cela faisait bien cinq jours que Lila ne parvenait pas à dormir. La nuit dernière, terrassée de fatigue, elle y serait cependant arrivée, mais des hurlements perçants l'avaient projetée hors de son lit, le cœur battant. Pas encore sa locataire, la petite névrosée!... Mais non, cette fois, il s'agissait bel et bien d'animaux en train d'étriper un de ses chats, et Lila s'était précipitée dehors toute nue, pour apercevoir deux ratons laveurs qui s'arrachaient les restes d'un mulot en vociférant, et Picasso, le minou rebelle qui refusait de rentrer dormir, contemplant la querelle à deux mètres de là en se lavant tranquillement les oreilles.

En ce moment, tout le monde était écrasé à l'intérieur à somnoler, y compris Picasso, tandis qu'elle tenait debout par miracle et par fébrilité, brûlant le reste de son humidité vitale.

Elle marchait sans trop savoir vers où ni pourquoi, toute à l'urgence de fuir ses propres pensées, ou sa maison, ou les vipères ayant fait leur nid dans sa maison. Elle était pourtant authentiquement joyeuse, deux semaines auparavant, à l'idée de recevoir Agnieszka et sa fille Jessie débarquées de Warszawa, elle aimait cette petite cousine qui lui était un des seuls vestiges supportables de sa très ancienne vie, ou du moins elle n'avait aucune raison de ne pas l'aimer. Jusqu'à maintenant, jusqu'à ce matin. Le voile s'était déchiré sous ses yeux ce matin, et derrière comme de raison grenouillait l'habituelle rapacité humaine.

Elle pouvait dire merci à cet agent immobilier qui venait la relancer deux fois par été, *Madame Szach, j'ai une proposition INCROYABLE pour vous.* Bruno Taschereau qu'il s'appelait, et ses petits yeux enfoncés sous un front bas brûlaient fort de ce feu mercantile avec lequel il aurait tant souhaité l'embraser, mais hélas elle lui opposait chaque fois une inertie de billot détrempé, ignifugé jusqu'à la moelle. Ce matin, Bruno Taschereau avait pris tout son temps, suant à grosses gouttes sous le soleil déjà plombant pour admirer ses plates-bandes d'hémérocalles et d'astilbes, ravissantes il est vrai avec leurs têtes rouges dressées comme des flammes de plumes au-dessus de la mer blanche des pétunias. Sans doute surtout en avait-il profité pour jauger de son petit œil pragmatique la solidité des fondations de la maison, mais peu importe, elle lui avait offert un café, elle acceptait son existence comme on accepte la compagnie des chenilles quand on est une feuille. Du reste, il n'était pas totalement déplaisant de se savoir nantie d'un bien que tant d'autres convoitaient — *Je vous achète 10 hectares, madame Szach, qu'est-ce que 10 hectares sur vos 1 000 hectares à part un joli paquet d'argent dans vos poches, 5 hectares alors, c'est ridicule 5 hectares à l'autre bout du lac, vous ne vous en apercevrez même pas, ou même 2 petits hectares, juste de quoi édifier un minuscule chalet invisible d'ici et rendre un petit couple heureux, non, vous êtes sûre que non et pourquoi non?* Vraiment, un petit jeu qui ne l'incommodait pas, mais ce matin, il tardait à bouger ses pions, il s'était affalé dans la chaise le café sur les genoux et l'air vacant de quelqu'un qui ne nourrit aucune inclination pour le travail, il s'était mis à comparer la canicule de cet été avec celle d'il y a trois ans puis à enchaîner avec des mésaventures d'écureuils et de ratons laveurs en train de saboter les assises de son chalet, et soudain, se méprenant sur le sourire bienveillant de Lila qui accueillait complaisamment n'importe quelle histoire mettant en scène n'importe quel bestiau, il avait cru le moment opportun pour tenter le grand chelem et plonger ses petits yeux ardents dans les siens avec des velléités d'hypnotiseur, *Madame Szach, j'ai une proposition INCROYABLE à vous faire!*

Jessie, la *Mała*, dessinait dans un coin de la grande cuisine, déjà beurrée jusqu'aux yeux de crayon rouge, et Agnieszka, qui ne connaissait pas un mot de français, lisait à côté d'elle en lui dispensant de temps à autre des encouragements attendris *(Dobrze!... Dobrze!...)* et en souriant à tout hasard quand l'agent immobilier l'incluait dans son auditoire. Le regard bleu d'Agnieszka était resté parfaitement transparent quand Bruno Taschereau avait lâché le morceau — *Un million de dollars, madame Szach, j'ai un client qui est prêt à mettre un million de dollars sur la table contre votre domaine, et le plus beau dans l'affaire, c'est que vous gardez votre maison, vous ne bougez pas d'ici, vous ne remuez pas le petit doigt, et un million de dollars vous tombe sur la tête, ouch!...*

Ouch en effet, pourquoi pas cinq millions ou cinq trilliards tant qu'à y être, tant qu'à s'ébattre en compagnie de chiffres boursouflés et abstraits, et Lila en avait gardé la bouche entrouverte un moment sur un fou rire intérieur, elle qui vivait facilement avec 25 000 dollars par année. Elle n'avait pas réussi à savoir d'où la proposition venait — *la seule chose que je peux vous dire, c'est que ce n'est pas un Américain...* — et n'avait pas osé lâcher son fou rire dévastateur devant le brave Bruno Taschereau qui se levait content, persuadé d'avoir semé enfin la bonne graine dans ce sol si aride — *Pensez-y, pensez-y bien, une offre comme ça, vous n'en aurez plus de sitôt...* —, et elle l'avait abandonné sur la galerie où Agnieszka se trouvait déjà. Agnieszka était sortie sans qu'elle y prenne garde, Agnieszka qui ne connaissait pas un mot de français mais qui devait être sensible à certaines tonalités fondamentales, à certains sons ronds, comme dans *million...*

Lila était revenue près de la porte quelques minutes plus tard, alertée par une forme de silence qui ressemblait à une conspiration, et là, embusquée derrière le rideau, elle avait entendu la voix basse, comme oppressée d'Agnieszka, s'adressant à l'agent immobilier : *How much did you say for this land?...* et vu surtout ses yeux, ah ses yeux, des étoiles tout juste nées, des étoiles flambant de convoitise et qui jetaient un éclairage neuf et brutal sur tout, sur la scène entière de leur relation.

Qu'avait-elle donc imaginé? Qu'Agnieszka lui écrivait de Pologne ces missives gentilles et d'une régularité touchante, lui envoyait les plus beaux dessins de Jessie, se rappelait son anniversaire depuis des années et des années, par unique souci de filiation fidèle, par — voyons donc! —, par *amour*?...

Oui. C'est exactement ce qu'elle avait imaginé.

Maintenant que la lucidité était revenue faire sa niche en elle, les morceaux du puzzle s'harmonisaient parfaitement, la ténacité d'Agnieszka à s'enquérir sans cesse de sa santé, et surtout les gracieusetés de la petite Jessie auxquelles elle avait presque succombé, qui venait à tout propos se jucher sur ses genoux ou la couvrir de marguerites, clandestinement téléguidée par sa mère *(Va porter des fleurs à la vieille folle, szybko! szybko!…)*…

Ouch. Ça faisait mal, oui, profondément, mais mieux vaut une bonne douleur franche qu'un aveuglement gluant.

D'ailleurs, c'était presque drôle d'imaginer la pauvre Agnieszka condamnée à surveiller le calendrier pour ne commettre aucune faute d'omission, égrenant devant le vieux dieu des Polonais des prières confuses pour que sa *riche* cousine canadienne, sans descendance connue, abrège enfin son exaspérante longévité…

Si elle n'avait pas tant manqué d'humour, elle se serait esclaffée au lieu de laisser une pierre se loger dans ses côtes.

Riche. Elle n'arrivait pas à se sentir riche. Les riches ont de l'argent qu'ils cajolent, des biens qu'ils font copuler ensemble pour que naissent d'autres biens. Elle, elle n'avait rien, elle n'avait que *ça* qui n'était pas vraiment à elle, dont elle n'était qu'une gardienne fervente, ce morceau de paradis vierge qu'il fallait protéger contre les prédateurs et laisser intact. Et transmettre à d'autres gardiens pour qu'ils poursuivent la vigile après elle. C'était là le plus douloureux. Qui prendrait la clé du jardin après elle, qui accepterait humblement le travail de gardien sans le travestir en bien engrossable, en million?

Peut-être que je ne mourrai jamais. À peine ces

mots présomptueux lâchés dans son esprit, une douleur inconnue vint lui percer le flanc pour la rappeler à l'ordre. Elle dut s'asseoir sur un rocher à l'ombre des sapins, trempée et haletante, pour attendre que ça passe. Car ça passerait, cette fois-ci encore ça passerait.

Elle pensa à Agnieszka et à Jessie, peut-être maintenant descendues au lac et s'ébrouant comme des chiots dans l'eau tiède, et la douleur dans son ventre vint resserrer son emprise. Ce n'était après tout que ça, qu'un chagrin qui cherchait à s'incarner.

Personne ne m'aime.

Elle se força à rester droite sur le rocher, à repousser dans l'ombre l'apitoiement geignard. Il fallait affronter le problème au complet, et pas seulement sa première moitié complaisante.

Oui, mais toi, aimes-tu vraiment quelqu'un?

La question produisait son effet, le malaise changeait de forme s'il ne perdait pas de son intensité. Elle était responsable de tout ce qui lui arrivait, elle le savait bien, mais ce savoir ne la soustrayait en aucune façon à la douleur.

Du coin de l'œil, elle perçut près des fougères les crosses des monotropes uniflores qui soulevaient le sol de leur petite tête vaillante, et quand elle regarda de plus près, elle en vit partout dans la forêt, des grappes blanches au long cou cireux qui ne savent pas si elles sont des fleurs ou des champignons. Et aussi des pyroles, déjà, surgies elles aussi de la dernière pluie, délicates comme du muguet sauvage, qui font de petits bouquets suaves pour parfumer les insomnies. Les créatures de juillet s'installaient pendant qu'elle ne les regardait pas.

Elle imagina aussi Simon sur le lac en train de pagayer, petite déchirure accrue dans l'abdomen. Il avait fini par comprendre. Il ne la *visitait* plus tel un ange Gabriel lacustre, il passait en coup de vent lui bricoler une rampe, lui peinturer une fenêtre, lui faire la conversation tout en ne dédaignant pas le petit verre de vodka, et puis c'était tout. Exit la cabane à bateau et le lit encastré, qui avait gémi tant de fois sous leur poids concerté.

C'était venu de lui sans qu'ils en parlent, elle n'avait rien eu à dire, rien eu à livrer, aucune de ces exhortations splendides lentement mijotées dans son for intérieur pour atténuer le choc de la rupture.

Elle avait beau se répéter que c'était là ce qu'elle avait souhaité, une amertume imprévue pesait sur elle. Il lui avait enlevé l'initiative du sacrifice, il lui avait donc tout enlevé. Ne restait que le résultat, une femme larguée, une VIEILLE femme larguée, la pire des espèces, privée de toute possibilité de revanche. Le dernier coït de sa vie était derrière elle. Plus jamais. Plus jamais de caresses, plus jamais de combustion au contact d'une autre intimité, plus jamais d'exultation physique. *Plus jamais : avale cette réalité et ne la crache pas.*

Plus jamais de morceaux de jeunesse.

Elle aurait dû être jeune quand c'était le temps. Elle aurait dû être plus vigilante, au moins, admettre sa propre beauté et en jouir pendant qu'elle était là, au lieu de s'en moquer comme d'un acquis accessoire et certainement éternel. Elle aurait dû. Tant de choses qu'elle aurait dû, ne jamais coucher avec Simon, ne jamais accorder sa confiance à Agnieszka, ne jamais laisser mourir Jan. Ne jamais avoir de père, ne jamais naître.

Arrivée là, dans l'extrême fond du précipice, ça ne pouvait pas descendre plus bas, donc ça remontait. Elle se voyait affalée sur elle-même à dorloter sa noirceur et à en redemander et ça lui faisait soudain horreur. *Quitte ça, quitte ça.* Elle sortait de sa tête à grands coups de respiration et elle recommençait à voir et à entendre, les fougères, les monotropes et les pyroles, et tout ce temps la cigale qui n'avait pas cessé de l'interpeller ni les frédérics et les troglodytes de s'épuiser en récital, et elle se redressait vite au risque de s'occasionner des étourdissements — quel sacrilège d'ignorer les vrais spectacles réjouissants pour s'en inventer des douloureux, quel sacrilège et quelle sottise.

Elle se leva. Même la chaleur devenait supportable, quand on cessait d'en rajouter. Elle constata avec étonnement qu'elle était arrivée près du pont de bois et du ruisseau, exsangue à ce temps-ci de l'été. Sans s'en douter, au milieu de sa confusion, elle s'était dirigée là où le neveu de Simon, le Petit, le *Mały*, lui avait dit qu'il avait vu des chanterelles.

Drôle de *Mały* que ce *Mały*...

Rien à voir avec la manière candide de Jessie, ou de n'importe quel autre enfant dont elle s'était approchée ces dernières années.

Elle ne savait pas ce qu'il voulait. Il voulait quelque chose d'elle, qu'elle était sûre de ne pas pouvoir lui donner. C'était comme s'il l'avait choisie entre toutes les distractions possibles, qu'il la préférait à Internet et aux jeux informatiques que Simon avait expressément installés pour lui. Il surgissait derrière elle et se mettait à la suivre quand elle marchait en forêt. Peu importe qu'elle ne manifeste rien ou qu'elle montre de l'agacement, il la suivait. Elle n'était jamais longtemps agacée, à vrai dire, puisqu'il savait comment marcher en forêt, sans faire de bruit, sans parler, sur le qui-vive. Il leur était arrivé une fois de croiser un chevreuil, et une autre fois un renard sur ses jambes de danseur, et il ne s'était pas mis à crier d'excitation comme les citadins imbéciles qui font fuir tout ce qui bouge. Elle était toujours celle qui parlait la première, et alors, comme un signal qu'il aurait attendu, il devenait volubile et éjectait des bribes confuses de ces histoires qu'il devait s'inventer à l'intérieur, ou encore il prenait un air solennel pour lui poser une question dont sa survie semblait dépendre et à laquelle Lila ne savait comment répondre.

Et il ne tuait plus les fourmis.

Dans ses yeux, elle voyait bien l'ampleur du malentendu, l'image trop grande qu'il avait d'elle et qu'elle devrait bien rectifier tôt ou tard, sous peine d'ajouter à ses désillusions.

Mais en attendant, elle prenait un plaisir ambigu à jouer le jeu. C'était peut-être la dernière fois de sa vie qu'il lui était permis d'exercer de l'ascendant sur quelqu'un.

D'ailleurs, ce Petit avait urgemment besoin qu'on

infuse un peu de pragmatisme dans sa vie : ce n'était pas son oncle, plus aquatique que terrien, ni ses jeunes parents obnubilés par leur projet de désintégration qui connaissaient les armes requises pour affronter le combat des rêveurs.

Faites que le mois d'août n'arrive jamais. Pauvre requête de rêveur, oui, et de perdant, qui l'avait apitoyée au point de lui mettre les larmes aux yeux.

Cette fois, elle avait trouvé à lui répondre.

Faites que je traverse le mois d'août sans encombre.

Tout était dit dans cette formule en apparence anodine. Ne crois jamais que les obstacles — en l'occurrence le mois d'août — vont se dissiper par miracle. Ne crois jamais que tu ne pourras pas les affronter.

Ne crois jamais que tu seras seul. Et pourtant, tu le seras.

N'avait-elle pas mené ainsi tous ses combats, armée de cette épée modeste et infaillible ?

Puisqu'il était à l'âge des jeux et qu'elle acceptait de jouer, elle y avait assorti des conditions distrayantes pour que l'*incantation* soit exaucée — un caillou rond, deux feuilles d'asclépiade, un insecte sauvé de la mort, trois aiguilles de pin, une épine de porc-épic… —, auxquelles elle savait qu'il se plierait avec ferveur.

Il avait ça, qu'elle aimait beaucoup. La ferveur.

Il avait déjà exploré sa terre de part en part et semblait la connaître aussi bien qu'elle. Simon, découragé, avait cessé de lui interdire quoi que ce soit — quitter les sentiers, respecter des limites, partir seul en forêt… Il lui avait plutôt acheté une boussole et lui avait appris à s'en servir. Le Petit avait été si content de cette boussole, racontait Simon, *Il m'a serré contre lui, Lila, comme si je venais de lui donner la planète.*

Oui, il y avait chez ce *Mały* beaucoup de choses qu'elle aimait.

Le problème était ailleurs. (Loin, loin dans le temps, dans le village polonais de Cieśle qu'occupaient depuis deux jours des soldats étrangers.)

Chaque fois qu'ils marchaient en forêt, le *Mały* un peu derrière elle et la cigale au-dessus d'eux, chaque fois il y avait un moment où elle se retournait et il ressurgissait.

Markus.

Le petit visage mobile de Markus.

Jérémie reprenait sa place très vite, mais n'empêche, un abysse avait eu le temps de se glisser dans cette fraction de seconde où elle avait revu Markus, et c'est là qu'elle s'enfonçait.

Pomału, *Lila ! Moins vite, je réfléchis !*

Elle marchait devant Markus, presque onze ans tous les deux, le seul poids de leurs livres sur les épaules. La forêt était vaste et complètement amicale. Sous la cigale qui crissait tardivement, elle croyait entendre les pensées de Markus s'entrechoquer comme des billes avant d'émerger à l'air libre.

Si tu refaisais le monde, toi Lila, dis-moi une chose que tu enlèverais.

À la sortie de la forêt, ils se séparaient tacitement et s'en allaient chacun vers leur maison, comme s'ils ne se connaissaient pas. C'était mieux comme ça, mieux pour Lila qui devait faire semblant de fuir cette étrange maladie qui affectait Markus.

Dojutra, *Lila!*

À demain, Markus!

Elle le regardait partir du coin de l'œil pour la dernière fois, sa chemise à rayures bleues, ses jambes trop grêles pour son immense appétit de vivre, oh Markus si plein d'intelligence et de promesses, et il lui faisait un signe de connivence, dos tourné, un geste pour elle seule, le poing ouvert et fermé et puis encore ouvert, et c'était plus émouvant que s'il l'avait embrassée, cette fois qui était la dernière fois et elle ne s'en doutait pas.

Au matin, il n'était pas réapparu à l'école, ni dans la forêt, volatilisé lui ainsi que toute sa famille, son père, sa mère, sa petite sœur Olga, et la sœur de sa mère qui était une grosse femme rousse pourtant difficile à cacher, toute la famille soufflée durant la nuit comme par un vent magique. (Volatilisés aussi, par hasard, les soldats étrangers installés au village depuis deux jours.) Ne restaient que des vêtements et des draps à sécher sur la corde et le vélo de la petite sœur couché dans la cour, cinq personnes entièrement engouffrées dans le néant, et la porte restée entrouverte, bientôt béante sous les allers-retours des voisins qui emportaient les meubles, la vaisselle, les tapis, les livres de Markus, comme si personne n'avait jamais habité là.

Ils sont partis en vacances, disait le responsable de leur disparition.

En vacances? En septembre? s'insurgeait Lila.

Ou peut-être qu'ils ont dû se rendre à l'hôpital, disait le délateur de leur étrange maladie.

Mais comment? Mais hier soir encore?...

Je te dis qu'ils sont partis et puis c'est tout! disait monsieur Szach, son père, un homme pourtant bon qui nourrissait les bébés lièvres au biberon et qui n'élevait jamais la voix sauf pour entonner des hymnes religieux.

C'était ainsi dans sa famille. On était criminel de père en fille tout en n'ayant l'air de rien.

Voilà pourquoi il était périlleux de fréquenter le Petit et pourquoi Lila préférait s'en aller toute seule à la rencontre des créatures de la forêt. Même quand le Petit, qui ne ressemblait même pas à Markus, la laissait enfin, elle n'était pas libérée, il avait fait entrer en elle l'abysse dans lequel elle continuait de glisser en compagnie de Markus, à qui elle répondait avec véhémence pour toutes les fois qu'elle n'avait pas su.

Si je refaisais le monde, moi Markus, oui je sais ce que j'enlèverais, j'enlèverais complètement jusqu'au dernier les êtres humains.

Près du pont de bois et du ruisseau presque tari s'érigeaient de gros rochers en muraille, ronds et encavés dans la terre, peut-être tombés du ciel en une pluie de météorites. Sur le plus gros de ces rochers s'installait le *Mały* pour épier alentour, et c'est de là qu'il aurait aperçu des choses orangées, deux jours auparavant, aussi bien dire un siècle en cette période de sécheresse.

Lila ne tenta évidemment pas de grimper comme lui, elle choisit de longer lentement la muraille pour aller voir de l'autre côté de quoi il retournait. De l'autre côté, le sol n'avait jamais connu le soleil, et une belle mousse épaisse se répandait en vallonnements d'un vert brillant contre les rochers, encore nourrie d'un méandre du ruisseau qui était venu y finir ses jours. Lila enleva ses sandales et s'enfonça les pieds dans cette ouate fraîche, et le contentement fut si instantané qu'elle décida de se débarrasser de tous ses vêtements, au diable les écureuils qui la reluquaient, pour que son corps au complet connaisse le moelleux de l'existence quand il se présente. C'est à ce moment, à genoux dans la mousse, les jambes encore entravées par sa culotte, qu'elle les aperçut. Pas deux ou trois, en ordinaires menus rassemblements contre les souches, mais vingt, mais trente-cinq, coincées dans tous les interstices de la mousse et des rochers, joufflues d'avoir attendu tout ce temps qu'on les découvre, jaune brillant comme des soleils, comme des baisers dorés, claironnantes petites trompettes n'annonçant que le plaisir. Des chanterelles. Un lac de chanterelles. Elle prit le temps de figer l'image sur sa rétine, orangé sur émeraude, pour que le sentiment d'abondance l'accompagne longtemps, si possible dans l'éternité. Puis elle se rua sur les plus proches et les coupa de son couteau fébrile en prenant garde de ne pas arracher les embryons, elle s'enfouit le nez vingt fois dans les petits corps dodus où crépitaient des odeurs de vanille et d'abricot, et à la fin il n'y avait plus le moindre atome d'espace dans son panier pour y loger un insecte.

C'était l'été, comment avait-elle osé douter de l'été? c'était l'été dans son infinie luxuriance, trente degrés à l'ombre et le soleil au zénith, c'était l'aboutissement grandiose de toutes les explosions commandées par le jeune roi été, et elle, Lila Szach, mortelle si incomplète, on lui permettait de se rouler dans la jeunesse parfaite de l'été aux côtés des grives solitaires, des frédérics mélodieux, des rudbeckias, des marguerites foisonnantes, de la sève ruisselant aux doigts des épinettes, des petits chevreuils sur leurs pattes de deux mois, des vanesses amiral aux robes de satin noir et blanc, des maringouins à la musique aigrelette et des chanterelles recommencées, des sublimes chanterelles…

Elle finit par se relever humide et froissée et par clopiner vers la maison sous la chaleur qui entre-temps avait monté d'un cran, mais il était maintenant impossible de souffrir de quoi que ce soit, une joie obtuse s'était fichée en elle qui balayait tout de son faisceau lumineux. Elle entra sans faire de bruit et répandit les chanterelles sur la grande table. Agnieszka, qui somnolait sur le divan avec Jessie roulée à ses pieds comme un chat, se leva à sa rencontre et poussa des exclamations de ravissement en découvrant la manne, et Jessie alertée s'approcha à son tour, et toutes trois s'adonnèrent à un rituel exubérant autour des *kurki*, les palpant, les comparant, les comptant, les reniflant, leur âme polonaise semblablement réveillée dans ses fibres mycophages. Il y en avait suffisamment pour cinq et même six plats différents, une omelette avec des pommes de terre et de petits morceaux de lard s'imposait, on en marinerait bien entendu dans du *koperek,* et Lila connaissait-elle ce roulé très délicieux où les *kurki* se retrouvaient emprisonnés dans une pâte au beurre ? va donc aussi pour le *ciastko,* et bien entendu pour quelques *zup* à la crème qu'Agnieszka pourrait même rapporter chez elle pour l'heure cruelle de l'hiver...

Le ressentiment de Lila s'était dématérialisé comme une brume bue par le soleil, et elle regardait en riant Agnieszka poser sans arrêt des lèvres extatiques sur les chanterelles en s'exclamant : *Oh sliczny! sliczny!...* elle éprouvait un vif plaisir à partager avec elle cette richesse-là, à cuisiner et à papoter en polonais comme trois petites filles dont Jessie pour l'instant était devenue la plus raisonnable. Agnieszka racontait la dernière lointaine promenade en forêt où elle avait cueilli quelques chanterelles, rares à Michałowice où croissaient surtout des bolets jaunes, et comment les arbres lui manquaient depuis qu'elle travaillait à temps plein dans ces produits dérivés des arbres que sont les bibliothèques, et Lila osait poser des questions sur la vie là-bas avec laquelle elle avait perdu tout contact, la texture granuleuse de la vraie vie, les églises, les marchés, la famille, les femmes seules, l'amour, la démocratie, vivait-on un peu plus riche et un peu plus content, et pourquoi non ? Et brusquement, par-dessus la tête bouclée d'Agnieszka, Lila apercevait Fiona, sa mère, qui s'essuyait les mains sur son tablier jaune et lui faisait des clins d'œil complices, l'enfance heureuse sourdait de l'odeur du fenouil et des *kartofelki,* l'imprégnait toute d'une nostalgie poignante pour quelque chose de parfaitement beau qu'elle avait frôlé jadis, sans le contempler assez pour le retenir.

Plus tard, elles étaient toutes trois sur la galerie, saoulées par la chaleur qui déclinait à peine et le mauvais vin qu'Agnieszka avait acheté et auquel avait démocratiquement eu droit la petite Jessie, lorsqu'une grosse Subaru noire avait dérapé sur le gravier du chemin et était venue se garer devant elles. Un homme jeune et grand en était sorti, T-shirt sans manches sur des épaules musclées, les yeux cachés par des verres fumés malgré la lumière crépusculaire. Souriant de ses lèvres minces, il leur avait lancé des salutations tonitruantes, et Lila, soudain glacée jusqu'aux os, avait deviné son identité avant qu'il la décline. Jean-François, Jean-François Clémont. Le fils de Gilles.

Même carrure et même déhanchement voyou lorsqu'il marchait, et comme lui le bas du visage incapable d'une franche ouverture, mais le reste assez peu ressemblant, une copie négligée qui n'aurait pas retenu les traits les plus délicats. Moins beau que Gilles, mais un morceau authentique de la chair de Gilles, un prolongement barbouillé qui venait sans nul doute parler de sang, un rhizome qui sortait plus loin de terre pour réclamer vengeance. Lila se leva en renversant sa chaise, aussi brûlante qu'elle avait été glacée, et elle se dit au milieu de sa dévastation intérieure : *Quel dommage de finir l'été en prison maintenant qu'il y a des chanterelles*, et elle chercha des yeux les policiers sans doute restés dans l'ombre et qui la menotteraient avant de la jeter en enfer. Mais il était seul, Jean-François Clémont, *Appelez-moi Jeff,* lui dit-il en lui tendant une main aussi trapue que celle de Gilles était fine, *Appelez-moi Jeff, puis-je m'asseoir un moment avec vous, madame Szach?*

Il s'assit. Les deux autres, Agnieszka et Jessie, se levèrent pour aller marcher dans les environs, et Lila resta à sa place, debout puis assise de nouveau, entourée d'un temps floconneux sur lequel elle n'avait plus de prise et que les mots heurtaient comme des bulles incompréhensibles. Jeff Clémont parlait. Que disait-il? Il était question du lac Campeau et de la chaleur, mais Lila écoutait le son de la voix qu'il avait héritée de son père, elle écoutait uniquement cette musique cruelle et barbare d'où quelque chose de menaçant finirait bien par sortir. Mais rien ne se passait, il parlait, il avait enlevé ses verres fumés et elle voyait maintenant qu'il avait des yeux qui n'aimaient pas rencontrer les yeux des autres, et le brouillard se dissipait suffisamment pour que les mots remplissant la musique deviennent de petits cailloux solides.

Jeff Clémont décrivait le terrain qu'il venait d'acheter au lac Campeau et parlait du Mont-Diamant, *On est presque voisins, c'est-tu assez beau, hein, on est-tu assez chanceux, y en a tellement qui voudraient avoir la chance qu'on a,* et Lila le regardait attentivement, non il ne ressemblait vraiment pas à son père, excepté ces relents sonores et ces fantômes de gestes qui évoquaient les parties les plus pauvres de Gilles. Mais que voulait-il donc? Elle l'interrompit pour le lui demander, en utilisant sa voix la plus courtoise. Il se tut un court moment, et un court moment il envoya ses yeux dans sa direction — des yeux bruns quelconques, alors que ceux de Gilles étaient d'une clarté polaire éblouissante, puis il dit : *Vous avez connu mon père... Même si j'étais ben jeune, je me souviens qu'il parlait souvent de vous, je pense qu'il vous aimait beaucoup.*

Voilà, on y était.

Il vous aimait beaucoup, pourquoi l'avez-vous tué ?

Mais non, il enchaînait maintenant sur des considérations confuses au sujet du lac à l'Oie qui s'appelait le lac à l'Oie, platitude extrême, comme des centaines d'autres lacs à l'Oie dans les Laurentides, et puis sans crier gare elle se retrouvait au cœur de ses divagations, *Tandis que vous, madame Szach, une pionnière, la plus ancienne de la place, le lac Szach, ça serait vraiment original et puis ça vous rendrait hommage, ça fait que j'en ai parlé à la MRC des Laurentides et au maire de Mont-Diamant que je connais personnellement et ils sont d'accord pour renommer le lac à l'Oie le lac Szach en votre honneur, madame Szach, et ça me fait vraiment plaisir de vous l'annoncer, vous, une pionnière, qui avez en plus connu mon père...*

Lila s'était statufiée sur sa chaise, elle entendait le frédéric et la grive solitaire se renvoyer des balles sonores au loin, elle sentait une douleur diffuse sur ses genoux, là où ses ongles s'étaient enfoncés dans la peau, et le fils Clémont osait la regarder en face pour épier chez elle une réaction qui ne venait pas.

Il ne savait pas, il ne savait rien. Non seulement le fils de sa victime ne savait rien, mais il venait lui remettre à elle, bourreau de son état, une médaille honorifique pour service rendu. Cela était catastrophique, cela était intenable.

— Non ! dit-elle enfin avec une violence épouvantée, non il n'est pas question, non, je ne veux pas, s'il te plaît, non !

L'étonnement de Jeff Clémont fit place à un rire sonore, et il posa même une de ses mains courtaudes sur le genou gauche de Lila.

— Je le savais, on me l'avait dit que vous commenceriez par dire non, mais j'insiste, vous êtes ben trop humble, si c'est pas pour moi, faites-le pour mon père que j'ai pas assez connu…

Chaque fois qu'il prononçait ces mots-là, *mon père,* il lui enfonçait un pieu dans le flanc, et soudain elle se mit à l'observer différemment, avec effroi, peut-être savait-il tout, au contraire, et avait-il trouvé cette façon inusitée et sadique de la torturer…

— … je me souviens par exemple à quel point c'était un amoureux de la forêt, mon père, comme vous, madame Szach, c'est tellement effrayant de finir ses jours à quarante ans dans un accident imbécile, quand on aime tellement la vie…

Il se remit à rire, un peu bêtement parce que Lila le dévisageait avec une intensité inquiétante, et il rapatria prudemment sa main sur ses propres genoux à lui, on ne sait jamais avec les vieilles, les vieilles folles amoureuses de la forêt.

— Qu'est-ce que t'as dit? demanda Lila la voix suraiguë, répète ce que tu viens de dire, un accident, quel accident?

— Comment? Vous savez pas? s'étonna Jeff Clémont.

Elle savait pour la mort, balbutia-t-elle, mais rien d'autre, rien du tout, alors il raconta. Il raconta comment, sur la route 117 juste avant Lac-Saguay, alors qu'il s'en allait rejoindre son beau-frère et son chum pour son annuelle virée de chasse dans le Nord, Gilles Clémont, son père, avait heurté de plein fouet un orignal et s'était retrouvé éventré dans son camion rouge neuf, *En plein dans le pare-brise un orignal d'une demi-tonne, ça pardonne pas…*

— Es-tu sûr? Es-tu sûr? demandait Lila sans pouvoir dire autre chose, jusqu'à ce que le regard franchement interloqué de Jeff la fasse taire.

— Ben! J'ai vu les photos! Ma mère l'a vu! Qu'est-ce que vous voulez dire : sûr?… C'est sûr que je suis sûr!

Et puis il la contempla au comble du malaise car elle s'était mise à pleurer, les deux mains sur le visage, à pleurer et puis sans transition à rire, et elle se leva brusquement avec un geste d'apaisement, *C'est rien, c'est l'émotion,* à quoi il répondit en regardant ailleurs, *Je comprends, c'est vrai que c'est une mort effrayante… Même si ça fait trente ans…*

Elle le remercia avec effusion pour le lac Szach, après tout pourquoi pas, c'était une attention infiniment délicate de sa part, et elle le reconduisit vers sa

Subaru neuve après lui avoir donné un pot de crème de chanterelles, qu'il prit avec une molle circonspection, mais elle insista, *Tu vas voir comme c'est bon...* Elle osa même ajouter en riant, et elle n'en revenait pas de s'entendre : *Ton père adorait mes crèmes de champignons,* et puis il finit par partir.

Quand Agnieszka et Jessie revinrent, elles la trouvèrent étrangement silencieuse, avec une lumière exaltée dans les yeux, et elle prétexta une fatigue extrême pour se retirer dans sa chambre.

Voilà comment on se sentait quand on n'était pas une criminelle.

Lisse.

Quelque chose de griffu venait de lui être retiré de la poitrine, avec lequel elle s'aperçut qu'elle cohabitait depuis trente ans.

Elle n'était responsable de la mort de rien. Peut-être même qu'elle n'avait jamais cuisiné d'amanites, jamais remis cette crème fatale à personne, tout imaginé dans son esprit malade de colère.

Elle ne dormit pas non plus de la nuit, mais l'insomnie cette fois valait bien le sommeil, elle flottait, elle flottait au-dessus des montagnes et des lacs, parfaitement blanche comme un ange jamais déchu.

Champagne

La maison n'est pas noire, disait Violette, mais blanche et entourée de fleurs. Comme quoi, même aux fleurs parfois on ne peut pas faire confiance.

La maison abrite dix enfants, presque une meute, scindés également en cinq garçons et cinq filles. Dix enfants, et une mère en quelque sorte. Une mère tellement déconnectée de son instinct qu'il faudrait chercher un autre mot pour la nommer.

Et lui. Le fou.

Dans la maison, aucun objet n'est anodin. Une lampe, une table, une bouteille de jus, les robinets, le lit, une cuiller, tout a un poids inquiétant, tout peut se détourner de sa fonction première pour vous battre ou vous asphyxier. Il faut se méfier de tout. Ne pas parler trop fort, ne jamais rire il va de soi, disparaître, surtout disparaître. Même invisible, le fou vous trouve toujours quand votre tour est venu. Le temps est éternel. Votre tour revient souvent.

Dans la maison entourée de fleurs, recouverte d'un silence de banlieue qui ne laisse rien filtrer, vous respirez un air trempé de terreur et vous êtes tous convaincus que cela est normal, que l'enfance consiste inévitablement en une suite ininterrompue d'épreuves qu'il faut dents serrées traverser.

Y a-t-il des jouets dans cette maison ? La réponse est étonnante, mais elle est : oui.

Des raquettes de badminton, des bâtons de hockey, des bilboquets, des toupies, quelques vieilles Barbies, des jeux de mots comme le Scrabble et le Boggle, des encyclopédies, des animaux de bois — beaucoup de jouets de bois car il aime travailler le bois, il a un atelier à l'extérieur de la maison où il entrepose ses outils et le surplus de ses œuvres, des traîneaux, des cabanes d'oiseaux, des balançoires, des bouliers pour compter, des têtes de chiens et de chevaux peu ressemblants. Quand vous visitez son atelier, ce n'est jamais de votre plein gré. Outre les objets et les outils, il y a assez d'espace dans l'atelier pour enchaîner par terre un enfant de dix ans, et même de quatorze. Les outils également peuvent être détournés de leur usage premier selon l'inspiration du moment.

Si on prend un bras jeune et qu'on le frappe contre une table, ou si on immobilise un genou pour le serrer dans un étau métallique, les os ne se brisent pas tout de suite, il est possible d'appliquer une énergie satisfaisante sans laisser de traces. Du reste, s'il y a des traces, les chemises des enfants se portent avec des manches et les pantalons sont choisis longs afin que tout ça reste entre vous, hors de ceux que ça ne regarde pas.

Le fou est-il un alcoolique pathétique qui n'a pas

terminé son cours secondaire? La réponse est étonnante, mais elle est : non. Le fou est instruit, il a un diplôme d'ingénieur, il est issu d'une famille aisée, et il ne boit du bon whisky que la fin de semaine. Le soir, il rajoute des exercices et des dictées interminables à vos devoirs scolaires, il surveille de près vos bulletins, il exige que vous réussissiez. Si vous ne réussissez pas, les directives sont claires, il vous tuera.

Vous formez un petit pays, à vous douze.

Pourtant, nulle solidarité entre vous. Des chimies communes, oui. Par exemple, quand il entre dans la maison ou dans la pièce où vous vous trouvez, l'odeur rance de peur que vous reniflez sur votre troisième frère ou votre deuxième sœur est celle-là même qui suinte de vos aisselles, les gargouillis qui s'échappent de leur estomac noué s'échappent aussi du vôtre. Vous partagez ainsi les mouvements de viscères et les informations, vous savez entre autres qu'émettre des plaintes et des pleurs quand la grêle tombe ne fait qu'empirer les choses, excepté les deux plus petits qui ne savent pas bien encore mais qui apprendront. Mais ça ne fait pas de vous une nation unie. Vous n'aidez jamais les autres, vous avez trop à faire avec vous-même. Vous êtes content quand c'est sur le deuxième frère ou la quatrième sœur que s'abattent les salves puisque ce n'est pas sur vous. Vous êtes content lorsque la nuit et son répit arrivent — jusqu'à douze ans si vous êtes une fille, car après, bien entendu, de cette autre noirceur il sera aussi question. Quand enfin vous aurez l'âge de vous échapper, vous courrez à toute allure sans regarder derrière et sans jamais penser à ceux qui restent.

Quant à elle, la mère à qui il faut trouver un autre nom, la liste de ses crimes par omission est si longue qu'elle devrait croupir dans un cachot au lieu de vieillotter paisiblement en Floride comme elle le fait depuis, sous un soleil qui rougit de briller sur elle. Elle n'a jamais protégé des mains folles du fou les petits de son propre ventre, elle n'a jamais désavoué le fou dans ses violences, elle a refermé la porte de la chambre sans bruit quand elle a surpris le fou en train de vous violer, et elle continue de jurer que tout ça n'a jamais existé, a été inventé dans votre tête, dans vos dix têtes. Si vous la revoyez un jour, ce que vous ne souhaitez pour rien au monde, vous l'accueillerez à coups de batte de baseball et vous frapperez jusqu'à ce que l'un d'eux — bois ou crâne — se rompe le premier.

Simon écoutait Violette. Que pouvait-il faire d'autre ? Il l'écoutait avec le plus de disponibilité possible en attendant de pouvoir l'emmener ailleurs, c'est-à-dire ici, dans la beauté vivante du présent. Pendant qu'elle parlait, il voyait nettement la maison fantôme, sa cour arrière bien entretenue et couverte en ce temps-ci d'hémérocalles, il voyait le cabanon frais repeint adossé à une haie de cèdres parfaitement géométrique, il voyait un lieu pétri d'ordre et de contrôle au milieu duquel occasionnellement un ballon roulait que se disputaient en silence des enfants — c'était un film muet, Dieu merci, d'où ne pouvait sourdre aucune plainte audible —, il voyait aussi une balançoire dans laquelle Violette à douze ans, la tête bien droite, se balançait sans sourire, du sang achevant de cailler sur ses cuisses sous son pantalon long mais une telle dignité sur son visage de jeune guerrière qu'il se disait que celle-ci, oui, celle-ci s'en sortirait.

Elle s'en était sortie puisqu'elle était ici à raconter des bribes du vieil enfer. Un autre ennemi entre-temps s'était pointé — ou sans doute était-ce le même, habilement travesti en cellules… —, au moment où elle croyait avoir réintégré les rangs propres des guéris, un cancer agressif qui lui avait dévoré un sein avant de se dévorer lui-même. De ça aussi, elle s'était sortie.

Il la voyait tous les jours, le matin, avant que leurs invités respectifs ne les accaparent pour la journée. Il passait en kayak, elle se tenait le plus souvent sur son patio, qu'elle avait transformé en salle de travail ombragée par deux parasols. Elle était toujours sur le point d'écrire, elle assurait qu'elle allait commencer aussitôt que ses amis cesseraient de la visiter — et elle de les inviter.

Grande Violette, qui déjà faisait presque ses deux mètres et en rajoutait avec des talons hauts, grande petite Violette, aux yeux clairs et nets malgré la perversité, brave comme une kamikaze vouée à la vie plutôt qu'à la mort, et qui jurait qu'elle atteindrait ses quatre-vingts ans, *comme madame Szach…* et alors Simon protestait en riant, *Voyons, Lila est bien loin d'avoir quatre-vingts ans*, et puis il faisait mentalement le compte et il se taisait, un peu consterné.

Ces histoires d'âge n'en finissaient pas de le troubler. Par exemple, le fou. Le fou, s'il avait vécu, aurait eu aujourd'hui un an de plus que Simon. Il était mort d'une crise cardiaque alors que Violette entamait finalement des poursuites judiciaires contre lui, et elle se consolait mal de cette mort prématurée qui l'avait privée à tout jamais de justice, sinon de vengeance. À peu près l'âge de Simon, donc, pas un précambrien sauvage, quelqu'un qui aurait pu fréquenter la même université que Simon si celui-ci avait continué ses cours au-delà de l'École normale où on formait des professeurs comme lui peu titillés par l'ambition. Il n'arrivait pas à lui imaginer la tête, ni le dehors ni le dedans. Dans quelle partie de son cerveau les commandes malades avaient-elle commencé à bloquer toutes les saines ? Il ne pouvait s'empêcher de voir dans ce fou sans tête, qui lisait Kant dans le texte selon Violette, une sorte de frère ignoble qui lui montrait que la monstruosité était à portée de main, affreusement accessible.

Après chacune de ces giclées noires, Simon prenait les choses en main avec l'aide du lac. Il disposait d'environ une heure pour la remettre en contact avec la vie éblouissante. Ça tombait bien, ça remuait ferme en ce juillet laurentien, il ne se passait pas une seconde sans que quelque chose de bruyant ou de coloré vienne vous sortir de vous-même. Le patio de Violette se trouvait justement près de l'aire de promenades des huards, qui exhibaient depuis peu leur progéniture, un seul caneton d'un brun poussiéreux. Violette jubilait sur leur passage, leur lançait des morceaux de brioche auxquels ils n'accordaient pas un regard. Souvent, un roulement de tonnerre la faisait sursauter avant de la faire rire, c'était le martin-pêcheur qui piquait du nez dans le lac et se juchait bredouille dans le bouleau mort, la huppe de travers sur sa grosse tête courroucée. Les spectacles plus subtils, Simon se chargeait de les lui désigner du doigt ou des jumelles. Une couleuvre grise qu'elle avait prise pour un bout de bois avançait sur l'eau en sinuant. Accrochées à sa chaise longue, deux libellules imbriquées en forme de cœur lui copulaient dans le dos. Dans la baie où ils avaient leur camp de pêche, trois hérons ne bougeaient pas d'une plume, avides comme des chercheurs d'or, et si elle se montrait vraiment attentive, ou vraiment douée d'imagination, elle décèlerait près de leurs flancs maigres la tête d'un rat musqué en train de grignoter des quenouilles.

Tout ce qui grince et siffle, tout ce qui pique l'attention ou la peau, tout ce qui promène au-dessus ou en dessous de l'eau sa livrée terne ou flamboyante en se contentant d'être ce qu'il est, dans cet état de parfaite aisance qui est de la beauté, tous ceux-là l'aideraient à réparer. Il allait réparer. Quelqu'un avait brisé Violette, quelqu'un d'autre devait la réparer. C'était simple, c'était un devoir élémentaire, chaque geste de violence appelait en retour une protestation, un geste de paix pour rétablir l'équilibre. Autrement, l'humanité bientôt ne serait plus un territoire habitable.

Quand Violette partirait d'ici, elle serait chargée de beautés si encombrantes qu'il lui faudrait bien laisser le passé croche derrière elle. Parmi toutes ses malchances, c'était décidément une chance qu'elle soit venue jusqu'ici.

— Une chance pour toi, ajoutait Marianne avec son fin sourire moqueur.

Car si la nature travaillait de son côté, il ne pouvait en dire autant de sa propre famille. Marianne si compréhensive, si détachée de toute mesquinerie, Marianne trouvait visiblement qu'il en faisait trop — ou que Violette en faisait trop, les choses n'étaient pas claires. Elle avait l'habitude de se gausser gentiment de Simon, qu'elle appelait parfois *le dépanneur des cœurs accidentés*, ou plus économiquement *père Teresa.* Mais depuis peu il lui semblait qu'elle ne cessait jamais, qu'elle se moquait de lui aussitôt qu'il mentionnait le nom de Violette. Peut-être le mentionnait-il trop. Mais ce n'est pas tous les jours — ni tous les étés — qu'on est appelé à côtoyer une rescapée authentique, quelqu'un qui a vécu un enfer dont on se trouve forcément responsable, puisqu'on l'a laissé être. *Et alors?* disait Marianne avec une mauvaise foi irritante. *Ne sommes-nous pas tous rescapés de quelque chose?* Au fond, Simon la soupçonnait d'être plus touchée par les douleurs prostrées sur un lit d'hôpital que par celles clamées par une survivante.

Il faut dire que Violette était en soi toute une clameur.

D'abord, elle était belle. Lumineuse et fraîche comme un fruit jamais talé, avec un rire franc prêt à exploser à la moindre étincelle. On avait peine à croire que ce teint lisse et ces yeux pétillants cachaient des cicatrices d'une telle laideur. Les victimes sont plus crédibles lorsqu'elles baladent des têtes de misère, cernées par les sévices et la drogue. Marianne, comme tout le monde, avait fondu d'empathie devant les reportages de pauvres abusées placées toutes jeunes en centre d'accueil et s'en extirpant enfin comme si elles sortaient de prison, le visage à jamais mangé par la famine. Mais Violette était trop belle pour l'emploi de victime — et l'empathie. Pire encore, quand une même table les réunissait, c'était leur fille Jeanne qui semblait la victime auprès de Violette si ensoleillée, c'était Jeanne l'astre éteint et renfrogné, elle qui avait grandi dans la ouate à double épaisseur. Peut-être que pour une mère ce contraste inusité était difficile à supporter, peut-être que Marianne inconsciemment en voulait à Violette de rejeter sa fille dans l'ombre, de rejeter toute femme dans l'ombre.

Et puis Violette parlait facilement, et de choses fatalement scandaleuses. Le tort de Simon avait sans doute été de l'imposer à la table familiale dès le début de l'été, sans égard aux susceptibilités déjà en place, au commencement Marco et Laurie, et puis Loïc et sa femme Marie, et maintenant Jeanne, qui avait décidé de fuir la canicule de la ville et peut-être son mari du même coup. *On ne mélange pas les sucres et les graisses,* disait Marianne, insupportable quand elle se piquait d'être sentencieuse. Et pourquoi leurs enfants tellement confits dans le confort ne pourraient-ils pas être un peu ébranlés par une secousse sismique ? En quoi quelques révélations fracassantes sur le destin scabreux de leurs compatriotes, de leurs sœurs en humanité, nuiraient-elles justement à leur humanité ?

Eh bien non. Ça ne marchait pas.

Simon revoyait avec désolation le dernier barbecue auquel il avait convié Violette, et qui resterait pour toujours le dernier. Jeanne avait déjà, bien avant le repas, un visage revêche d'ecclésiastique privé de soutane — *Mais qu'est-ce qu'elle a ?* avait chuchoté Simon à Marianne quelques instants auparavant, ce à quoi Marianne avait répondu par un haussement de sourcils et ces mots sibyllins, *Problème de femme.* Et puis Violette était arrivée, éclaboussante de santé. Au début, tout était agréable, les côtelettes parfumées au romarin, le rosé très frais, les conversations. Il n'y avait que Jérémie qui boudait sur sa chaise en attendant d'avoir la permission de s'éclipser, Jérémie qui refusait lui aussi d'aimer Violette. Une fois Jérémie engouffré dans sa chambre, à jouer sans doute avec les bibittes qu'il passait son temps à pourchasser et à encager, on était resté entre adultes, trois femmes et un homme un peu grisés par l'alcool. Des sujets d'adultes étaient nés naturellement d'entre les vapeurs de la digestion, et à une question vague de Marianne *(De quoi on rêvait à vingt ans ?...)* Violette s'était mise à répondre précisément, longuement et précisément comme elle le faisait toujours et comme on ne le lui en demandait pas tant. À vingt ans, Violette était escorte à Québec, elle était escorte c'est-à-dire putain de luxe depuis l'âge de seize ans, depuis qu'elle s'était enfuie de la maison où son père avait commencé des années auparavant à lui apprendre les rudiments du métier en l'initiant à toutes sortes de jeux décapants tels que de lui mettre dans le vagin des chiffons enflammés qui s'éteignaient d'eux-mêmes faute d'oxygène, ou de la prêter et de l'échanger contre des bouteilles de bon whisky à de vieux copains que son extrême jeunesse rendait inventifs et insatiables. Elle était escorte mais attention n'était le jouet ni l'esclave d'aucun souteneur, elle était son propre *boss* et engrangeait patiemment son pécule, elle se tenait loin des drogues dures et chères et se jurait d'arrêter la business à vingt et un ans pile ou à 100 000 dollars d'économies, le premier des deux à se présenter. Ça avait été les 100 000 dollars. Donc, autour de la vingtaine, c'est-à-dire à vingt ans pour répondre à la question de Marianne après ce détour un peu longuet dont elle s'excusait, le rêve de Violette maintenant argentée était de terminer un cours d'administration à Montréal, de rencontrer un gentil garçon et surtout, surtout, de fonder avec lui une famille d'au moins cinq enfants.

Simon, déjà au fait de quantité de monstruosités, avait été plus chagriné que choqué par cette confession de Violette, livrée d'ailleurs d'une belle voix calme, aussi limpide que s'il était question d'une excursion dans le Saguenay ou d'un voyage de pêche — avec son père. Il avait été autrement plus choqué par la réaction de Jeanne. Pendant qu'elle écoutait, Jeanne avait pris un visage stupéfait, stupéfait puis ouvertement méprisant, la tempe appuyée contre son index comme une aïeule désapprobatrice, la bouche entrouverte dans une moue dégoûtée dont à tout moment on s'attendait à voir jaillir un crachat. Il ne lui avait jamais vu cette expression mesquine et se demandait avec effarement où elle l'avait puisée, sûrement pas dans les gènes aimables de Marianne, et pourtant ce faciès qui proclamait sa supériorité sur les autres lui était connu, et puis ça lui était revenu, il avait retrouvé trait pour trait dans le visage glaçant de Jeanne sa propre sœur aînée Lorraine, morte d'une thrombose causée par des années d'aigreur.

Décidément, la famille poussait ses ramifications là où on ne l'attendait plus.

Jeanne ne s'était pas contentée d'une déclaration de guerre muette, elle avait éjecté ces mots : *À ta place, je laisserais tomber les enfants*, et devant le regard interrogateur de Violette, ces autres : *Avec un bagage génétique comme le tien.* Simon s'était empourpré de colère, mais pas Violette, rompue à des adversaires plus coriaces, qui avait relancé Jeanne de sa voix la plus douce : *Qu'est-ce que tu veux dire ? Tu crois que je brutaliserais mes enfants comme j'ai été brutalisée, c'est ça ?* Simon n'avait pas laissé à sa fille le loisir de s'enliser davantage. *Tais-toi*, avait-il grondé, courroucé comme il ne l'était jamais, *tais-toi donc, tu dis des sottises.* À partir de là, bien sûr, on ne pouvait rien espérer de la suite des choses : Marianne avait eu beau se lancer à corps perdu dans ses propres confidences sur ses grands rêves de missionnaire — *À vingt ans je voulais aller au Bangladesh, j'avais même acheté mon billet d'avion mais mes parents m'ont empêchée de partir…* —, plus personne ne l'écoutait, brave Marianne, Jeanne les larmes aux yeux s'était levée pour s'enfuir vers la salle de bains, Violette gardait obstinément la tête baissée sur un sourire crâneur, et Simon tendait maintenant l'oreille vers les huards sur le lac qui venaient d'élever la voix à leur tour et qui submergeaient tout de leur oraison amoureuse.

Avec Loïc et Marie, une semaine auparavant, ça n'avait pas été plus reposant. Aucun de ces débats acides plus prisés par les femmes entre elles, mais quelque chose de proprement viril, au contraire, qui avait hérissé Simon. Loïc draguait Violette. Au su et au vu de Marie et des autres, il enveloppait Violette de sourires mielleux, il se perdait sans fin dans son décolleté et, au moment de lui souhaiter bonsoir, il l'avait embrassée sur la bouche avec une familiarité révoltante.

Donc, il ne l'invitait plus chez lui. Il arrêtait plutôt devant chez elle en kayak, et leur heure de conversation se déroulait ainsi au petit matin, elle sur son patio à l'ombre de ses parasols un gros café à la main, un gros café semblable entre les genoux de Simon dérivant en rond sur son embarcation. Le contact était simple et immédiat. Elle parlait toujours de *ça* un moment, ça lui était indispensable pour reprendre le fil de son récit, pour exciter la fièvre de son *coming out* avant de le coucher sur papier. Mais elle en parlait de moins en moins longtemps. De plus en plus elle attendait de Simon qu'il lui apprenne quelque chose, qu'il lui présente un nouveau morceau du puzzle dispersé autour d'elle.

— Qu'est-ce que c'est au juste qu'un rat musqué? demandait-elle.

— Une tête de petit castor sur un corps de petite marmotte prolongé par une queue de gros rat, s'emballait Simon, et qui flotte, imagine-toi! autant qu'il marche.

Elle reprenait les jumelles pour contempler avec respect la minuscule tache grignotant des quenouilles dans la baie aux hérons — et qui en réalité était une souche d'arbre, car Simon avait des problèmes de vision lointaine.

— C'est un chat qu'on entend? demandait-elle.

— C'est un geai bleu, rectifiait-il.

— Et ce chant, c'est de quel oiseau? demandait-elle.

— C'est une cigale, disait-il.

— Et ce bruit, c'est quel insecte?

Il riait, mais pas trop pour ne pas la froisser.

— C'est une grenouille.

C'était merveilleux, elle ne savait rien du milieu qu'il connaissait par cœur, et il se sentait comme un Dieu le Père bienveillant pilotant un nouveau-né dans les dédales de sa création.

Ce matin, il était question de chevreuils. Elle adorait les chevreuils, ou plutôt l'idée soyeuse qu'elle s'en faisait, car elle n'en avait jamais croisé un seul en chair et en os.

— Pourquoi ils ne viennent pas jusqu'ici? se désolait-elle.

— Mais ils viennent, l'assurait Simon. Ils laissent des traces partout !

Il dut s'extirper de son kayak et marcher sur la terre ferme pour lui mettre le nez sur les tas de petites boules dures sourdant comme du chiendent entre les cailloux de son chemin.

— Ça ?... C'est pas des crottes de chats ?...

Elle s'accroupit sur le sol avec déférence, maintenant que ça provenait des chevreuils c'était une tout autre affaire, elle se tenait à quatre pour ne pas cueillir les précieux excréments et se les enfiler, qui sait, en collier. Et puis elle se releva en hâte car il lui désignait autre chose, une nouvelle preuve irréfutable de leur foisonnement. La bande grise autour du lac, parfaitement géométrique, comme coupée au couteau par un arpenteur, et qui apparaît aussi, lui jura Simon, sur les rives de la plupart des lacs du Nord.

L'hiver, dès que la glace est bien prise, les chevreuils sortent par hordes des boisés et s'aventurent sur le lac. Comment savent-ils que la glace est prise ? Ils le savent, c'est tout, jamais on ne retrouve au printemps de carcasses de chevreuils noyés — des carcasses occasionnelles d'orignaux, oui, mais cela est une autre histoire (une histoire de Lila, qu'il n'allait quand même pas lui raconter comme s'il s'agissait de la sienne). L'hiver, donc, en petits groupes compacts répandus près des rives, les chevreuils sont heureux. Ils peuvent enfin accéder aux branches basses des cèdres, les plus neuves et les plus tendres, celles qui naissent dans l'eau et qui leur sont interdites l'été. Et ils mangent, ils mangent tout leur soûl, le cou tendu aussi loin qu'ils le peuvent, ce qui fait un mètre bien tassé de repas, un mètre de ramures dégarnies. Après, la base des cèdres reste ainsi ravagée, et c'est tant pis pour eux et leur gloutonnerie hivernale qui ne trouvera plus à se contenter pendant des décennies, le temps que ça repousse, si ça repousse un jour. L'hiver suivant, ils doivent se trouver un autre lac vierge, pour recommencer le ravage.

Violette l'écoutait, tout à fait conquise, après quoi elle voulut savoir si Simon les avait vus de ses yeux vus, tachetant ainsi de leur belle toison fauve la neige archi-blanche, et Simon fut bien obligé de prétendre que oui, pour ne pas rompre le charme.

Il comprenait ce charme-là. Lui-même n'échappait pas à la séduction des chevreuils, millénaire et inscrite dans l'homme. Une telle grâce faite animal, une telle douceur complètement innocente. Certains tentent de mater la séduction en l'abattant, en la transformant en trophée de chasse et en rosbif, mais c'est toujours à recommencer car la grâce reste entière, insaisissable et mystérieuse. Encore maintenant, rencontrer un chevreuil par inadvertance dans un sentier était pour lui une expérience aiguë, presque douloureuse, comme s'il se trouvait plongé brièvement dans sa propre nature primitive, dans l'intuition d'une liberté totale qui serait à lui s'il ne la sabordait pas sans arrêt.

Il était impossible qu'elle n'en rencontre pas. C'était inscrit, c'était une promesse, ça et le fait qu'elle ne serait pas déçue lorsque ça se produirait, quelle que soit l'ampleur de ses attentes.

Ils avaient dépassé de beaucoup leur ordinaire espace commun, il était presque neuf heures du matin et Violette resservait à Simon une grosse tasse de café qu'il se surprenait à accepter, le poil déjà hérissé par la caféine. À ce moment, une BMW gris souris dévala le chemin de Violette en aplatissant à coup sûr les crottes de chevreuils pour s'arrêter approximativement derrière eux. Un invité, se pressant au portillon de la fin de semaine. Il était bien tôt pour envahir ainsi les gens, pensa Simon, mais Violette accueillit la transition avec enthousiasme, lâchant un *Christophe!* tonitruant au jeune homme qui débarquait de voiture. Il s'extirpait de son véhicule comme au ralenti, le jeune homme, il était grand et n'en finissait plus de s'allonger, la tête blonde, le visage ouvert par des yeux pâles, et Simon s'aperçut qu'il était très beau et que ça lui causait une forme d'irritation, même si rien n'était plus normal que de voir Violette fréquenter des hommes aussi spectaculaires qu'elle-même.

— Mon frère Christophe, dit Violette, et le jeune homme serra la main de Simon en la broyant et en le regardant fermement dans les yeux, comme s'il passait un test — ou qu'il en faisait passer un à Simon.

Le frère et la sœur ne s'embrassèrent pas. Ils se mirent à parler précipitamment des absents qui seraient présents dans quelques instants, la femme et les deux enfants de Christophe qui s'en viendraient plus tard à bord d'une deuxième voiture en chopant inévitablement le trafic, tandis que lui avait eu la chance de prendre congé de l'hôpital la veille — *Ah!*

vous étiez à l'hôpital? s'inquiéta Simon, et Violette éclata de rire. *Je suis médecin,* dit le jeune homme, *orthopédiste,* précisa-t-il.

Simon le dévisagea du coin de l'œil. Ce jeune homme à la chemise bleu poudre et au visage parfait de Brad Pitt était le frère de Violette, c'est-à-dire le frère martyrisé, nourri pareillement pendant des années de claques sur la gueule et de coups de marteau sous les pieds et peut-être même sodomisé à répétition, et voilà ce qu'il en avait fait.

Ça donnait envie d'applaudir.

— J'ai apporté du champagne! annonça joyeusement Christophe, et il sortit du coffre une boîte contenant bien six bouteilles, et il la mit pour rire dans les bras de sa sœur qui ploya sous le poids.

Sa sœur. Sa petite sœur, sa cadette d'au moins deux ans. Ils se ressemblaient par la blondeur et la délicatesse des traits, et aussi par autre chose. À son contact, Violette avait commencé à bouger trop, à arranger sans cesse son foulard, à rire longtemps. Lui parlait vite, toujours debout à côté de sa voiture, on ne comprenait qu'à moitié ce qu'il racontait de façon si enlevée, l'autoroute encore en construction, la petite Mégane qui avait eu des coliques durant la nuit de sorte qu'ils avaient craint de ne pouvoir venir, il disait n'importe quoi avec la même ferveur tout en riant de si bon cœur qu'on regrettait d'avoir raté la blague. Violette s'était mise à rire sans raison comme lui. On aurait dit qu'ils étaient en train de donner une représentation à des malentendants ou à des malcomprenants qui ont besoin de points sur les i. Ou peut-être signifiaient-ils au seul spectateur présent qu'il était de trop.

Il partit, puisqu'il le fallait bien. Il serait resté encore juste pour les observer, pour essayer de toucher plus intimement leur expérience commune. Quelle sorte de relation étaient-ils parvenus à se traficoter ensemble ? Il avait vaguement promis de revenir ce soir sabler le champagne avec eux, mais il se doutait bien qu'il ne viendrait pas.

Il avait dit : *Je viendrai sabler la campagne*, et ils avaient ri comme à un lapsus amusant.

Il raconterait à Violette une autre fois — tôt demain matin, par exemple, alors que ce frère étonnant et sa petite famille dormiraient encore. Il lui dirait : champagne et campagne, même combat. Mêmes bulles d'allégresse. Même mot, fondamentalement. Qui sait encore qu'au Moyen Âge tout ce qui n'était pas la ville, tout ce qui était territoire sauvage s'appelait *la champagne*? Les champignons poussent dans la champagne. La champagne est belle en juillet. Plus tard, l'usage oral troquerait le CH contre le K, faisant de la champagne verte une verte campagne — sauf dans la région rurale jouxtant Paris où on garderait le mot initial en guise d'appellation (tout en peaufinant ce petit nectar à bulles qui ferait longtemps parler de lui).

C'est Lila qui lui avait parlé de *la champagne*, des siècles auparavant. Lila savait des choses inattendues comme celle-là. Il fallait bien que ça serve, d'avoir derrière soi une route longue de lectures et d'expériences, longue de — presque — quatre-vingts ans.

Il pagayait contre le vent, levé depuis peu mais soufflant de l'est avec une conviction de mistral. On annonçait à la radio que la touffeur et la canicule se trouveraient balayées en fin de journée et qu'on respirerait mieux après. Mais ça signifiait surtout que le pan brûlant de l'été était en train de disparaître, et Simon s'en ennuyait déjà. À quoi sert l'été, si ce n'est pour étouffer enfin sous la chaleur, pour se rappeler les tropiques fertiles que tout homme a connus un jour ne serait-ce que par le biais de quelques molécules ayant de la mémoire ? Une vague plus forte lui asséna une gifle en pleine face, et en tournant la tête il aperçut la silhouette de Lila, assise sur le quai de sa cabane à bateau et attendant là quelque chose — l'attendant lui, qui d'autre.

Il n'irait pas. Pas aujourd'hui. Ni demain sans doute. Il avait trop à faire avec chez lui et les bouches à nourrir, et pour une fois que Marianne était au chalet il fallait bien lui accorder davantage d'attention, sans compter Jeanne qui s'en allait bientôt et avec qui il n'avait eu le temps de rien. D'ailleurs, s'il n'avait pas tourné la tête à ce moment-là, il n'aurait jamais vu Lila, et s'il gardait le torse droit comme il le faisait maintenant, il pouvait oublier qu'il l'avait vue et rentrer vite chez lui comme il était après tout normal qu'il le fasse.

Mais au dernier moment, alors que l'île aux huards s'apprêtait à le dissimuler pour de bon aux regards, il eut honte. Les mensonges étaient des armes méprisables, et cela en était un. Il fit volte-face et leva haut sa pagaie en signe de reconnaissance, mais Lila resta campée sur sa chaise, dans sa position désapprobatrice. Elle lui en voulait, c'est sûr, de n'être pas passé chez elle de toute la semaine — de toutes les deux dernières semaines, à vrai dire.

Il n'avait pas demandé que ça change. Il n'aimait pas que les choses changent, surtout les complicités longuement réchauffées. D'ailleurs, qui avait changé ? Lui ou elle ? Ou pire, quelque chose entre eux deux sur lequel ils n'avaient aucune maîtrise, une sorte de pont qui les laissait avancer l'un vers l'autre et qui maintenant se dérobait puisqu'il avait toujours été fait de fumée ?

La dernière fois, il l'avait trouvée dans une forme étonnante. On était pourtant à la mi-juillet, au sommet de la chaleur qu'elle ne supportait pas, et elle débordait d'entrain et d'amitié. Elle n'avait eu que des bons mots pour sa cousine terne qui venait de partir après s'être incrustée deux semaines chez elle, pour sa nouvelle locataire Violette qui la réveillait quand même la nuit avec ses cauchemars hurlants, et même pour l'exécrable Jeff Clémont qui avait deux fois perturbé leurs eaux calmes de sa motomarine, et qu'elle avait défendu avec une tolérance inhabituelle.

— Il est jeune, il va se calmer, d'ailleurs il vient de s'acheter un catamaran.

Quand Simon lui avait révélé les manigances du même Clémont qui cherchait à s'approprier une partie de leur lac, elle s'était mise à rire.

— Je sais, avait-elle dit en battant des paupières comme une jeune fille. Je sais qu'il est prêt à m'en offrir un million de dollars.

Cette nouvelle Lila était charmante, pétillante jusqu'aux yeux et vêtue légèrement pour une fois, ce qui accentuait le longiligne toujours parfait de sa silhouette. Il ne se rappelait pas l'avoir connue aussi aimablement disposée envers tous, y compris envers lui-même. Elle souriait comme si ça lui était facile, et grand Dieu, n'était-ce pas un maillot de bain qu'elle exhibait sous sa chemise ouverte, plus décolleté et provoquant que son ordinaire nudité ?

Non, à vrai dire, elle n'avait jamais été aussi charmante.

Et pourtant. Et pourtant, le charme n'opérait pas. Il avait beau la regarder dans les yeux et y trouver une intimité caressante, il n'arrivait plus à la voir comme avant, à la voir autrement qu'en *madame Szach. La vieille madame Szach,* comme l'appelait Violette.

Que s'était-il passé ? Que lui arrivait-il, à lui ? Il avait été pris d'un tel malaise à l'entendre roucouler ainsi, à sentir qu'elle lui faisait des avances elle qui n'en avait jamais fait à personne, pris de malaise comme devant le spectacle d'une capitulation.

La capitulation de la vieillesse.

Il pagayait quand même vers elle, la tête remplie de chagrin, pagayait pour au moins la saluer et la consoler de ce qu'il sentait ou plutôt ne sentait plus pour elle, et voilà qu'arrivé tout près du quai il s'aperçut que ce qu'il avait pris pour Lila était en fait une serviette de plage abandonnée sur une chaise en bois.

Violette

Dans son livre, il y aurait tout. Des pages atroces qui soulèvent le cœur, mais aussi des envolées de joie insolente qui galvanisent. Au-dessus de l'avalanche de sévices dont elle ne tairait aucun détail planerait bien haut la ferveur préservée dans les pires tourmentes, la ferveur et l'amour fou de la vie, qui était son plus grand talent.

Elle entendit la portière de la BMW claquer dans le silence du crépuscule. Le ressentiment de Christophe s'était ramassé dans ce fracas de métal, et Violette sourit avec indulgence. Qu'il fulmine, si son désir était de fulminer. Qu'il bouillonne et écume et s'étouffe dans ses débordements de lave.

Elle exhumerait tout à la lumière. La vie noire du passé, mais aussi maintenant. Elle parlerait de ces petites choses ravissantes qui lui étaient données maintenant. Le lac à ses pieds, calme et beau comme un aéroport désert, sur lequel elle pourrait marcher si elle avait la foi. Le rond propre dans le fond de l'eau, nettoyé par la femelle crapet-soleil qui vous mordait bravement les orteils si vous vous approchiez. Oui, elle témoignerait de ces minuscules vies frémissant à ses côtés, dans l'eau les œufs de crapet-soleil que la femelle époussetait de ses nageoires, dans l'air les demoiselles vert et bleu insérées l'une dans l'autre comme des hélicoptères à deux étages.

Le moteur de la BMW tardait à démarrer. Elle imaginait Christophe incliné sur le tableau de bord en train d'interroger son niveau d'huile, ou alors plongé dans la carte routière des Laurentides pour vérifier une dernière fois l'itinéraire du retour. Il était si fiévreux, si obsessif. Dire qu'il s'était ramené ici avec sa caisse de champagne dans l'unique intention de l'intimider. Pauvre Christophe, couard comme un chevreuil.

Elle avait enfin compris pourquoi elle ne voyait pas de chevreuils à proximité. C'était la faute du loup-cervier. Le loup-cervier les faisait fuir. Chaque fin de journée, d'ailleurs à cette même heure approximative, le loup-cervier traversait la forêt en poussant des feulements de fauve. Au début, les crachats monstrueux se déplaçaient derrière elle avec une telle vélocité qu'elle avait cru que ça volait, que c'était une sorte de hibou infernal qui venait la tourmenter, puis un soir elle avait aperçu une moitié de corps galopant entre les épinettes, une moitié de corps jaune. Simon mis au courant de l'énigme était revenu vers elle un matin avec cette explication surexcitée : ce devait être un loup-cervier, autrement dit un lynx. Il n'avait pour sa part jamais croisé de loups-cerviers *en personne*, c'était une richesse de plus à comptabiliser dans leur trésor collectif et une chance incroyable pour elle, car les loups-cerviers étaient rares et luxueux, amateurs de lièvres et de souris mais certainement pas de corps humains qu'ils fuyaient comme la peste. Depuis, donc, elle guettait l'heure du loup-cervier avec une appréhension ravie, un fauve véritable après tout, un gros chat sauvage qui lui faisait l'honneur de venir l'effrayer une fois par jour. Grâce à Simon, une fois de plus, elle était introduite au sein des mystères de la nature, Simon était son guide en même temps que le premier réceptacle de ses confessions les plus rebutantes, qu'aurait-elle fait sans Simon.

Sibon. Pour rire, parfois, et en affectant un rhume de cerveau, elle l'appelait Sibon. Ça lui convenait parfaitement, même s'il n'appréciait pas outre mesure ce genre de compliments douceâtres, *Arrête,* disait-il faussement courroucé, *je ne suis même pas gentil, je suis juste un manipulateur qui s'arrange pour éviter les conflits.*

Elle parlerait du loup-cervier, et aussi de Simon dans son livre. Son livre serait comme la vie : une sorte d'utérus hospitalier où tout a le droit de s'épanouir, le bon comme le pourri. Ceux qui aimaient la vie aimeraient son livre, malgré ses atrocités inévitables. Reproche-t-on à la vie d'abriter des fous dans ses flancs ? Reproche-t-on à la mer d'être empoisonnée par des fuites de pétrole ? Sa fille, surtout, aimerait son livre, sa fille serait contaminée par son amour de la vie, sa fille Laure, celle à qui serait dédié son livre.

Les médecins étaient formels : après des mois de traitement stérilisant, ses ovaires avaient recommencé à produire. Les médecins, qui avaient peur de tout, étaient catastrophés. Pas elle. Braves ovaires, alliés fidèles, en secret dans la niche de son corps se remettant patiemment à la tâche, patiemment recommençant à lâcher telles des bouteilles à la mer des œufs qui ne demandaient qu'une réponse mouillée pour germer, un filet de semence pour éclore en petite fille, pour amorcer l'invention de sa fille Laure...

Quand elle tourna la tête, elle vit que Christophe s'en revenait sans bruit vers elle, sans bruit sur ses sandales spongieuses.

Elle se raidit d'exaspération. Encore un effort inutile à fournir. À moins qu'elle ne l'ignore complètement. À moins qu'il ne soit revenu que pour chercher un objet oublié, un de ses T-shirts Lacoste glissé en catimini sous le sofa, ses verres fumés Gucci égarés entre les cailloux de la rive...

Il s'assit sur le patio, directement en face d'elle.

— Violette, soupira-t-il. Violette, je t'en supplie. As-tu pensé à Mégane, as-tu pensé à Derek ?

Il cherchait ses yeux, mais il n'aurait rien.

— Quelle sorte d'avenir tu leur réserves ? Tu dis que tu les aimes, mais tu t'apprêtes à les salir !

Pauvre Christophe. C'est ce qu'il fallait se répéter dans son for intérieur. Ne pas lui en vouloir de se servir de ses propres enfants comme argument de pauvre, ne pas retenir contre lui sa pathétique lâcheté.

— Je les aime, dit-elle en matant les soubresauts de sa voix. Et je sais que plus tard, ils vont être fiers de moi.

— Es-tu folle ? Ils vont te haïr. Ils vont souffrir à cause de toi. C'est leur nom que tu traînes dans la boue. Prislair, comment tu veux t'appeler Prislair après ça ?...

— Ben ils changeront de nom ! éclata Violette.

Il s'était levé, elle se leva aussi.

— Tourne donc la page ! Il est mort, Violette !...

— S'il est mort, comment ça se fait que je rêve à lui toutes les nuits ?... Comment ça se fait qu'il continue de me planter sa grosse queue dans le corps à toutes les nuits ?...

Cette fois-ci, c'est lui qui détacha son regard pour le poser sur un objet plus neutre, la rambarde du patio, le dossier de la chaise, mais pas le lac, qui était trop paisible pour absorber son agitation.

Je rêve aussi, continuait Violette, *que je le déterre et que je découpe ses restes pourris en petits morceaux. Et puis quand je vois ta dent en or, Christophe, ta belle molaire en or, je le revois en train de nous arracher les dents avec ses grosses pinces rouillées, et même quand je regarde l'eau, la belle eau du lac, souvent je me retrouve la tête dans le bol de toilettes rempli de pisse, tu te rappelles comment il aimait ça nous tenir la tête dans le bol de toilettes plein de pisse ?...*

— Tais-toi donc ! coupa Christophe.

Il la toisait maintenant avec frayeur.

— T'es vraiment malade de pas avoir oublié ça.

Des oiseaux et des insectes faisaient du vacarme près d'eux, et Violette fit un effort considérable pour revenir à leurs côtés. Elle se rassit. Elle décida que c'était assez, que tout avait été dit.

— Bon, grommela Christophe après un moment. Bon. Écoute. Si tu tiens à... si tu as absolument besoin de... de parler de... ça... Mais au moins, bon sang, change les noms dans ton livre ! C'est tout ce que je te demande. Change ton nom. Change son nom.

— Non. C'est justement contre son nom que j'en ai.

— Christ, Violette ! Son nom, c'est MON nom !... Y a pas d'autres Prislair que nous autres dans tout l'annuaire !... Je me suis fait un nom, je veux le porter et le transmettre AVEC FIERTÉ !... C'est pas vrai, mon nom se retrouvera pas dans *Allô Police !...*

Va-t'en, Christophe. Elle s'était allongée sur sa chaise, les yeux fermés, et elle lui adressait de toutes ses forces cette injonction muette qu'il finirait bien par saisir, *Va-t'en, docteur Prislair, sacre-moi ton camp.*

— T'es la seule, dit-il finalement. La seule à touiller encore cette merde-là. Tous les autres, Janik, Martin, Simone, tout le monde... On a tourné la page. On vit. On revoit maman. On mange avec maman dimanche.

— QUOI ?...

Elle ne pouvait pas avoir entendu ce qu'elle venait d'entendre, et pourtant oui, la tête à la fois embarrassée et butée de Christophe lui confirmait l'aberration : Janik, Martin, Simone, Florence et les autres, et ce pauvre Christophe, tous le doigt en l'air à partager des petits fours et des dry martinis avec Elle, celle qui avait tenu la main du Fou pendant qu'il les martyrisait, tous unis dans le complot psychopathe du silence... Elle avait bondi sur ses pieds comme piquée par un essaim de guêpes, une force en elle voulait tuer et commandait aux objets qui s'élançaient pêle-mêle sur Christophe, le pot de fleurs, le pichet, les verres, les chaises et même le barbecue portatif qui pesait bien dans les cent livres, jusqu'à ce que Christophe s'enfuie paniqué vers sa BMW et la fasse démarrer cette fois en un tournemain et soulève la moitié du gravier du stationnement avant d'être enfin avalé par le crépuscule.

Il lui fallut une heure pour se calmer, aidée des trois quarts d'une bouteille de champagne bue à même le goulot. Elle revint s'asseoir sur le patio, à la lueur des dernières lampées de soleil couchant. Les bêtes — oiseaux, insectes ou mammifères ?... — stridulaient et caquetaient autour d'elle avec une intensité qui supprimait ses bruits intérieurs. Elle se surprit à sourire.

Bon. Où en était-elle, avant la diversion ?

Sa fille Laure. Il était impérieux que sa fille Laure commence sa vie utérine cet été même, avant que les médecins ne fichent leur sale bistouri dans son appareil reproducteur. *(Ma petite madame Prislair... production d'œstrogènes néfaste regain d'hormones prolifération de cellules malsaines intervention urgente nécessaire blablabla.)*

Avec un embryon dans le ventre, ils n'oseraient plus charcuter la petite madame Prislair.

Elle allait vivre. Elle savait qu'elle allait vivre. Sa sœur aînée Karine, la seule avec elle à avoir refusé d'oblitérer le passé boueux, était morte d'un cancer du sein cinq ans auparavant, justement parce qu'elle n'avait pas trouvé d'exutoire à la boue des souvenirs. Mais elle, c'était autre chose. Depuis le début, elle dévisageait sa maladie en pleine face, elle savait tout de cette ennemie mesquine, de ses volte-face, de ses offensives clandestines. Elle savait que sa maladie, comme Christophe, abhorrait l'idée même de l'écriture, des confessions explicites qui relâchent les nœuds. Non seulement elle allait vivre, mais elle allait donner la vie.

Elle prit son feutre fin et ouvrit le cahier. *Ma chère Laure. Ma chère petite fille. Lis jusqu'au bout même si ça te massacre le cœur.* C'était tout. Elle n'avait pas encore réussi à amorcer le récit, mais c'est ce soir que ça se passerait, ce soir elle était possédée par la force qui donne la vie — ou qui tue. *J'avais cinq ans, j'étais blonde et mignonne comme toi quand j'ai compris que j'étais seule et qu'il faudrait que je sois forte.*

Un crachat familier, tout près. Elle leva la tête pour interroger la pénombre. Son cœur battait mais elle décida d'aller à la rencontre de la peur. Elle se leva. Le loup-cervier était proche, masqué par un seul bouquet d'arbres : bientôt, il serait à découvert, livré pour la première fois aux regards. Elle s'approcha, puisque Simon lui avait dit qu'elle n'avait rien à craindre. Elle s'approcha et les feulements redoublèrent d'effroi et de sauvagerie. L'animal débusqué bondit devant elle avec la vivacité des bêtes, la robe jaune chamois, ni loup ni cervier, et Violette, le cœur chaviré, le regarda s'élancer et disparaître dans les fourrés sur ses longues pattes de chevreuil.

AOÛT

L'arrivée du roi

Jour 1

La chenille mangeait, mangeait. C'est tout ce qu'elle savait faire, manger — et chier. Un amas de petites crottes noires couvrait le fond du bocal de verre, en nombre doublement proportionnel à celui des feuilles d'asclépiade ingérées. Jérémie la nourrissait depuis une semaine et commençait à trouver l'expérience répétitive. C'était une belle chenille, rien à redire : des bandes jaunes et blanches séparées nettement par des stries noires, et puis assez dodue pour imposer le respect et empêcher qu'on la tripote. Mais ça avait des limites. Ce n'était pas aussi vivant, disons, qu'un chat ou qu'un poisson rouge. À vrai dire, c'était un être intermédiaire, sans famille, sans nom, vu que ça avait quatorze pattes. En principe, ça aurait un jour six pattes, le nombre réglementaire pour appartenir aux insectes, mais en attendant, qu'est-ce que c'était ? Peut-être que ça avait décidé de rester ainsi dans le bocal, nourri logé au sec, à jamais à moitié fini.

Il pleuvait depuis des jours. Depuis exactement le début du mois d'août, ce qui ne pouvait être une coïncidence. Jérémie avait abandonné ses expéditions dans la forêt, malgré l'armure de caoutchouc que son oncle lui avait offerte : des bottes qui montaient jusqu'aux genoux et une cape munie d'un capuchon qui vous garantissait l'invulnérabilité. Chouette attirail, surtout la cape. Il l'endossait pour rester dans sa chambre, suant stoïquement sous le capuchon. Dehors, ça ressemblait trop à son intérieur, à un abcès gris gonflé à craquer et distillant son pus en crachin au lieu de gicler fort et qu'on n'en parle plus.

Mononcle Simon aussi était morose. Il tournait en rond dans le salon, se lovait dans le sofa les yeux grands ouverts sur un livre qu'il ne lisait pas, proposait sans cesse des jeux à Jérémie quand celui-ci avait le malheur de sortir de sa chambre, s'ennuyait à mort. Kayakoolique en manque. Aussitôt qu'une éclaircie se présentait, il se précipitait dehors pour enfourcher sa monture, mais l'éclaircie ne durait pas et il rentrait trempé et frissonnant sans avoir même sauté dans le lac. Sorcière Szach était la seule sans doute que ce temps de cochon faisait jubiler puisque les champignons explosaient partout en épidémie, au point qu'il suffisait de jeter un regard par la fenêtre pour apercevoir chaque fois de nouvelles éruptions criblant l'herbe, les souches, les troncs d'arbres…

Il avait été berné. Il s'était acquitté de sa tâche avec héroïsme, avait rassemblé les aiguilles de pin, le caillou rond, des feuilles d'asclépiade en veux-tu en voilà, il avait sauvé une libellule en train de se noyer... Manquait toujours l'épine de porc-épic. Comment trouver une aiguille de porc-épic dans une botte de forêt immense ? D'ailleurs, comment rencontrer un porc-épic, et de un ! suffisamment aimable, et de deux ! pour qu'il lui abandonne l'une de ses épines ? Le temps filait, le mois d'août l'enfonçait inexorablement dans son tunnel, et il était en train de rater l'incantation de SS. *Faites que je traverse le mois d'août sans encombre.* Le mot *encombre* lui donnait des frissons, il y voyait des nuages noirs en meute et des ours menaçants se dirigeant droit sur lui pour le *stupéfixer.* Avec encombre, c'était dit, le mois d'août ne pouvait pas se traverser.

Déjà, la meute de nuages noirs était là.

Il avait été berné par SS, puisqu'elle lui avait donné une incantation impossible à activer et l'avait empêché par conséquent de perfectionner la sienne. Maintenant il était trop tard. Le coup des fourmis, voilà, qu'elle lui faisait chèrement payer. Ou plutôt l'autre crime, le véritable crime, celui qui appelait un grand châtiment.

Tout à ses pensées cafardeuses, il n'avait pas vu commencer l'action dans le bocal de verre. Lorsqu'il y jeta un regard, comme il le faisait distraitement toutes les heures, il surprit la chenille en train de ramper avec frénésie sur les feuilles, de descendre et de remonter les tiges en quatrième vitesse jusqu'à se heurter au morceau de moustiquaire bloquant l'ouverture du bocal, et alors elle remettait ça, monte descend rampe rampe monte descend et tâte la moustiquaire et puis recommence. Pas besoin d'en connaître bien long sur le langage des chenilles pour deviner qu'elle cherchait la sortie. Jérémie s'accroupit à sa hauteur. *Qu'est-ce que tu me donnes si je te libère?* La chenille s'était finalement immobilisée sur le morceau de moustiquaire et se dressait sur sa quatrième paire de pattes, puisque les trois premières étaient des mandibules tout juste bonnes à tâter la nourriture, et ainsi à moitié érigée voilà qu'elle bougeait la tête comme pour signifier quelque chose, et puisqu'il n'avait rien à perdre, Jérémie lâcha le morceau avec toute la conviction dont il était capable : *Chenille, si tu as des pouvoirs, fais que le 20 août n'arrive jamais.*

Elle s'était mise à danser, et à cracher du fil. La tête dodelinant en forme de huit, elle crachait du fil blanchâtre et puis le pelotait de ses pattes-mandibules, ce qui devait représenter une forme de réponse, peut-être d'exhortation à poursuivre la formule gagnante — *... que le 20 août n'arrive jamais... fais que le 20 août...* À force d'exsuder du fil et de le pétrir de ses pattes, une petite boule blanchâtre s'était formée, et alors elle la colla bien nettement sur la moustiquaire, et sans plus de manière elle tourna le dos à Jérémie et s'enfonça le cul dans ce nid improvisé. Jérémie comprit soudain que ce débordement d'activité devant lui n'avait rien à voir avec ses propres déboires, il était en train d'assister à la transformation magique d'un ver rampant en Roi des papillons, auprès de quoi tous les misérables *encombres* de sa condition humaine faisaient pauvre figure. Lentement, comme au ralenti, les quatre paires de pattes-ventouses se décollèrent de la moustiquaire et la chenille se laissa pendre au bout de sa queue. Cinq minutes plus tard, elle formait un J parfait, le corps bien droit à l'envers et la tête courbée vers le ventre.

Jérémie prit un crayon feutre et du papier pour dessiner et immortaliser ce drôle de J vivant. Et puis, il attendit. Quelque chose d'extraordinaire allait surgir de l'abdomen abandonné, une créature ailée bien plus grosse que l'enveloppe qui l'abritait. Il attendit, attendit, mais rien ne se passait. Après cette turbulence athlétique, la chenille demeurait inerte au bout de son fil comme au bout du rouleau. Il resta à côté d'elle à veiller son sommeil et puis il s'endormit lui aussi, la tête sur son bras qui ne dessinait plus, le tambourinement somnifère de la pluie contre sa fenêtre.

Jour 2

Par chance, il pleuvait encore. Ça fournissait un prétexte pour rester dans la chambre, bien entendu après s'être acquitté du petit-déjeuner réglementaire en compagnie de mononcle Simon. La seule façon de se débarrasser vite de l'oncle, comme d'ailleurs de n'importe quel adulte, était de s'acquitter vite de tout ce qu'il proposait, sans surtout perdre de temps à rouspéter. Jérémie avait ainsi bâfré sans sourciller huit onces de céréales riches en améliorateurs de santé dans huit onces de yogourt nature aux vraies pêches (une pêche entière, pelée sur place avec une exaspérante lenteur par l'oncle lui-même) et deux toasts de pain aux raisins, recouvertes d'un torrent de confiture de fraises obligatoires parce que cuisinée par l'oncle au début de l'été. Il n'avait pas faim, mais à quoi bon tenter d'en convaincre qui que ce soit, et risquer en plus de s'attirer une sollicitude inquiète qui serait encore plus dommageable en temps gaspillé ? Quinze minutes après le début du repas, il était de nouveau libre — il avait pu échapper au troisième verre de lait en affirmant qu'il le vomirait aussitôt avalé —, il s'engouffrait dans sa chambre devenue laboratoire et il s'écrasait sur un coussin à côté du bocal. Heureusement, il n'avait rien manqué, le spectacle n'avait pas progressé depuis qu'il l'avait laissé.

Depuis des heures, la chenille était en proie à des secousses et à des transes tout à fait impressionnantes, à propos desquelles on ne savait pas s'il fallait parler de douleur ou d'une autre émotion non encore répertoriée. Mais en tout cas une intensité était là, une intensité de combat digne de respect. La tête au bout du J se fronçait comme si elle voulait rentrer en dedans et tirait avec force sur un fil invisible, le reste du corps s'enflait et se tordait. Un travail se faisait de l'intérieur, la chenille était possédée par un autre qui la bousculait par en dessous de ses directives détraquées. Ah, avoir accès à cet en dessous survolté. Il essaya de braquer une loupe sur le corps de la chenille, regretta de ne pas avoir de microscope, s'efforça de croire que son crayon était une baguette magique douée d'une vue bionique, mais rien ne transperçait le jaune et noir et blanc opaque de la peau. La tentation était grande de laisser tomber les manières et de pourfendre une fois pour toutes ce tube mou à l'aide d'un stylo coupant ou d'un coupe-papier pour voir enfin de quoi il retournait, mais Jérémie se doutait bien qu'il mettrait du même coup fin à la prestation magique et à ce qui se trémoussait clandestinement. Du reste, il savait qu'il ne trouverait rien à l'intérieur, enfin pas de créature reconnaissable et formée, c'était là le plus troublant, il effleurait le brouillard de l'entre-deux-mondes dans lequel se déroulait une scène inintelligible — quelque chose en train de disparaître sous la poussée de quelque chose de non encore apparu.

Simon surgit à la porte en s'excusant, chargé du téléphone portable et sans doute de la voix de Laurie, qui téléphonait tous les matins depuis qu'elle savait que Marco téléphonait tous les soirs. Il n'y avait pas que les chenilles qui logeaient des forces contraires. Simon lui tendit le téléphone avec un clin d'œil solidaire, et puis il se ravisa, *Veux-tu que je lui dise que tu es dehors?* souffla-t-il en étouffant l'appareil sous son aisselle, mais Jérémie fit signe que non avec un sourire détaché — aussi bien expédier l'inévitable, selon la règle du temps économisé.

La plupart du temps, avec Laurie et Marco il parvenait à se tenir assez loin de la mêlée, en tout cas il ne serait jamais une chenille, jamais ce corps mou et complaisant que d'autres tourmentent de l'intérieur. Rien ne le posséderait, ni personne.

C'était Marco, finalement.

Devine quoi, Jé? dit-il avec sa voix du soir, pleine de promesses d'excitations.

Jérémie se rassit, se préparant à de longues déambulations oratoires, pas nécessairement ennuyeuses, mais souvent d'un imprévisible inquiétant. Qu'est-ce que Marco trouvait ce matin essentiel de lui communiquer pour l'attirer de son côté ? Jérémie remarqua soudain que l'extrémité de la queue de la chenille devenait transparente, assez pour laisser enfin voir le dedans : et au dedans, il y avait bel et bien un corps distinct, un corps globuleux en train de naître.

On part en tournée : Gaspé, Percé, Kalamazoo, Chicago, Denver...

Les couleurs de la chenille s'étaient affadies, puis éteintes d'un coup. Une ligne noire venait d'apparaître sur le dos, s'étirant de la queue à la tête.

C'est une chance incroyable, on va jouer devant des milliers de personnes... Es-tu là ? Jé ?...

Le temps était venu de lancer des miettes dans la conversation pour qu'elle puisse connaître son aboutissement. *Oui, oui,* dit Jérémie, et Marco enchaîna aussitôt : *Je vais continuer de t'appeler, ça changera rien pour toi vu que c'est Laurie de toute façon qui te gardait cet automne...*

On aurait dit que la chenille, maintenant dévastée par des contractions violentes, tentait d'échapper à son propre corps en s'enfonçant la tête dans ce qui lui tenait lieu d'épaules. Puis, les contractions devinrent une sorte d'ondoiement rythmé, les antennes se firent toutes molles et la tête retomba, sans vie. La chenille était maintenant droite comme un I.

— Ma chenille est morte !... s'écria Jérémie.

— Hein ?... Ta... ? ...

Mais non, la vie était là plus que jamais, voilà que le corps du dedans prenait toute la place et détachait la peau par plaques, frétillait pour que la vieille enveloppe lui grimpe sur le dos et se déchire comme une robe. La peau jaune et noire et blanche, jadis si éclatante, maintenant d'un grisâtre de cellophane usée, tomba au fond du bocal. Un corps vert apparut, annelé de petites lignes jaune pâle, piqueté de points jaunes, se tortillant avec force. Quelqu'un d'autre était encore là-dessous, tirant les ficelles de la métamorphose. Le roi. Il fallait que ce soit le roi, caché sous cette créature verdâtre et dégoûtante, en train de commander du bout de ses ailes invisibles.

— Qu'est-ce qui est mort ? s'alarma Marco.

Marco basculait facilement dans l'angoisse, entraînant les autres à sa suite, dont Jérémie qui se rappela soudain qu'il venait d'entendre des choses énormes, d'apprendre que son père se défilait et le laissait dorénavant seul pour endiguer la catastrophe imminente, la déferlante du 20 août si proche.

— Je veux aller avec toi ! implora-t-il soudain, et il sentit que c'était la seule chose qu'il lui restait, une voix stridente pour exiger. *Emmène-moi en voyage avec toi !...*

Il pouvait entendre l'angoisse de Marco à l'autre bout du fil se démener dans sa bouche en déglutition difficile et ça lui donna une courte joie, courte parce qu'il n'y avait pas de mérite à exploiter cette pauvre terre en friche dans laquelle poussait aisément ce qui est croche et qui fait mal.

— Jé… balbutia Marco… C'est ton début d'année scolaire…

Tu peux pas manquer un mois d'école… Je vais être parti six semaines… Et puis Laurie… Le pauvre Marco était si mal que Jérémie fut tenté d'arrêter illico les dommages, comme il en avait l'habitude, et puis non, un courant mauvais et malheureux le houspillait par en dedans et il eut plutôt envie de jeter son père carrément dans l'eau bouillante. Il fit ce qu'il fallait pour bousiller la journée de Marco, il raccrocha sans ajouter un mot.

Ça ne le soulagea de rien de pesant, au contraire, il se trouva deux fois plus déprimé qu'avant, et parasité en plus par une révolte qui lui donna envie de s'emparer de ce qui était advenu de la chenille et de l'écrabouiller bien lentement. La chose verte oscillait toujours, de ce mouvement qui n'était pas à elle, et le temps que Jérémie défasse du bocal le morceau de moustiquaire duquel elle pendait sans défense, le visage sévère de SS apparut dans sa tête comme un avertissement capital. Il replaça le morceau de moustiquaire sans malmener son pensionnaire mou, et s'en félicita d'autant que mononcle Simon, tout ce temps, était demeuré immobile sur le seuil de la chambre à l'observer sans sourire. Il avait encore une fois oublié de fermer sa porte pour se prémunir contre la curiosité adulte. Tant pis, il se vengerait plus tard, sur quelque chose d'inanimé.

— Qu'est-ce que t'as là ? demanda Simon.

— Rien, dit Jérémie.

L'oncle n'insista pas. Il était habillé de pied en cap pour sortir, avec ses bottes de caoutchouc et son coupe-vent bleu, il avait visiblement autre chose en tête.

— Viens avec moi. On va cueillir des bleuets.

— J'ai pas le goût, grogna Jérémie.

— Viens quand même. Le goût va te venir.

C'était un ordre.

Dehors, il ne pleuvait plus, mais un nouvel état aquatique s'était installé à l'insu de Jérémie et de sa chenille tandis qu'ils se terraient dans leurs cocons. Les arbres fléchissaient sous leur poids d'eau, le brouillard du lac se confondait avec celui du ciel, l'humidité avait endossé un corps, un corps géant trempé d'odeurs et de fumerolles qui se défaisait et se recomposait tandis que vous le traversiez. On finissait tous imbibés à son contact, les végétaux comme les insectes et les humains. Ce n'était pas désagréable, loin de là, et Jérémie marchait en exagérant le clapotement de ses magnifiques bottes enfin dans leur élément maximal, et il reniflait en même temps aussi fort que possible, car dans cette fontaine de senteurs liquides trônait un relent plus musqué que les autres, indéniablement suspect. Taxal ou centaure, il en était à fouiller dans ses connaissances sorcières pour identifier le monstre qui avait laissé les parfums de son passage et même des touffes de fourrure aux branches d'épinettes là-bas, quand l'oncle le harponna par le coude pour l'entraîner dans une direction plus pépère.

— On va dans la clairière, décréta-t-il.

— La clairière au *pot*? rechigna Jérémie.

Simon lui jeta un regard aigu et garda le silence un moment.

— O. K., abdiqua-t-il tout de go. C'est du cannabis à usage thérapeutique, mais je comprends que tu ne voies pas la différence.

Sa main accentua sa pression sur le coude de Jérémie.

— T'es pas en train de me dire que t'as commencé à fumer ou à manger ma provision de médicaments, toi, mon Raton ?...

— Moi ? s'indigna Jérémie. Jamais de la vie. Pouach !...

Ça rassura Simon — qui craignait plus que tout l'adage *Tel père tel fils* quand il s'agissait de Jérémie, ou plutôt de Marco. Il confia à Jérémie l'un des bocaux qu'il s'attendait à voir rempli, d'une dimension complètement mythomane si l'on avisait les prises éventuelles — des petits pois invisibles dispersés cahin-caha dans les broussailles. Et il commença à se pencher sur un arbrisseau puis sur un autre, portant le fardeau formidable de deux bleuets chacun. À ce rythme-là, on passerait le mois ici.

Jérémie le perdit bientôt de vue. Il put s'adonner à ses propres affaires, qui consistaient à déchiqueter les plantes et à fouir dans le sol et même à s'allonger à hauteur de mousse drapé de sa supercape pour mettre la main sur des trésors moins insipides que les bleuets. Plusieurs petits coléoptères se frayèrent un chemin affolé entre ses doigts. Deux maringouins reçurent le châtiment exemplaire du Grand Étampage pour avoir osé le piquer dans le cou. Des fourmis ailées atterrirent sur ses jambes : trois, cinq, bientôt dix, et il vit qu'il y en avait partout, sortant à la queue leu leu des monticules de sable. Les jeunes reines. C'était le temps des jeunes reines, poussées hors du nid par leurs consœurs les ouvrières avec la mission d'aller coloniser ailleurs, s'empêtrant dans des ailes neuves qu'elles ne savaient pas manipuler, se cognant les unes aux autres, s'échouant dans les hautes herbes et puis s'envolant d'un zigzag erratique qui aboutirait deux fois sur trois dans le bec d'un oiseau.

Quand l'oncle revint dans les parages, il brandissait un bocal aux deux tiers pleins, allez savoir où il avait trouvé tout ça, et une bonne humeur recouvrée qui l'empêcha de réprimander Jérémie pour sa piètre récolte. Ses yeux étincelaient, il avait encore autre chose en tête.

— Allons porter des bleuets à Violette, suggéra-t-il.

— Pourquoi pas à madame Szach ? contre-attaqua Jérémie.

Il y eut un flottement embarrassé dans les yeux de l'oncle.

— Lila aime pas les bleuets, dit-il.

Son idée était faite. Il ne protesta pas quand Jérémie allégua une fatigue trop grande pour se rendre chez la fille aux foulards. Il lui conseilla en souriant d'aller se reposer dare-dare au chalet où il le rejoindrait plus tôt que tard et ils mangeraient alors des crêpes aux bleuets écœurantes, et puis il s'en alla vite comme s'il dansait vers là où son idée était faite, soulagé de n'avoir personne dans les jambes.

Jérémie marcha vers la maison en traînant les pieds, court-circuité par le retour de la sombre réalité. Comment avait-il osé être joyeux alors que la fin du monde s'apprêtait à lui tomber dessus? *Faites que le 20 août...* Il chercha où lancer son incantation et puis il la perdit peu à peu parce que trop de choses à l'extérieur revendiquaient la place. Par exemple le gros vrombissement, vraiment très gros, qu'il entendait en ce moment et qui venait de loin, qui venait d'en haut.

Au-dessus de sa tête, un nuage bruyant et effiloché volait dans l'air humide. Parfois plus haut, parfois plus bas, avec une imprécision menaçante pour ce qui pouvait se trouver sur son passage.

Un essaim de guêpes.

Jérémie s'aplatit sur le sol, à tout hasard. Il venait de se rappeler ce qu'il avait lu dans le livre de SS, et il regardait maintenant avec respect le nuage s'éloigner, compact comme une famille unie.

C'était encore une histoire de roi et de reine. Une jeune reine qui en remplace une vieille, au milieu d'un bain de sang comme dans toutes les bonnes histoires.

La reine pond. Elle sait ce qu'il faut à son royaume. Elle remplace sans cesse la population éclopée ou disparue, elle pond une petite quantité de faux bourdons pour exécuter les travaux sexuels, et elle pond des centaines et des centaines d'ouvrières, parce que c'est là la main-d'œuvre bon marché sur laquelle reposent la nourriture et la protection du royaume. Et à un moment donné, elle se met à pondre des reines, de futures reines, dans des cellules plus vastes que les autres. Comment sait-elle que ces œufs-là transportent du sang royal et pas les autres, comment sait-elle ce qui fait qu'une reine est une reine ? Elle le sait, c'est tout, et elle sait aussi ce qui se passera bientôt. Bientôt, une jeune reine se réveille et sort de son œuf, elle est la première, et la première des jeunes reines à se réveiller se précipite sur toutes les autres pour les tuer dans l'œuf. Ça dure un moment, c'est horrible et fantastique. De ses appartements luxueux, la vieille reine entend le carnage, les giclements de liquides et de chairs qu'on égorge tout près d'elle, et à la fin, quand elle n'entend plus rien, c'est qu'il n'en reste qu'une seule, qui vient de remporter le royaume. La vieille reine sait alors qu'elle est devenue une vieille reine. Elle rameute la moitié des ouvrières qui lui sont restées fidèles, elle abandonne la ruche à l'héritière et va fonder ailleurs une nouvelle dynastie. C'est elle qui passe en ce moment au-dessus de votre tête, entourée de son armée porteuse d'épées.

Toutes ces petites vies gluantes ou caparaçonnées, ces petites vies étonnantes. Des bibittes. Ça savait ce que ça avait à faire, ça le faisait impeccablement.

Jérémie pensa soudain à sa chenille, et il se mit à courir vers sa chambre. Il était resté dehors trop longtemps, si tout à coup il avait raté un événement spectaculaire, par exemple deux créatures se déchirant pour mettre la patte sur le corps vert frétillant, si deux aspirants au trône étaient maintenant dans sa chambre au lieu d'un seul !...

À première vue, rien n'avait bougé dans le bocal.

Sauf le fait que, justement, le corps vert accroché à la moustiquaire ne bougeait plus.

Jérémie défit le couvercle du bocal pour voir de près. Non seulement ça ne bougeait plus, mais c'était devenu dur et lisse comme une pierre. Une pierre satinée, d'un vert maintenant très pâle, avec neuf points d'or imprimés en relief, de l'or véritable.

Il tâta l'objet avec circonspection. Un bijou, une pierre précieuse. Et vivant en plus, abritant quelqu'un de sang royal, pour l'instant endormi.

Quelle relation établir avec ça, ce condensé minuscule de grandeur ? Lui demander des faveurs, ou lui présenter ses hommages ?

Vive le roi, finit-il par murmurer. *Vive le roi !*

Jour 11

La vie s'était améliorée d'un coup.

Il avait une épine de porc-épic entre les mains. Pointue des deux côtés et longue de quinze centimètres, le dernier ingrédient essentiel à son incantation et le genre de piquant que personne ne souhaite se voir garroché en pleine face. *Ils ne garrochent pas leurs épines,* avait impatiemment rectifié Sorcière Szach, *des légendes stupides de citadins ! ils se mettent en boule et le reste suit tout seul — l'épine suit celui qui l'a touchée, tant pis pour lui.*

La situation était très favorable, jamais sa chance

n'avait plané aussi haut. Non seulement il disposait enfin d'une épine de porc-épic, le dernier ingrédient essentiel à l'incantation ultime, mais le dernier ingrédient essentiel en question lui avait été offert par la Sorcière en chef en personne. Non seulement la Sorcière en chef en personne lui avait offert le dernier ingrédient essentiel à l'incantation ultime, mais — les encombres n'avaient qu'à bien se tenir — il séjournait dans sa maison.

Pendant une journée et demie, presque deux jours entrecoupés d'une longue nuit, il serait *gardé* par madame Szach. Simon découchait comme à chaque milieu de l'été. C'était le temps des étoiles filantes et l'oncle allait camper sur les rives d'un petit lac sauvage d'où les étoiles filantes étaient particulièrement visibles — pour lui, rater cette expérience équivaudrait quasiment à rater sa vie. Il avait invité Violette. Il avait bien entendu invité Jérémie avec une chaleur hypocrite à se joindre à eux, même si son œil jubilait quand Jérémie avait refusé tout net. Mais c'était égal et donnant, donnant, Jérémie n'en revenait pas de la chance qui, du même coup, lui avait échu.

Dormir dans sa maison. Manger et respirer à côté d'elle. Se retrouver au cœur de ses possessions intimes, toucher des anormalités palpitantes, sûrement apprendre des trucs de haut calibre magique. Et puis régler une fois pour toutes cette vieille histoire entre eux deux.

Tout de suite, elle avait installé la règle de base. *Ici, on ne mange pas de cadavres d'animaux.* Ça lui avait semblé bourré de bon sens. Il avait pensé avec effroi à la pile de cadavres de poulets et de bœufs depuis longtemps digérés qui devait s'entasser dans ses cellules — comment s'était-il laissé entraîner dans cette barbarie dégoûtante ? *Déjà qu'ils ont souffert et qu'ils sont morts,* disait-elle, *s'il faut les manger, en plus !*

Bourré de bon sens.

Plus tard, ils avaient mangé un potage aux champignons et une omelette aux champignons. Et du gâteau polonais, qui avait le même goût que le gâteau québécois.

La maison aussi était bourrée de bon sens, même si à première vue elle semblait en désordre. Ce n'était pas une maison exclusivement réservée aux humains, voilà pourquoi l'ordre ressemblait à du désordre. Il y avait des chats et des meubles réservés aux chats. Il y avait des végétaux vivants et d'autres séchés. Quand on ouvrait un tiroir de commode, on tombait parfois sur des nappes et des culottes, mais le plus souvent sur des papillons morts, des nids d'oiseaux, des ruches vides, des peaux de couleuvres, des cailloux roses, des morceaux de bois, des plumes. C'était une maison qui faisait entrer les êtres du dehors et leur laissait toute la place. Les champignons en ce moment prédominaient.

Ce n'est pas que Jérémie fouillait, mais les choses se montraient d'elles-mêmes, les tiroirs bâillaient sans qu'il y soit pour quelque chose, et puis il sentait qu'elle le laissait roder partout sans interdit.

La seule pièce où il n'avait pas eu envie de traîner longtemps était à l'étage, en face de la chambre qu'elle lui avait réservée. Sa chambre, elle, était parfaite, le lit était mou comme un bon animal, et les décorations de foins et de branches vous rappelaient que vous vous trouviez en pleine forêt. En face de sa chambre, la pièce avait déjà la porte entrouverte, et un chat était sorti en courant quand il l'avait poussée tout à fait. Il s'était avancé jusqu'au milieu de la pièce presque vide, meublée d'un bureau et d'un sofa avec de beaux coussins se découpant contre une fenêtre, et il avait alors été assailli par une sensation rebutante et violente, la sensation d'être immergé de force dans une eau froide qui tordait le cœur. Il était sorti vite et il s'était assuré en sortant que la porte demeurerait bien fermée.

Pour le reste, ça se passait plutôt bien. C'était difficile mais passionnant. Il n'arrivait pas à se défaire d'une timidité qui le handicapait et le rendait plus petit qu'en réalité. Elle l'impressionnait autant de près que de loin. Mais en même temps, il sentait qu'il était à sa place, ici à côté d'elle, et que c'est aussi ce qu'elle sentait.

Ils avaient commencé avec du facile et du familier, une marche en forêt. Cette fois-ci, les directives étaient claires : il avait lui aussi son couteau et son panier, qu'il devait remplir avec certaines sortes de champignons après les avoir coupées d'une certaine façon. Contrairement aux bleuets ridicules de l'oncle, les champignons avaient une vraie stature qui stimulait l'ardeur, et à la fin son panier débordait encore plus que celui de SS. Quand ils s'étaient rejoints dans la clairière et qu'elle avait vu ce qu'il rapportait, elle lui avait décoché un petit sourire content qui valait cher.

Après le repas, il l'avait aidée à dépecer les champignons pour concocter des potions magiques qui avaient l'apparence de vraies soupes, mais qui embaumaient le mystère. Ils ne se sentaient pas obligés de parler. Ensuite, ils s'étaient assis dans le salon où la télévision et l'ordinateur brillaient par leur absence, à côté des trois chats qui s'étaient emparés de tous les meubles confortables. C'est à ce moment — le moment fort de la journée — qu'elle lui avait offert l'épine de porc-épic.

— Peut-être que ça te serait utile, avait-elle simplement dit en la déposant sur la table à côté de lui.

Il avait su tout de suite ce que c'était. Il l'avait touchée du bout du doigt, précautionneusement, parce que maintenant ça devenait du sérieux, il y avait de plus en plus de chances que l'incantation réussisse, et surtout, que tout ça soit vrai, qu'on puisse commander à quelque chose qui accepte d'obéir — bref, que l'univers soit vraiment comme disent les livres. Magique.

Devant eux tout ce temps il y avait la photo.

Une grande photo sur un mur du salon, à la place d'honneur. De partout dans le salon, on ne voyait que cette photo. L'homme de la photo riait. Le même genre de rire que celui de la fille aux foulards, un faux rire qui ne cache même pas ce qu'on voit au travers. Au travers, on voyait que l'homme était plus souvent en train de pleurer et d'être déprimé que de rire. Il riait faux mais il aimait réellement, ça aussi ça se voyait, il aimait la femme dont sur la photo on apercevait la tête et une partie d'épaule, l'épaule nue et jeune de madame Szach — on n'avait pas le choix de l'appeler madame à ce moment-là parce qu'elle était alors mieux qu'une vraie femme, mieux qu'une beauté de télévision.

Jérémie avait eu envie de dire quelque chose de gentil à propos de la photo pour lui faire plaisir.

— Ça a dû faire mal, quand il est tombé.

C'est ce qui s'était présenté spontanément.

Elle avait suivi son regard jusqu'à la photo.

— Oui, avait-elle riposté du tac au tac, puis elle s'était figée. De quoi tu parles ? avait-elle repris, la voix baissée d'un cran.

C'était embarrassant. Il ne savait que répondre. Un film avait traversé son esprit, un souvenir de film, peut-être un vieux truc de la télévision de Laurie. Il voyait l'homme, l'homme tombait, tombait sans fin sans même avoir l'air étonné, comme si c'était ce qu'il avait prémédité, et il aboutissait dans un fracas mat sur des rochers effilés. Une image violente d'un vieux film violent.

— Qui t'a parlé de ça ?

— Personne.

Est-ce qu'elle allait se fâcher ? Elle hésita entre plusieurs choses à dire. Elle choisit de venir s'asseoir tout près de lui en silence et de le regarder dans les yeux, fixement. Cela dura une éternité. Sous le poids de son regard, il eut soudain envie de se mettre à pleurer, mais il résista. Le temps était donc venu. De sorcière à sorcier, il allait se passer quelque chose, elle allait absoudre ou châtier.

— Je voulais pas vraiment, commença-t-il, des sanglots dans la gorge.

Elle gardait le silence.

— J'ai essayé d'éteindre, après... Mais le feu était trop pris. J'ai essayé fort...

Il n'était plus capable de résister. Un bébé en lui, une larve, chignait et l'obligeait à pleurer. Il pleura. Alors, elle fit une chose étrange. Elle lui caressa la tête. D'une seule main, comme s'il était un chat qui pouvait ronronner. Ça l'arrêta de pleurer. Et ils n'en parlèrent plus du restant de la soirée, ni de l'incendie que Jérémie avait allumé, ni de la photo de l'homme qui s'était tué en sautant de la falaise.

Jour 12

Il se réveilla en sursaut. Il venait de rêver que le monarque avait besoin d'aide, le roi emprisonné dans son bocal. Il l'avait complètement oublié ces derniers jours, car la pierre verte semblait endormie à jamais dans sa minéralité. Il se dressa dans son lit. Où était le bocal ? Où était-il lui-même ?

La forêt l'entourait. Une lumière très pâle commençait à glisser de la cime des arbres, au-delà de la fenêtre. C'était le début du matin dans la grande maison blanche. Il se leva d'un bond. Il enfila sa cape de sorcier par-dessus son pyjama. Il descendit l'escalier en maudissant les craquements du vieux bois.

Madame Szach dormait dans le fauteuil du salon. C'est là qu'elle avait passé la nuit, à voir ses vêtements et son visage chiffonnés.

Jérémie se rappela qu'elle s'était battue toute la fin de la soirée, pendant qu'il faisait semblant de lire en l'observant du coin de l'œil. Après ce moment fort de l'épine de porc-épic, un chapitre décisif était clos, et ils s'étaient installés chacun dans leur coin du salon comme si ça faisait des siècles qu'ils partageaient le territoire. Jérémie avait eu le droit de fouiller dans des atlas bourrés de vieilles images, tous des gens morts sur des photos qui prétendaient qu'ils étaient vivants. Il faisait attention à ne pas trop s'enfoncer dans les livres, pour ne rien perdre de ce qui se passait autour de lui. Un chat était venu se vautrer sur les genoux de SS pendant qu'elle dépouillait son courrier. C'est de là que l'ennemi avait surgi : du courrier. Elle ouvrait une lettre, la parcourait en flattant le dos du chat, la jetait par terre, en ouvrait une autre. Elle s'était tout à coup levée comme un ressort, au diable le chat qui avait été projeté sur le plancher. Les nouvelles étaient archimauvaises il faut croire, puisqu'elle avait marché, marché dans la maison sans jeter un regard à Jérémie, elle avait multiplié les coups de téléphone à des gens qui ne répondaient pas, tout ça au milieu d'exclamations de colère dont la prudence commandait de se tenir à distance. Jérémie était monté dans sa chambre sans qu'elle s'en aperçoive.

Maintenant, elle avait l'air si fatiguée qu'il aurait aimé être un adulte à grands bras pour pouvoir la soulever et la coucher dans son lit. Il se contenta de ne pas la réveiller en expédiant dehors les chats qui se lamentaient contre ses jambes, et en sortant lui-même avec une légèreté de fantôme. Elle dormirait encore quand il reviendrait dans une demi-heure, chargé du précieux bocal. Avec un peu de chance, ce serait pour aujourd'hui. Sorcière Szach et Jerry Potter, rassemblés dans le moment grandiose de l'arrivée du roi.

Mais en attendant, c'était une drôle d'heure pour se trouver dehors.

Ce n'était en tout cas pas une heure humaine. Une odeur calcinée de bête puante répandait dans l'air ses particules mortelles. La nuit était officiellement finie mais elle s'attardait dans les arbres. Et on dérangeait quelque chose. On débarquait au beau milieu d'une réunion intime où on n'était pas invité. Des êtres détalaient dans les buissons, d'autres émettaient des signaux d'alarme. Pas seulement des animaux. Jérémie chercha sur le sol une baguette magique plus costaude que d'habitude.

Il vit que des champignons — des pholiotes ridées, dont il reconnaissait maintenant la bonne bouille ronde — avaient fait irruption dans le sentier pendant la nuit. Alors qu'il se penchait pour les cueillir, il aperçut les jambes.

Des jambes d'homme.

Un homme marchait dans le bois. Et il arrivait du chemin plus bas, que Jérémie s'apprêtait à prendre, de sorte que dans trente secondes ils buteraient l'un contre l'autre.

L'homme ne faisait aucun bruit en marchant, en habitué. C'était le même que l'autre fois, l'homme à la vieille veste à carreaux rouges, celui qui ne respectait pas les terrains privés. Fuir et se cacher devenaient des actions virtuelles et irréalisables au fur et à mesure que Jérémie tardait à les démarrer, et bientôt il fut trop tard puisque l'homme arrivait sur lui, les cheveux grisonnants sous une casquette grisâtre aussi, une taille haute au-dessus de bottes hautes, un gros sac à dos d'où sortaient des branchages, la veste à carreaux rouges avec les poches déchirées, et puis surtout des yeux à vous *pétrifixer* sur place. Un visage pourtant bon, oui, un visage assez doux et qui souriait presque, mais un visage qui faisait peur malgré tout — peut-être en raison de la cicatrice qui lui mangeait la joue. Car l'homme, c'était ça le plus surprenant, avait la même cicatrice que Jérémie, exactement à la même place. On aurait dit que Jérémie connaissait ce visage, mais que cette connaissance était enfouie si loin qu'il ne pourrait jamais la déterrer. En particulier les yeux très noirs. Les yeux se jetèrent sur Jérémie et le traversèrent de part en part.

L'homme ne le voyait pas.

Il s'arrêta à quelques pieds de Jérémie qui retenait son souffle, et puis il choisit d'obliquer vers le chemin longeant le lac, tranquillement, comme si personne n'était en train de le dévisager en retenant son souffle.

Pourquoi l'homme faisait-il semblant de ne pas le voir ?

Ou plutôt : Jérémie était-il vraiment devenu invisible ?

La cape. Il fallait que ce soit la cape.

Jerry Potter était drapé dans sa cape d'invisibilité

et dès lors rien n'était plus normal que de n'être vu par personne.

Il y avait une puissante jubilation à être invisible. On pouvait tout faire. On pouvait, par exemple, suivre cet homme à la trace jusqu'à sa destination, le bout du lac ou l'extrémité des forêts ou même la grotte clandestine où se fabrique tout le Mal, si c'est là qu'il allait.

Les forces du mal

Ça ne se voyait pas qu'il était complètement mauvais.

Une partie de lui était trouble au premier abord, oui, mais on pensait justement que ce n'était qu'une partie. On gardait espoir jusqu'à la dernière minute. Des yeux aussi clairs, un éclat de diamant brut. On croyait que cette lumière provenait forcément d'une santé fondamentale à l'intérieur. On croyait que le mauvais était minoritaire, était comme une blessure qui finirait par guérir. Mais c'est le contraire qui était vrai. Le beau était au service du mauvais. C'est le mauvais qui commandait chez lui, toujours, sans exception, surtout quand il caressait et souriait.

Je m'appelle Gilles Clémont. C'est quoi, ton p'tit nom?

Quand on le surprenait dans la forêt, on était frappé par son animalité. La forêt était sa résidence première, sa seconde peau. Il pouvait se tenir immobile et attentif pendant des heures, il pouvait aussi se montrer agile et vigoureux selon ce que sa quête exigeait, sa quête de sang frais. Il aimait tuer. Il se tenait à cheval entre deux mondes, l'animal et l'humain, le prédateur et l'ingénieux, et il était en train de les réunir.

Quand Lila l'avait surpris en flagrant délit sur son terrain, armé d'un fusil alors que la saison de la chasse n'était pas commencée, elle l'avait apostrophé rudement, mais il ne s'était pas démonté. Il s'était approché d'elle pour tenter de la convaincre de ses droits. Elle l'avait flairée tout de suite. Son odeur de créature dangereuse. Elle l'avait expulsé avec les mots les plus définitifs qu'elle puisse trouver.

Il était revenu le lendemain, sans arme. Il s'était posté à l'endroit même où elle l'avait surpris, et il l'avait attendue. L'endroit était une éclaircie dans un boisé de pins, sans autre attrait pour un chasseur que de se trouver à un mètre du sentier principal. Elle aurait pu ne pas repasser là de la journée ni même de la semaine, mais il avait attendu, sûr de son flair.

Je pensais vous avoir dit que c'était privé !

Elle se rappelait sa colère dès qu'elle l'avait aperçu ce lendemain-là, même sans arme.

Vous ne comprenez donc pas ça : privé ?

Et la réponse qu'il lui avait faite :

Ça te tenterait pas de venir au bar du village ce soir à neuf heures ? Je t'offre ce que tu veux. Ils ont même du champagne.

Elle en était restée sans voix. Complètement inapproprié. Même pas le sens de la distance élémentaire entre espèces incompatibles, même pas ce bon sens là. Elle lui avait ri au nez et était partie sans gaspiller plus de temps.

Elle aurait pu en parler à Jan. Normalement, elle en aurait parlé à Jan.

Il y a un type dans la pinède, il m'embête.

Jan aurait décroché sa carabine.

Ça se serait terminé vite, peut-être. Mais peut-être pas. Il n'était pas prudent de laisser Jan décrocher sa carabine, à cette époque-là.

Il avait patienté deux semaines avant de se manifester de nouveau. Peut-être pour qu'elle l'oublie et endorme ses craintes, si elle avait des craintes, voire pour donner au regret le temps d'éclore dans son esprit. Après tout, les vrais hommes sont rares, les hommes capables de la sorte de désir qui calcine tout sur son passage.

Je suis comme un orignal, Lila, quand je pense à toi.

Dur comme un orignal.

Un matin, elle l'avait vu débarquer tranquillement chez elle, franchir le seuil de son intimité en toute assurance. Jan le précédait. C'est Jan qui lui ouvrait le chemin, qui lui offrait les clés de la propriété, en quelque sorte.

Jan était enchanté. Il l'avait présenté avec enthousiasme :

— C'est Gilles. Il est entrepreneur à Mont-Diamant, il va nous donner un coup de main.

Le sourire de Gilles. Pas arrogant, ce qui aurait été suicidaire, mais joyeux et juvénile, le sourire d'un enfant qui vient d'attraper son premier achigan. Il avait hoché la tête avec un mélange de déférence et d'espièglerie, et il avait dardé sur elle ses yeux de bête polaire dans lesquels tout était dit clairement : il la voulait.

(Mais pas pour l'aimer ni vraiment la séduire. Il voulait juste l'abattre, une bonne fois et qu'on n'en parle plus, qu'il puisse passer à autre chose, à d'autres chasses.)

— Madame ! l'avait-il saluée de son sourire triomphant.

C'était le moment de rétorquer : *Mais je vous reconnais !* ou : *Jan, c'est lui, le voyou dont je t'ai parlé !*, et alors il aurait tout perdu d'un coup, ses visées nocturnes auraient séché en pleine lumière, mais elle n'avait rien rétorqué. C'était la première erreur. Elle l'avait sous-estimé. Elle avait cru qu'avec des yeux si pâles il ne pourrait rien dissimuler de dommageable, elle avait cru qu'il n'était qu'une créature primitive de plus à dompter.

Ou peut-être avait-elle simplement envie d'un peu de danger.

Entre Jan et elle, il n'existait pas de concepts comme se tromper ou ne pas se tromper, s'appartenir jusqu'à la fin des temps. Ils n'avaient pas besoin d'engagement explicite puisqu'ils s'étaient trouvés et ne s'étaient plus quittés. Ils étaient de la même tribu, qui n'était formée en fait que d'eux deux. Une partie de Lila mourrait quand il mourrait, mais en attendant une partie d'elle était en somnolence pendant qu'il était en dépression. Car Jan avait des attaques de noirceur épisodiques pendant lesquelles il s'alitait, malade de découragement. Quand Gilles Clémont avait fait son apparition dans leur forêt, Jan émergeait tout juste d'une de ses zones basses. Il recommençait à quitter la petite chambre du haut où il s'enfermait pour broyer du noir, il redevenait parlable et nourrissable et de nouveau il acceptait de nager dans le lac. C'était en train de passer, encore une fois. Il avait bien fallu qu'ils apprennent à l'apprivoiser, cet état qui revenait sporadiquement et durait chaque fois quelques semaines si rien de grave ne venait l'exacerber, comme une rage de dents quand la dent n'est plus là et qu'il n'y a qu'à attendre que ça passe.

Sauf qu'en fin de dépression comme au beau milieu, Jan n'était guère plus désirant qu'une chaise et avait la libido dans le fond des talons, à la hauteur de l'âme. Elle croyait s'être habituée à cette tiédeur périodique et inéluctable, habituée à être invisible en plein milieu de sa gloire de femme. Et tout à coup Gilles Clément surgissait, tout poil et muscle, tonique et luisant, mortellement beau, insistant comme une fièvre et contagieux en plus.

Toi pis moi, Lila. Ma petite Lila.

Elle n'était jamais montée dans la boîte de son pick-up rouge flambant neuf comme il la pressait tant de le faire. Elle n'avait jamais laissé son odeur de fourrure et de meurtre gagner tout à fait sur elle. Elle n'avait pas couché avec lui.

Mais tout ce qu'on peut faire d'autre qui reste à l'orée et attise la braise, elle l'avait fait.

Se laisser frotter, peloter, embrasser, mais pas sur la bouche et jamais longtemps. Accepter les mots de plus en plus drus qu'il lui glissait entre deux portes, entre deux arbres, carrément dans le dos de Jan avec qui il bûchait dans leur forêt. Boire son désir comme un alcool âpre qui tourne la tête et qui écœure un peu. Mais ne rien faire. Demeurer passive au moins, au moins opposer cette minuscule résistance-là, surtout ne jamais le toucher, ne jamais être celle qui veut. Et puis de temps à autre le chasser brutalement, de la façon dont on chasse un raton laveur indécollable de la poubelle depuis qu'il a goûté à ses intérieurs, le chasser en prétextant que c'était assez, qu'ils n'avaient rien à faire ensemble, et le laisser revenir la semaine suivante et de nouveau lui abandonner sa main ou sa croupe à triturer. Ça l'empêchait de dormir, c'est ce qu'il n'arrêtait pas de lui dire, *Tu me rends malade, je dors plus* — et sans doute était-ce vrai mais tant de choses nous empêchent de dormir, et parmi elles surtout des insignifiances.

Les erreurs étaient d'elle, toutes les erreurs, même si le mal venait de lui.

Trente ans plus tard ça restait vrai et ça ne consolait de rien.

Je n'ai pas appris, Jan, pardonne-moi.

C'était la nuit, trente ans plus tard, et Lila à son tour se voyait empêchée de dormir. Elle s'était réfugiée sur le sofa du salon que trempait la lumière mate de la lune, face à la photo de Jan, pour tenter d'en recevoir un encouragement, un signe. Les décharges de l'angoisse affolaient son souffle et les battements de son cœur : peut-être était-elle en danger de mort, peut-être la solution viendrait-elle de là.

Sur cette photo vers laquelle convergeait la maison entière, Jan était figé à jamais dans son élan d'amour et d'approbation vers elle, et simplement cette image, simplement contempler cette image immortelle suffisait d'ordinaire pour la garder combative dans la vie (la vie qui n'est rien d'autre qu'un combat, percé de trêves plus ou moins longues). Avoir été vraiment aimé n'est pas donné à tout le monde, est un cadeau luxueux dont on peut longtemps faire usage.

Aide-moi, Jan.

La lettre gisait à ses pieds, chiffonnée et dévastatrice. Elle la connaissait maintenant par cœur, chacun de ses mots assassins tremblotant dans le formol du ton administratif, sous les guirlandes des armoiries municipales.

Ceci est un avis d'expropriation. Chère Madame. Vous disposez de quatre mois. Chère Madame, recevez nos. Salutations cordiales, un centre de ski et un centre récréatif. Un centre récréatif aux pieds du mont Diamant. Centre récréatif et centre de ski, quatre mois pour accepter notre offre de cinq cent mille dollars. Les travaux débuteront en avril 2010. Chère Madame. Le promoteur, Monsieur Jean-François Clémont. Salutations cordiales. Cordiale expropriation. Les travaux seront confiés au promoteur Monsieur Jean-François. Clémont.

Elle l'avait fait, encore. Fait confiance au loup, permis qu'il entre dans la bergerie, couché les agneaux entre ses pattes (pas un loup, Lila, pas cette belle bête libre s'épanouissant dans sa nature de bête, plutôt un rat, non même pas un rat, brave honnête rongeur dépourvu de veulerie aussi tordue, aucun animal à vrai dire assez indigne pour lui être comparé, disons un loup-garou vicieux alors, oui un amalgame monstrueux puisque façonné à même le pire de l'animal et de l'homme, un loup-garou pourri jusqu'au dernier atome de sa nature bancale, loup-garou sanguinaire de père en fils).

Elle manquait d'oxygène, il lui fallut sortir pour marcher un peu, se rappeler à quoi ressemblait le fonctionnement normal d'un organisme — même le sien, flétri comme il l'était, montrait encore des dispositions pour la mobilité. Elle marcha de long en large, devant le paysage nocturne d'arbres fondus et de ciel blanc. La nuit était remplie du silement nasillard des grillons. Déjà les grillons. Avant les grillons il y avait eu les grenouilles, mais après les grillons il n'y aurait plus que le silence pour occuper la nuit, le silence du froid.

Et puis, tant qu'à accumuler les indices morbides, très peu d'insectes et de phalènes se pressaient autour des lampadaires, alors qu'encore la semaine dernière ils tourbillonnaient en se rentrant les uns dans les autres. Les plants d'hémérocalles étaient à bout de souffle, eux aussi, il ne restait à chacun d'eux qu'une ou deux fleurs à ouvrir, une fleur par jour et puis kaput jusqu'à l'année suivante. L'été était bel et bien en train de ficher le camp comme un hypocrite sous ses dehors encore tièdes.

Une silhouette renflée accrocha son regard sous le lampadaire près des astilbes : elle s'approcha machinalement et découvrit un cèpe dans la mousse, né depuis peu et pourtant ventru, sans aucune trace de larve dans le chapeau. Elle se pencha pour tourner délicatement le pied du champignon et le couper de ses radicelles, puis elle l'arracha, d'un mouvement sec qui avait de l'expérience. Le cèpe était magnifique, un petit corps de boudin tendre, un chapeau bosselé aux marbrures de café *macchiato*, un parfum de noisette humide. Il remplissait la main comme s'il était fait pour elle.

Puis, l'angoisse reprit sa place, et les mots la bombardèrent. Les mots maudits de la lettre municipale, bientôt épaulés par les autres, étonnamment, les lointains d'il y a trente ans, ceux qu'elle avait trouvés dans un tiroir en fouillant dans le bureau de Jan après sa mort, dans cette petite pièce à l'étage où il se terrait quand il était au plus mal. Des mots tracés d'une main maladroite, accolés tout croches sur un pan de papier brun, mais allant droit à leur but de méchanceté.

Je bèse ta famme. Elle aime sà.

Pas de signature (ou plutôt, une signature de loup-garou).

Jan avait reçu ce mot anonyme discrètement et il l'avait conservé dans un tiroir avec la même discrétion, sans émettre de vagues autour.

Elle n'avait jamais fait de lien entre ce bout de papier mesquin et le grand bouleversement. Pourquoi, cette nuit, faudrait-il en faire ?

L'accident fatal de Jan était un accident.

Jan avait sauté trop près du rocher. Son pied avait dû déraper légèrement tandis qu'il s'apprêtait à plonger. Ça lui arrivait de déraper, comme n'importe qui. Un pied dérape, et deux vies tombent à l'eau.

Jan ne se serait jamais suicidé à cause de ces mots

ineptes et anonymes éructés par un esprit pathétique. Il connaissait la jalousie des hommes. Il connaissait surtout le poids et la beauté de l'existence. Il aimait Lila, qui l'aimait. Il aimait vivre, même en compagnie de son mal. Il aimait le lac à la folie, il aimait ce coin de terre au point de ne plus vouloir se trouver ailleurs. Jan était bien, autant qu'un être souffrant peut l'être. Il ne se serait jamais suicidé, puisqu'il était en train de sortir précisément du tunnel et qu'après le tunnel, assurait-il toujours à Lila, *je me sens tellement neuf, je reviens au monde.* Tous les possibles lui étaient rendus, et la suite ne dépendait que de lui, *je suis en train de naître, Lila,* disait-il en riant, *c'est pratique, à tous les six mois je nais, et je me vois en même temps en train de naître, comme si j'étais à la fois le père et le fils de ma nouvelle vie !*

Bien sûr, elle n'était pas dupe de ses excès d'enthousiasme, ni de ses rires qui pouvaient aussi bien casser en deux en pleine ascension. Mais une certitude l'habitait : Jan n'avait jamais été un vrai désespéré.

La veille de sa mort, ils s'étaient enchevêtrés l'un dans l'autre, tendrement et calmement, elle l'avait caressé et il était resté tout le temps spectateur, consentant mais spectateur. Et après, tandis qu'elle se tournait de côté pour dormir, il lui avait glissé dans l'oreille en manière de blague, *Tu mérites mieux que ça,* à quoi elle avait répondu, *C'est certain,* sans une once de récrimination, en manière de blague elle aussi — d'ailleurs il avait ri.

C'étaient les derniers mots qu'ils avaient échangés.

Le lendemain très tôt, un 17 août, Jan s'était rendu à la falaise comme il le faisait une fois par semaine, pour sauter dans le bleu comme un ange, pour avoir quelques secondes le cœur libre dans le vide.

Quel lien établir entre les derniers mots qu'ils avaient échangés et le plongeon raté de Jan, qui l'avait déchiqueté sur les rochers ?

Quel lien entre Gilles Clémont et cette lettre municipale qui survenait trente ans plus tard pour la déposséder de plus que de la vie ?

Lila ployait sous l'angoisse car en ce moment tout lui apparaissait bel et bien imbriqué, tout affirmait qu'il n'y avait pas moyen de s'extraire du réseau dans lequel chaque brin d'herbe et chaque crissement de grillon correspondait à un battement de son cœur, rien ne pouvait survivre déconnecté du reste. De ces molécules mélangées, de cette bouillie de grillons, d'herbe et de Lila décomposés naîtraient un jour d'autres vies encore inimaginables, mais en attendant, tout souffle ténu devenait vague de fond, tout geste amorcé faisait éclore une chorégraphie, et si les forces du bien se multipliaient, les forces du mal elles aussi produisaient loin de leurs racines d'innombrables rejetons. C'est ainsi qu'elles s'en allaient à travers les années, les forces du mal, une fois arrosées d'encouragements et d'erreurs, elles s'en allaient en grossissant leurs vagues, et trente ans ce n'était rien pour elles, trente ans à se relayer de père en fils pour propager le dessein de destruction et étendre devant la barbarie.

(Quand Gilles Clémont massacre un renard sous tes yeux, Lila, et que tu ne le tues pas sur-le-champ, tu le laisses enfouir dans ton sol, là même où tu cueilles tes chanterelles et tes lupins sauvages, la graine d'où germeront les *chain saws* et les bulldozers destinés à couper tout ce qui s'élève et tuer tout ce qui bouge pour hâter l'avènement des parkings et des condos de luxe autour du mont Diamant.)

(Quand tu laisses Gilles Clémont t'embrasser les seins sans lui arracher la langue, Lila, tu viens de lui prêter le stylo et le papier brun qui lui permettront d'écrire *Je bèse ta famme* à celui que tu aimes qui s'en trouvera juste assez désespéré pour manquer de concentration à la dernière seconde de sa vie sur la falaise.)

(Quand tu invites Jean-François Clémont chez toi pour le gaver d'un pâté de pholiotes au sauternes, Lila, malgré les cent indices flagrants qu'il est un barbare fils de barbare, tu lui remets les clés du jardin sacré pour qu'il le profane et le travestisse en terrain de jeux vulgaire.)

(Quand tu permets que les derniers mots de la vie de Jan soient : *Tu mérites mieux que ça,* sans protester et le serrer dans tes bras comme il te supplie silencieusement de le faire, tu glisses un caillou sous son pied alors qu'il s'apprête à plonger et il dérape, Lila, et il tombe et tu tombes avec lui — et jamais tu ne te relèves.)

Liés.

Et puis parfois déliés brutalement.

Il y avait la vie avec Jan, et la vie après. Deux univers si différents qu'ils ne pouvaient héberger la même personne. On était forcé de changer, de durcir. Par moments, Lila regrettait d'avoir connu Jan, leurs embrasements et leurs osmoses. Plus jouissive est la vie, plus sanglante est la perte — la perte toujours plus longue que la jouissance. Par moments, Lila se convainquait qu'il aurait mieux valu que Jan n'existe jamais, tant qu'à n'exister que si brièvement.

Gilles Clémont avait changé, lui aussi, après la mort de Jan.

Changé de comportement, pour faire croire que le cœur ne lui battait plus dans la même cavité noire.

Il avait interrompu séance tenante tout geste déplacé, toute parole audacieuse. Discret et délicat, telles étaient ses nouvelles couleurs. Il lui laissait des casseaux de framboises sur le seuil de sa porte, des filets mignons de chevreuil enrobés dans du jute — qu'elle jetait avec horreur, tout en reconnaissant la chaleur du geste, et même des fleurs — des hémérocalles cueillies dans ses propres plates-bandes, mais c'est l'intention qui compte. Et puis surtout il s'était mis à terminer tranquillement les chantiers entrepris avec Jan, à aménager le chemin jusqu'à la cabane à bateau, à fixer la toiture du nouveau chalet dans le creux de la baie (celui que Claire achèterait plusieurs années plus tard), à poser les assises du pavillon de rondins dont Jan avait dessiné les plans précis (celui-là même qui abriterait Violette).

Le jeune Simon aussi s'était proposé pour aider Lila, puisqu'il était son locataire et son visible admirateur depuis deux étés, mais le jeune Simon faisait partie d'une autre histoire.

Gilles s'était introduit dans la vaste forêt de Lila et dans sa vie, puisque l'un n'allait pas sans l'autre. À cette époque, elle était si perdue et recroquevillée dans ses décombres qu'elle avait tout accueilli avec gratitude, y compris un début de pensée saugrenue au sujet de Gilles, si à son aise parmi les arbres, si serviable et compétent, avec constamment en prime la caresse de ses yeux clairs sur elle quand il croyait qu'elle ne le voyait pas. Elle avait commencé à se dire que peut-être plus tard, peut-être après tout puisqu'elle s'était méprise sur son compte, peut-être serait-il finalement un succédané de remplaçant pour celui qui ne se remplace pas.

Il avait une femme et un petit garçon dont il ne parlait jamais. Mais Lila connaissait leur existence et n'était pas troublée par eux. La vraie vie de Gilles était dans la forêt, et pas auprès de sa femme et de son petit garçon. Il était attaché à eux, sans doute, comme on est attaché à l'eau chaude une fois qu'on se lave, comme on aime les choses pratiques qui apportent du confort.

Elle s'était mise à rêver à lui. Pas souvent, une image de temps à autre, surtout quand il faisait chaud, l'image fugace de ses yeux de glacier et de ses épaules quand il s'attaquait à un tronc d'arbre ou à une poutre de pin, l'empreinte chorégraphique de ses jambes musclées enjambant le ruisseau ou grimpant quatre à quatre l'escalier pour monter chez elle.

Et puis il y avait eu le renard.

Tout ce temps, pendant que Gilles était chez elle

plus souvent que chez lui, à construire ou à creuser ou à arpenter sa forêt comme si elle était sienne, Lila avait perçu à l'occasion des coups de feu étouffés, et chaque fois qu'elle lui en avait parlé, il l'avait assurée que ça venait de l'autre lac, du lac Campeau, un repaire connu de braconniers et de pauvres types. Elle avait choisi de le croire plutôt que de se rappeler la première image, celle de lui debout dans sa pinède, flanqué de son fusil illicite prêt à cracher la mort.

Ce matin-là, elle s'était levée avec plus d'allant que d'habitude, et elle s'était mise en tête de marcher jusqu'aux confins de son terrain pour remettre les compteurs à zéro : voilà de quoi elle était dorénavant l'unique propriétaire, voilà jusqu'où sa responsabilité s'étendait. Après deux kilomètres d'arbres vivants et morts répandus sur la mousse, de ruisseaux indisciplinés et de rochers lunaires ancrés dans le sol comme des œufs géants, une tache rouge vif avait soudain crevé la sauvagerie du paysage : c'était le pick-up de Gilles, garé dans une voie de fortune, une manière de route ouverte à l'arraché, ouverte par lui car Lila ne se rappelait pas l'avoir jamais vue auparavant. Son premier mouvement avait été un élan joyeux, oui, un contentement de tout le corps qu'il se trouve là, et elle avait couru vers le camion, le visage fiévreux car quelque chose en elle basculait vers la transgression, et Dieu sait ce qui se serait passé avec ce corps excité qu'elle avait soudain, disposé à tous les abandons, si la scène devant elle n'avait pas existé, si Gilles au fond n'avait pas été Gilles.

À deux mètres du camion, elle avait vu le dos de Gilles bouger avec énergie, se ployer et se relever dans les arbustes en s'aidant de grands *han!* de bûcheron, comme s'il débitait un arbre tombé... Puis elle avait entendu les autres sons au milieu des siens virils, des couinements, des grognements et des râles qui ponctuaient le mouvement de Gilles, le mouvement de sa hache se levant et s'abattant.

C'était un petit renard pris dans un piège de métal, ou plutôt des restes ensanglantés de petit renard sur lesquels s'acharnait la hache, et ne restait plus guère que la queue touffue pour attester de l'identité passée de ce qui gisait là pris au piège, et puis même ça disparut d'un coup incisif. Gilles trancha la queue et la brandit en pleine lumière comme un trophée soyeux, et c'est alors qu'il vit que Lila était derrière lui.

L'ombre d'une honte passa dans son regard, mais sa vraie nature reprit vite ses droits et il se tint debout et frondeur face à Lila, ennuyé profondément mais pas au point d'être démonté. Il parla le premier.

— Il attaquait tes chats, dit-il. Un vrai démon, je l'ai surpris en train d'attaquer ton chat gris...

Il s'essuya machinalement la main sur son pantalon. Il laissa tomber la hache à ses pieds. Il était couvert de taches de sang. Lila continuait de le regarder sans mot dire. Il balança un moment la queue entre ses doigts.

— Je vais la nettoyer et t'en faire un foulard, un beau foulard pour toi, ma belle...

Elle s'éloigna lentement, sans le quitter des yeux.

Elle s'arrêta près du camion, aperçut la carabine dans le coffre, jetée sur une bâche de toile. Elle déplaça la carabine, souleva la bâche : elle reconnut un lièvre, et peut-être même un raton laveur, parmi la pile de poils et de plumes ensanglantés, mais elle arrêta de regarder.

— Eux aussi, ils attaquaient mes chats ? dit-elle avec un filet de voix.

Il savait qu'il ne servait à rien de répondre et de se défendre, qu'il venait de perdre ses chances avec elle, toutes ses chances. Tant pis, c'était comme ça, on joue pour gagner mais parfois on perd, et il n'y a pas de quoi en faire un plat. Lila, par contre, cherchait son souffle, atterrée.

— Pourquoi tu fais ça, Gilles ?... Pourquoi ?

Il haussa les épaules. Quelle idée d'aller se fourrer le nez dans la forêt profonde, le territoire des hommes ? Comment lui faire comprendre ce qu'est un homme, un homme véritable, violent et libre tel qu'il se doit ?

— C'est juste des animaux. C'est la chasse. C'est eux autres ou nous autres.

— Une hache, Gilles !... C'est pas de la chasse !... c'est du carnage !

De nouveau, il balaya le blâme d'un geste désinvolte.

— Le renard, c'est un vicieux. Avec des vicieux, faut que tu sois vicieux.

Il fit un pas vers elle. Elle en fit deux derrière.

— Tu connais pas la nature. Moi je fais partie de la nature, pis je suis comme ça. C'est-tu de ma faute si je suis un homme ?

— Je ne veux plus jamais te voir sur mon terrain.

— Voyons donc, ma belle.

— Je veux plus te voir.

Il eut beau lui décocher son regard le plus bleu et le plus enjôleur, il rencontra un mur, et alors son regard à lui se durcit aussi puisqu'il n'avait plus rien à perdre. Il laissa tomber la queue de renard misérable aux pieds de Lila, il ramassa sa hache et monta dans son pick-up en sifflotant. Elle ne bougea pas quand le pick-up menaça de reculer sur elle. Elle se sentait flouée et dégoûtée mais étrangement forte, comme une veuve qui vient d'enterrer son deuil.

Bien entendu, elle continua d'entendre ses coups de feu à répétition, de trouver ses filets dans la frayère à truites, de découvrir des restes d'ours éventré. Il s'arrangeait pour qu'elle ne le prenne jamais sur le fait, c'était sa seule concession. Mais jamais il n'abdiquerait ses droits de tuer sur un territoire qu'il considérait comme sien puisqu'il l'avait marqué de sang — et bien sûr d'urine.

Il n'y aurait finalement que la mort pour en venir à bout. Un orignal ferait le kamikaze sur la route 117, à la place de Lila.

En plein dans le pare-brise un orignal d'une demi-tonne, ça pardonne pas...

Un vent tiède chargé d'un début de bruine venait de se lever, et Lila se décida à rentrer puisque l'impasse était partout. Ce n'était pas vrai que la mort était venue à bout de Gilles. Il s'était réintroduit dans ses rhizomes destructeurs, il continuait de sourire par la bouche molle de son fils, *Appelez-moi Jeff*, au-delà des années il l'avait bien eue.

... le lac Szach, ça serait vraiment original et puis ça vous rendrait hommage, madame Szach...

Roulée dans la farine, la madame Szach, dupée par cette fanfaronnade comme une jouvencelle, et même franchement crétine, recevant Jean-François Clémont chez elle aux petits soins et à la vodka afin qu'il fasse semblant de mettre cartes sur table. *C'est moi, le million de dollars. Chus prêt à vous acheter n'importe quand, madame Szach, on s'entendrait très bien, j'aime tellement ça, ici...*

Même quand elle lui avait réitéré son refus clair et net, il avait continué ses sourires et ses salamalecs, *Tant pis, on sera pas pires amis*, avait-il conclu en ne la regardant pas en face, mais déjà il fourbissait ses armes, ravi de l'aubaine dans son for intérieur puisqu'il arriverait à ses fins pour la moitié moins cher.

... j'en ai parlé à la MRC des Laurentides et au maire de Mont-Diamant que je connais personnellement...

Elle se battrait. Quoi d'autre? Le repos viendrait dans une vie ultérieure. Comment avait-elle pu penser que le gros de l'adversité était derrière elle, que ses années ultimes se dérouleraient sans combat, dans une quiétude végétative?

Dans le salon chez elle, Lila se rappela soudain qu'elle n'était pas seule. En plus des chats et des fantômes il y avait en principe un petit garçon dont elle avait complètement oublié l'existence et qui, la dernière fois qu'elle l'avait vu, feuilletait de vieux atlas couché sur son tapis.

Jérémie dormait dans le lit qu'elle lui avait assigné à l'étage. Pelotonné sur le côté, le visage offert, le souffle si calme qu'elle s'assit à ses côtés pour être atteinte par un peu de sa légèreté. Elle monta le drap sur ses épaules, mais c'est sa fragilité plutôt qui se communiqua à elle, et immobile près de lui, elle eut envie de pleurer sur lui et sur elle, sur toutes les pertes à venir. Mais il bougea dans son sommeil, et il émit un roucoulement joyeux.

Madame Szach, c'est quoi, votre nom de sorcière?

C'est ce qu'il lui avait demandé, assis par terre à feuilleter les vieux atlas. Il la surveillait du coin de l'œil tandis qu'assise plus loin elle dépouillait son courrier. La question l'avait saisie, mais pas longtemps, puisque rien n'était plus désarçonnant que les interventions de ce Petit.

— Mon nom de sorcière... avait-elle temporisé.

Que diable lui répondre pour ne pas le décevoir?

— Essaie de deviner.

Il s'était replongé dans les atlas, mais n'avait pas senti le besoin de réfléchir longtemps.

— SS, avait-il hasardé.

Elle avait dû blêmir, ou fortement se troubler, car il avait piqué le nez dans les livres avec une mine effarouchée.

SS. Oui, ça lui convenait parfaitement puisqu'il faut bien appeler un chat un chat, et qu'il ne servait à rien de faire semblant qu'elle n'était la fille de personne et de nulle part. Jerczy Szach, son père, et cher petit Markus avaient montré un instant leurs visages poignants. Et Lila s'était mise à regarder Jérémie de travers. D'abord Jan, maintenant *Tata* Jerczy et Markus. De quel droit faisait-il ainsi lever ses fantômes ?

— C'est exactement ça, avait-elle dit avec mauvaise humeur.

Et puis elle avait eu un rire subit qui avait fait se relever le visage penaud de Jérémie.

— Sorcière, hein ?

Depuis le temps qu'elle se trouvait suspecte elle-même d'être si souvent en guerre et de préférer la fréquentation des bolets et des mouffettes à celle des humains. Sorcière. *C'est donc ainsi que ça s'appelle*, s'était-elle dit, toujours hilare, en décachetant la drôle d'enveloppe qui émanait de la municipalité.

Elle dut s'endormir, une fois redescendue de la chambre du Petit. Le sommeil la prit par surprise dans son fauteuil, lui ménageant une clairière au milieu de ses angoisses. Quand elle ouvrit les yeux, il faisait jour.

Quelque chose était changé. Les chats ne se roulaient pas à ses pieds pour lui soutirer de la nourriture. En montant à l'étage, elle constata que le Petit les avait fait sortir et qu'il était sorti lui-même. Elle prépara des crêpes, aligna sur la table ses confitures les plus alléchantes, et elle l'attendit. Le temps passa lentement, les trois chats revinrent, mais Jérémie ne revint pas.

Le lac des Sauges

Personne ou presque ne connaissait le lac des Sauges. Il n'était accessible que par le lac Campeau, et même par le lac Campeau il fallait affronter un marécage et un portage de quinze minutes sur un sol cotonné de rochers pour s'y rendre. Et une fois là, rien de spectaculaire ne vous accueillait : des conifères disposés en cercle autour d'une eau noire, moins poissonneuse qu'ailleurs, et qui demandait en prime qu'on y rame à la main comme dans les temps préhistoriques.

Aucune habitation permise, aucun terrain privé, pas une âme civilisée. Le lac des Sauges appartenait au cheptel des parcs provinciaux ouverts au pêcheur et au chasseur, et au contemplatif attentif.

Les chasseurs et les pêcheurs l'avaient vite déserté pour cause d'insignifiance, et les contemplatifs attentifs ne couraient pas les rives du lac Campeau.

Ce qui laissait toute la place à Simon.

De chez lui, émerger du lac à l'Oie par le chenal et traverser de part en part le lac Campeau, en incluant le portage et le diamètre du lac des Sauges à pagayer jusqu'au Site, il devait compter trois heures, quand le vent ne se levait pas. Trois heures sportives qui lui mettaient le dos à mal mais qui à la fin remboursaient royalement chacune des parcelles de douleur et de fatigue consenties.

Car le lac des Sauges n'était pas rond comme il l'apparaissait à première vue. Une vaste échancrure invisible s'ouvrait dans sa partie orientale, et au fond de cette échancrure le Site gisait comme un trésor.

Le Site avait gardé la mémoire de la formation des planètes. C'était un promontoire fait de violence et de roche, il donnait encore à voir le passage hurlant d'un astéroïde, d'un débris d'étoile ayant raviné la peau tendre de la jeune Terre avant de s'échouer à bout de force dans son trou monstrueux. On voyait encore comment l'eau s'en était ensuite mêlée, comment elle avait comblé le trou, poli les arêtes, saupoudré du sable dans les fondements et humidifié assez pour que la vie se mette à coloniser l'extraterrestre.

Quand on débouchait dans l'échancrure du lac des Sauges, c'est la vie du Site qu'on apercevait sous forme de pins gigantesques, des pins blancs qui sur bien peu de sol parvenaient à se dresser comme des cathédrales. Plus on s'avançait sur l'eau, plus la liste des richesses entrevues s'allongeait : des sculptures tordues dans les parois du promontoire, des étages de rochers plats pour s'étendre, des escaliers naturels moutonnant jusqu'à de minuscules plages de galets. Et parvenu là-haut, c'était toute une affaire, on se trouvait seul au monde sur une presqu'île réchappée du big bang, embaumant la garrigue et la Méditerranée et s'ouvrant à 360 degrés sur le large. On dormait un peu en retrait de la beauté surexcitante, dans le sous-bois de pins dont le sol mou d'aiguilles semblait conçu expressément pour la tente.

Quand Simon avait découvert le Site, douze étés auparavant, il en avait été presque assommé.

Pourtant, en raison de sa colonne vertébrale mal portante, il n'y était pas revenu souvent. Quelques fois seul, et la griserie ne s'était pas démentie, et une unique fois en compagnie de Marianne, alors qu'il avait plu des cordes et venté si fort qu'ils avaient mis quatre heures pour revenir en manquant de chavirer trois fois.

Marianne avait trouvé que c'était bien du travail pour contempler des paysages.

Le Site, à vrai dire, n'était pas fait pour les relations quotidiennes. Il appelait de l'extraordinaire, du dépassement, une capacité d'extase. Lila aurait eu la folie qu'il faut et Simon aurait voulu lui présenter le Site, dans le temps. Mais Lila connaissait son territoire, et l'eau n'en faisait pas partie. Puis le temps avait passé, le temps de Lila.

Maintenant, quelqu'un était avec Simon sur le promontoire magique, et c'était quelqu'un de complètement approprié.

Violette avait commencé par courir et crier d'excitation d'un bout à l'autre du rocher, et puis elle s'était immobilisée face au lac, les deux mains dans le visage. Quand Simon s'était approché d'elle, il avait cru qu'elle pleurait. Elle riait avec un bruit de sanglots, en panne d'expression à la hauteur.

— Oh, Simon ! avait-elle réussi à hoqueter.

Il faisait sec et chaud, le ciel était d'un bleu compact, l'eau serait tiède pour nager, et cette nuit, les perséides leur tomberaient toutes sur la tête comme des pièces d'argent.

— Attends de voir, jubilait Simon.

C'est ce qu'il n'arrêtait pas de répéter, même si tout était déjà parfait, imperfectible.

Elle avait travaillé fort, la petite Violette. Elle n'avait jamais avironné auparavant, elle savait à peine nager, et le soleil n'était pas bon pour elle. Pas une plainte n'avait franchi ses lèvres tandis qu'elle refusait les pauses suggérées par Simon, qu'elle s'emparait du gros sac à dos dans le portage, pas un soupir. Une costaude, la petite Violette, avec il est vrai bien des occasions dans sa vie antérieure pour lui affûter le courage. Elle n'avait jamais campé dans la nature ni dormi ailleurs que dans un lit de maison, elle ne contenait plus son enthousiasme.

— C'est à quelle heure, les étoiles filantes ? demandait-elle avec une voix de petite fille.

En ce moment, c'est bien à une fillette qu'il avait l'impression d'offrir un cadeau inestimable, à une petite Jeanne plus aventurière que la sienne et plus aguerrie mais surtout moins désabusée, à une fillette au corps trompeur de femme qui devait mettre les bouchées doubles pour rattraper le plaisir perdu.

Néanmoins, il s'était senti tenu de téléphoner à Marianne avant de partir, même si c'était absurde, tenu de lui demander en quelque sorte la permission.

Tu comprends, le lac des Sauges est une telle splendeur avec les perséides en plus, elle qui a jamais vu d'étoiles filantes...

Marianne avait ri au bout du fil. Il avait cru détecter dans son rire ce grincement moqueur qu'elle y mettait parfois quand il était question de Violette, et une irritation sourde avait levé en lui. *Mais, Simon,* disait pourtant Marianne de sa voix paisible, *pourquoi tu me demandes ça? Vas-y donc!... Ça va te faire tellement de bien!...* Elle s'était tout de suite reprise devant le silence de Simon qu'elle connaissait par cœur : *À elle surtout, bien sûr, ça va faire du bien!... Ce bien-là vaut beaucoup plus que toutes les petites objections mesquines que je pourrais avoir... tu ne penses pas?...*

Chère Marianne. En trente-quatre ans de vie commune, il pouvait compter sur les doigts d'une main les occasions qu'elle lui avait données de se quereller avec elle — et encore, de se quereller *réellement*? Aucune. Jamais.

Qu'est-ce que tu fais de Jérémie? avait-elle cependant ajouté. Et elle avait ri pour de vrai, un bon rire de complicité cordiale quand il avait été question de Lila.

Lila va garder Jérémie?... Pauvre petit gars!...

Ils avaient ri ensemble, de Lila plus majordome que maternelle, puis il l'avait écoutée déplorer sans s'appesantir les urgences de l'hôpital qui l'accaparaient, et puis il avait raccroché, l'esprit presque net. Presque, car il ne pouvait oublier qu'il venait de manquer de probité envers Lila, même en blague, même sous le prétexte de préserver l'harmonie matrimoniale.

Dieu qu'il était difficile de rester droit et juste envers tous en toutes circonstances.

Ils avaient monté la tente dans le sous-bois de pins. Violette l'avait observé quelques minutes pendant qu'il commençait à assembler les tubulures, puis elle s'était jointe à lui et avait répété ses gestes avec plus de rapidité que lui. Il faut dire que c'était une vieille petite tente facile à décoder, sans fioritures zippées ou technologiques et sans double toit, un modèle qui avait un long passé mais pas d'avenir et un degré zéro d'imperméabilité — même la rosée la trempait en profondeur. Mais Simon avait passé là des nuits magnifiques, quelques rares fois en compagnie de Marianne, souvent en compagnie de Jeanne et de Loïc, du temps où il était leur fomentateur d'aventures, leur héros. Un adulte et deux enfants y dormaient serrés. Deux adultes, fatalement dans les bras l'un de l'autre. Aussi la tente était-elle pour Violette.

— Moi, je vais coucher près du feu, aux premières loges pour arrêter tes cauchemars avant qu'ils rentrent dans la tente.

— Ah non, avait-elle protesté. Si tu dors dehors, moi aussi.

Comment concevoir qu'à un moment ou l'autre il faudrait dormir? Pour l'heure, les flèches du soleil allumaient de l'effervescence partout, l'eau autour du promontoire s'en trouvait dorée comme une vaste tartine de miel sur laquelle patinaient les *Gerridæ* en formations désordonnées. Petites autos tamponneuses hydrauliques, ils bondissaient les uns par-dessus les autres pour s'éviter. Au-dessus de ces minuscules patineurs, des colonies de mouches blanches montaient et descendaient dans la lumière, quand elles n'étaient pas happées par un achigan surgissant hors de l'eau ou par des libellules que ce supermarché de viandes en plein air affolait. Simon se glissa dans l'eau au ralenti, pour ne pas effaroucher Violette qui l'observait de loin. Elle avait enlevé sa robe, et sous sa robe elle avait un joli maillot de bain bleu ciel qui côtoyait avec grâce le blanc nuageux de sa peau. Elle ne souhaitait pas le mouiller. *Moi, Simon, au-dessus de la taille, je ne peux pas, j'étouffe.*

Il n'avait rien dit, mais avant la fin du jour il lui apprendrait à être bien dans l'eau.

Il fallait commencer par donner l'exemple, montrer à quel point ce territoire était hospitalier.

L'eau portait. Peu importe notre gravité de plomb, l'eau nous portait et nous soulageait de la nécessité de tenir ferme et de nous crisper. L'eau nous rendait notre joie perdue, car il était clair que flotter était arrivé dans notre vie bien avant les autres actions compliquées et harassantes, flotter était ce qu'on avait laissé de plus précieux en débarquant sur terre. (Pour nous en convaincre, il suffisait de revoir les astronautes ayant papillonné dans l'espace et atterrissant abasourdis et changés, de penser aux nouveau-nés de partout hurlant unanimement leur détresse d'être arrachés à leur bassin d'apesanteur.)

L'eau nous faisait don de sa légèreté, voilà la première chose qu'il lui montrerait.

Et puis l'eau était une passerelle.

Surtout quand elle était un peu froide, comme maintenant. L'eau un peu froide saisissait, rappelait le travail à faire, le travail de s'abandonner. Simon plongea en surface, nageota à droite et à gauche pour jouer, puis il oublia que quelqu'un le regardait et qu'il était en démonstration. Abandonné, il flottait sur la passerelle et le moment d'après il avait rejoint l'autre monde ou plutôt l'autre façon de voir le monde, ses propres contours effacés, ni seul ni séparé du reste, plus de Simon plus d'eau ni air poisson algue patineur pied battement de cœur. Qui nageait? Qui respirait? Pendant un moment il appartenait au grand corps triomphant irradié d'incessantes transformations, dépourvu d'aspérité assez durable pour y loger des pensées et encore moins des souffrances.

Puis le moment passa et il émergea sur le rocher, un sourire paisible sur le visage. Violette qui s'était approchée le regardait avec envie.

— Chanceux, dit-elle.

Cela, non, ça ne pouvait pas se communiquer, ça viendrait un jour quand elle serait seule et plus dégagée, ça faisait partie de ces expériences aléatoires qui ne se révèlent qu'à un être à la fois, complètement disponible. Mais entrer dans l'eau et s'y sentir léger, il pouvait tout de suite. Elle pouvait.

— Viens ici, lui ordonna-t-il.

Il y avait dans une des parois du promontoire une cuvette d'eau claire, chaude d'avoir été enfermée dans le rocher chaud, si franche qu'elle laissait voir tous les détails de son fond doré et des pieds qui s'y engageaient. Ici, Simon se disait qu'on ne pouvait plus avoir peur de l'eau. Ou alors, pour continuer d'avoir peur, on était obligé de chercher ailleurs et de harponner les vraies raisons, les vraies ennemies. Ici, l'eau était tout à fait innocentée, rien ne pouvait être retenu contre elle.

Il s'y installa le premier. Violette le suivit sans problème, se laissa glisser jusqu'à la taille, mais resta figée là et se mit à rire trop fort, comme avec son frère Christophe.

— Non, dit-elle.

Au cours de son ancienne carrière d'éducateur physique, il avait souvent fait ce qu'il était en train de faire en ce moment, regardé dans les yeux un jeune aux prises avec une phobie aquatique pour qu'il y lâche sa peur et la travestisse en jeu, et il descendait en souriant sous l'eau et remontait pour parler, *Regarde, je fais des bulles, regarde les belles bulles, la tête dedans la tête dehors, comme c'est facile, tiède à la surface même pas froid en dessous, comme c'est facile c'est plaisant, regarde, fais comme moi, hop dedans, hop dehors...*

Elle s'enfonça dans l'eau d'un coup sec, violemment, comme un châtiment qu'elle s'infligeait, mais elle ne tint pas une seconde et se redressa paniqué. Elle criait, elle donna des coups de poing à Simon qui tentait de l'apaiser, *Non ! je peux pas ! Il me mettait la tête dans la pisse !... tu comprends pas !? Il me tenait de force la tête dedans !...*

Elle y était finalement retournée, dans sa mare aux horreurs, pour la première fois depuis leur départ du lac à l'Oie, ce qui était une nette amélioration par rapport aux jours précédents où ils commençaient fatalement par patauger là — mais même cette unique fois d'aujourd'hui était une fois de trop.

— C'est fini, lui dit Simon avec la fermeté de l'évidence, tu vois bien que c'est fini, on est ici ensemble et l'eau est douce et belle, reviens ici avec moi.

Il la tint sous les poignets pour qu'elle puisse se déprendre facilement si le contact lui était désagréable, *Aie confiance,* lui dit-il, *aie confiance aie confiance,* et il la sentit se ramollir toute et laisser tomber quelque chose de lourd. Ses yeux verts dans les siens à lui, ils descendirent lentement dans l'eau ensemble, y restèrent une seconde entière pendant laquelle Violette, qui lui avait saisi les mains, les serrait avec force, et puis les yeux toujours ouverts l'un sur l'autre ils remontèrent à la surface.

C'était une grande victoire.

Elle-même n'en revenait pas et sentit aussitôt le besoin de vérifier que ça avait bel et bien eu lieu, *Encore!* dit-elle, et de nouveau ils se coulèrent dans l'eau les yeux et les mains agrippés, et ils y restèrent cette fois deux secondes. Après la quatrième fois et alors qu'elle en redemandait en cherchant son souffle, il décréta en riant que c'était assez et qu'il était maintenant l'heure de lui remettre sa médaille d'or.

Plus tard il se souviendrait de ce moment précis où le glissement s'était produit, c'était la deuxième fois en sortant de l'eau quand ses yeux verts avaient changé de couleur, ses yeux verts dans le creux des siens qui riaient avaient pris un éclat neuf et tendre quand ils s'étaient redressés, et il avait mis ça sur le compte de sa victoire.

Ils se vêtirent plus chaudement, lui le dos tourné, elle barricadée en toute pudeur dans la tente, et il alluma un feu dans l'âtre déjà aménagé entre les rochers. Il avait apporté de quoi faire modeste bombance — des crevettes embrochées à griller sur le feu, une salade de couscous qui se mangeait froide, et elle sortit de son sac avec des rires triomphants une bouteille de champagne — la dernière de la série offerte par son frère. Finalement, Dieu qu'elle avait bien fait de s'alourdir de cette bouteille malgré les admonestations de Simon pour qu'elle voyage léger, y aurait-il jamais une meilleure raison de célébrer qu'aujourd'hui où, non content de l'emmener au ciel, il terrassait sa peur de l'eau? *C'est toi qui as fait tout le travail,* la reprit Simon, mais il convint avec elle que les raisons de célébrer étaient indéniables — même si le champagne tiède était tout ce qu'il lui fallait pour attraper un solide mal de bloc, ce qu'il ne dit surtout pas. Il choqua le verre en plastique plus rempli de mousse que de liquide contre le sien, en mettant sur le compte de la joie et du champagne ce scintillement installé à demeure dans les yeux de Violette, comme une nouvelle façon de le regarder.

Et puis il parla beaucoup, pendant qu'il grillait les brochettes, pendant qu'il nourrissait le feu, pendant qu'il mangeait et buvait, et plus tard il se souviendrait à quel point en parlant il luttait contre l'évidence qu'un glissement irrésistible allait sapant le sol sous ses pieds, et puis ils s'assirent côte à côte sur la crête du rocher, avec entre eux le reste de la bouteille qu'ils buvaient maintenant à même le goulot, dans un commun mouvement de révolte contre le plastique des verres décidément trop minable.

Sibon, tu ne sais pas à quel point tu me fais du bien.

Sibon, t'es la personne avec laquelle je me sens le mieux.

Chaque fois qu'elle lui lançait des phrases comme celles-là, il les déconstruisait aussitôt à la blague — *J'espère que je te fais du bien, sinon à quoi ça servirait de fréquenter les autres? En ce moment je suis sûrement la meilleure compagnie possible puisque la concurrence est pas forte* —, jusqu'à ce qu'elle se fâche presque et lui laboure l'épaule de tapes irritées pour le faire taire. Et alors, la camaraderie bourrue installée de nouveau entre eux, il respira plus à l'aise sans savoir exactement à quoi il voulait échapper.

Ils entendirent un huard et bientôt le virent passer devant eux, *Tiens, il nous a suivis,* dit Violette, et Simon lui expliqua que ce n'était pas *leur* huard, que chaque lac hébergeait son couple de huards, et il lui apprit aussi que les lueurs fugitives entrevues sur le sol n'étaient plus des lucioles mais des vers luisants, car le temps des lucioles était passé, comme celui des fraises et des chants d'amour des rainettes.

— Tais-toi donc, dit Violette en souriant. Ça te tenterait pas une minute d'arrêter de parler et de te détendre un peu?

Ils étaient toujours côte à côte, la bouteille de champagne maintenant vide repoussée plus loin. Le crépuscule venait de chuter sur eux sans qu'ils s'en aperçoivent.

— Un-zéro, grogna Simon, et il fit semblant de garder un silence offusqué.

Alors elle déposa sa tête sur les genoux de Simon, en un geste naturel qui demandait qu'il pose à son tour la main sur son épaule et la lui masse spontanément, comme il le faisait avec Jeanne quand petite elle s'installait sans façon à califourchon sur lui et n'avait pas peur de l'aimer. Violette se laissa masser un moment en soupirant d'aise, puis elle se tourna et le regarda dans les yeux, de sa nouvelle manière qui n'était pas celle d'une petite fille. *Embrasse-moi, Simon,* dit-elle.

Ça ne le surprit pas vraiment, mais il reçut quand même cela comme une espèce de catastrophe. Doucement, il la redressa.

— Violette, t'es pas obligée de faire ça.

— Ben non, je suis pas obligée.

Elle avait pris sa main et la gardait, tout en le défiant du regard avec gaieté.

— Je sais que t'as envie de me faire plaisir, dit Simon. C'est pas nécessaire.

Il lui tapota la main avant de retirer la sienne, un simulacre de caresse pour tenter de remettre les choses au neutre.

— C'est à moi que ça ferait plaisir, dit-elle.

— Allons donc, dit Simon. Une belle fille comme toi.

— Quoi, une belle fille comme moi ?

— T'as toute la vie devant toi, Violette.

— Qu'est-ce que ça a à voir ?

— Tu vas rencontrer un beau jeune homme.

— J'espère bien, dit Violette avec bonne humeur. Et alors ?

Elle poussa tout à coup un cri de ravissement, car elle venait d'apercevoir une étoile filante du coin de l'œil. Simon en profita pour aller raviver le feu et ramener les sacs de couchage en guise de couvertures, et puis il se mit en position pour scruter confortablement le ciel à quelque distance d'elle. Une partie de lui, la forte et la prédominante, était convaincue d'avoir maté pour de bon l'intermède trouble entre eux. L'autre partie s'agitait en silence.

Finalement, le véritable spectacle était celui de cette vaste draperie noire sur laquelle flambaient fixement les vraies étoiles, en si grand nombre que ça écrasait de stupeur et de recueillement. De temps à autre, une balafre brillante venait traverser la soie noire et leur arracher — parfois en même temps — un bref son de triomphe. Mais l'heure était plus au silence qu'aux exclamations car les étoiles filantes, toutes perséides qu'elles soient, se faisaient discrètes comparées aux autres, zébrant le ciel une à la minute, à des années-lumière de la pluie diluvienne qu'aimait inventer chaque année la mémoire de Simon. *Pourquoi y a des étoiles immobiles et d'autres filantes ?* chuchota la voix rêveuse de Violette, et Simon fut sur le point de dévoiler la nature frauduleuse des étoiles filantes — ridicules petits cailloux pris en feu dans l'atmosphère —, mais il stoppa à temps ce prêche étriqué qui réduirait la beauté en miettes et il se tut, s'invectivant dans son for intérieur *(Curé, va!)*.

Plusieurs étoiles filantes plus tard, la voix de Violette émergea de nouveau du recueillement, arrachant Simon à son début de sommeil :

— Je fais un souhait chaque fois que j'en vois une. Toi?

— Mm? Non.

— Veux-tu connaître mon souhait?

Même engourdie, la partie de Simon qui n'avait pas cessé d'être consciente du glissement reconnut instantanément la nuance tendre, la couleur du miel qui s'insinuait en lui.

— Si tu le dis à voix haute, ton souhait se réalisera pas, dit-il, complètement éveillé.

Il garda les yeux ouverts, et s'aperçut que des effilochures de nuages envahissaient le ciel.

— J'ai un peu froid, dit Violette.

— Allons près du feu, dit Simon.

Il resta longtemps debout à construire dans l'âtre des édifices de bois sec que le feu avalait en grondant, et puis il s'assit. Sans réfléchir, ou plutôt sans se censurer, il s'assit sur le même tronc d'arbre que Violette. Elle était toute ramassée sur elle-même, comme une libellule dorée à laquelle le sac de couchage faisait un cocon. Elle regardait le feu avec des yeux éblouis.

— Tout ça, soupira-t-elle. Tout est beau. As-tu vu comme le feu change de corps constamment?

— C'est vrai.

— Il faut que je te remercie, Simon. C'est très important pour moi que je te remercie.

Il sentit qu'il était temps de lui parler pour de vrai. Pourquoi ne pouvait-il pas lui dire qu'il l'aimait, tout simplement ? C'était la seule chose qui lui venait, la plus juste, il l'aimait mais il ne savait pas de quelle manière il l'aimait, comme une petite fille qui aurait pu être la sœur de Jeanne, comme une femme à la beauté troublante, comme une maltraitée dont il fallait panser les plaies. Il aimait son ardeur, sa beauté, sa jeunesse, son courage, même ses blessures. Il aimait vraiment se trouver en sa présence, au point qu'il cherchait sans arrêt les occasions de se trouver en sa présence. C'est tout ce qu'il pouvait en dire. Ça semblait amplement suffisant.

Il avait peur que ça change entre eux, que ça change fatalement pour le mieux.

— Juste que tu sois ici avec moi, je suis heureux, dit-il brusquement. Que tu sois assise à côté de moi, c'est parfait, je suis heureux, c'est déjà comme si tu me disais merci.

Elle le regarda avec un long sourire tendre, cette fois, qui ne mettait pas de gants pour éviter d'intimider.

— C'est pas assez, dit-elle tout bas.

Il y avait trente centimètres entre leurs deux corps. Elle les abolit.

— C'est tout ce que j'ai à offrir, dit-elle en se collant contre Simon. C'est mon plus beau cadeau. Accepte-le, s'il te plaît.

Et comme si elle lisait dans ses pensées, elle lui chuchota à l'oreille :

— J'ai vingt-huit ans, Simon. Arrête de ne pas voir que je suis une femme. On a le droit. T'as le droit.

Elle l'embrassait dans l'oreille, et il riait, titillé par l'humour de la situation — un homme quelconque et vieillissant se voit offrir une beauté capiteuse, et le voilà qui tergiverse et fait le difficile… —, il la trouvait délicieuse dans sa façon de parler d'elle comme d'une offrande, il aimait ses petits doigts froids qui s'infiltraient sous sa veste, il luttait sans trop y croire pour ne pas fondre tout de suite. Pourquoi justement ne pas fondre tout de suite ? À quoi servaient ces mines effarouchées et ces hypocrisies ?

C'était l'Autre. En ce moment, il n'arrivait pas à se débarrasser de l'Autre, le Fou de son âge et de son gabarit, son double névrotique qui s'était déjà abondamment servi avec Violette, la petite Violette, il n'arrivait pas à faire abstraction de la petite Violette. Comment être sûr qu'en s'engageant dans ce sentier troublant il ne poursuivait pas les volontés du Fou, le travail de sape du Fou ? Comment être sûr que c'était vraiment ce qu'elle désirait, dans sa liberté de femme, que ce n'était pas un traumatisme tordu qui continuait à s'exprimer en elle ?

— À moins que je te dégoûte, dit-elle tout à coup en amorçant un repli, je te dégoûte parce que j'ai juste un sein. C'est ça ?

— Es-tu folle ?

Il fut si navré de l'entendre qu'il la serra contre lui,

T'es magnifique, magnifique, ne pouvait-il que répéter, et ce fut fait, tout glissa à jamais, il était embrasé, la femme qui l'embrasait avait par moments le visage de Lila, une jeune Lila qui n'aurait pas été effarouchée sans cesse et surie par la méfiance, et par moments le visage bouleversant d'une inconnue qu'il allait connaître et qui consentait à le laisser toucher une fois de plus le mystère grandiose de la féminité.

Et même plus tard dans la tente, quand il se rappela qu'il s'agissait bien de la Violette jadis malmenée qui était dans ses bras, tout était déjà si bon qu'il eut l'impression qu'il pouvait encore réparer, par des gestes tangibles cette fois, qu'il pouvait effacer les traces de l'Autre et semer un souvenir de douceur sur ses cicatrices.

Pendant ce temps, les effilochures de nuages qui avaient gagné le ciel étaient en fait des aurores boréales, et jusqu'aux petites heures du matin elles allumèrent partout des déflagrations colorées dont ils ne virent rien.

Dans le canot qui les éloignait du lac des Sauges le lendemain, Simon ne pouvait détacher ses yeux du dos de Violette, de sa cambrure des reins ondoyant à chaque coup de rame comme une vague du lac rempli de promesses de fraîcheur. Il était encore sous le choc, encore assommé de ravissement. Il n'avait jamais rencontré de sensualité comme la sienne, coulante et mûre au point d'en faire perdre tout sentiment de solidité. Elle connaissait tellement bien son corps que cette connaissance lui ouvrait grand le corps des autres. Il n'avait jamais été touché de cette façon. Jamais été aussi bien reçu, surtout.

Il était incapable d'arrêter de la regarder. De temps à autre, souvent à un moment culminant de ses pensées, Violette se tournait vers lui pour lui sourire. Il était harassé certainement au fond de lui, mais il continuait d'être porté par ce gisement d'énergie formé du sourire et du dos de Violette, et de mille images mentales saisissantes la concernant. Elle avait réussi. Elle avait transfiguré les expériences infernales en ce savoir voluptueux qui donnait du plaisir à son pauvre corps qui en avait été privé, et en donnait aux autres en prime. Alchimiste et magicienne, ravissante petite ensorceleuse. Elle se tourna de nouveau pour lui abandonner un sourire vaillant. Elle aussi était épuisée, et il eut beau lui ordonner plusieurs fois de se laisser emporter sans ramer, elle refusa net et faillit se fâcher.

Arrivés au lac Campeau, la transition fut brutale, c'était l'heure de pointe des motomarines et des grosses cylindrées traînant à leur remorque dans des tripes de caoutchouc coloré des charges d'enfants ou d'adultes qui ne grandiront jamais, c'était le sport national des lacs du Nord l'été à une heure de l'après-midi, et Violette et Simon, abasourdis, se faufilèrent comme des têtards entre les sillages des monstres vrombissants.

Ils en rirent un bon coup, une fois ralentis dans le chenal et réchappés du danger. Pouvait-on imaginer atterrissage plus diabolique que ce chaos de bruit et de fureur les cueillant à la sortie du paradis? Maintenant, ils retrouvaient un semblant de vraie nature, pas totalement sauvage puisque déformée par quelques humains paisibles flanqués de leurs habitats discrets, mais ce désordre était le leur et ils se laissèrent dériver sans hâte aux abords du lac à l'Oie.

Ce n'était pas fini. Simon savait qu'il allait réintégrer sa vie sans heurts, et elle la sienne, mais un nouvel espace luxuriant avait été créé qui ne les englobait qu'eux seuls, et tôt ou tard il semblait impossible qu'ils ne le revisitent pas. Il savait déjà quelle texture avait le goût de recommencer, il faudrait le tenir à distance. On ne dilapide pas les trésors, on ne réclame pas ce qui nous a été donné. Il attendrait que ça vienne d'elle. Peut-être que ça ne viendrait jamais.

Il contemplait la découpe délicate de sa tête, la ligne ondoyante de son corps, et il se répétait que ça ne reviendrait peut-être pas et qu'une fois était suffisante, après tout, une fois féerique comme celle-là pouvait le garder comblé à jamais. Elle choisit ce moment-là pour le darder de son regard limpide, et le souffle lui manqua à l'idée qu'elle en aurait envie, elle, qu'elle serait celle qui les attire encore et encore sur leur planète commune, et alors il ne pourrait pas résister à la révolution totale.

— Regarde! dit tout à coup Violette.

Elle pointait la rame vers sa petite maison de rondins, lilliputienne dans la flaque de soleil.

— Il y a quelqu'un sur mon patio!

Simon distinguait à peine la maison de la rive,

tandis que Violette semblait arracher de plus en plus de détails à la scène.

— C'est madame Szach ! déclara-t-elle.

Lila. Un malaise, comme une vapeur de culpabilité, voulut submerger Simon, mais il le chassa car il ne s'était jamais senti aussi juste que maintenant, et il rama plus vite à la rencontre du problème. Il fallait qu'il y ait un problème, puisque Lila s'était donné la peine de les attendre sur le territoire de Violette. À moins qu'elle ne soit en proie à une crise insurmontable de jalousie — ce qui était aussi un problème.

Lila avait sa tête tourmentée des très mauvais jours. Elle ne jeta pas un regard à Violette, toute tendue vers le moment où Simon parviendrait à s'extraire du canot.

— Jérémie a disparu ! lui lança-t-elle aussitôt qu'il fut à sa hauteur.

Elle lui déversa d'un bloc tous les éléments dont elle disposait qui n'étaient pas si nombreux : Jérémie était sorti pendant la nuit sans qu'elle s'en aperçoive et il n'était jamais revenu, oui elle s'était rendue à la maison de Simon pour le chercher et à la cabane à bateau et même dans la forêt qu'elle avait sillonnée par les sentiers stratégiques qu'ils avaient arpentés ensemble, et tout ce temps elle criait son nom d'une voix suraiguë qu'il ne pouvait pas ne pas entendre à moins que à moins que. À ce moment, les forces de Lila la lâchèrent, et Simon la retint par les épaules et la reconduisit sur une des chaises de bois de Violette. Et il nota, du même coup, qu'elle pesait encore moins que Violette.

— Je vais vous apporter du cognac, madame Szach, dit Violette en disparaissant à l'intérieur.

— Qu'est-ce qu'on va faire ? disait Lila, dépossédée de son ressort habituel et cherchant dans les yeux de Simon un réconfort omnipotent, qu'est-ce qu'on va faire ?

Simon se frottait le menton, incapable de partager son angoisse. Jérémie ne pouvait s'être perdu dans la forêt, avec cette boussole accrochée à son cou comme une médaille protectrice, ni avoir été attaqué par un animal sauvage dangereux puisque même les ours noirs d'ici étaient couards comme des lièvres, d'ailleurs on n'en avait aperçu aucun spécimen depuis des années. Alors ? Le petit sacripant devait être blotti dans un recoin de bois connu de lui seul à se raconter des histoires et à oublier l'heure.

Plus il parlait pour rassurer Lila, plus la confiance de Simon s'effritait et battait de l'aile, car il se rendait bien compte qu'un détail majeur clochait dans l'ensemble de son paysage, jamais au grand jamais le Raton n'aurait manqué l'heure des repas, sacro-sainte règle des adultes à laquelle il se pliait avec une discipline spartiate pour mieux les envoyer paître le reste du temps. Non, lui répéta Lila, Jérémie ne s'était pas présenté au petit-déjeuner ni au dîner, il n'avait rien mangé depuis la veille au soir, *Pauvre petit, pauvre* Mały, *il doit mourir de faim,* gémissait-elle en se mordant les lèvres.

Ils burent chacun un verre de cognac. Ils étaient tous fourbus. Simon s'était mis à regarder le lac d'un œil différent, effrayé, à en imaginer les profondeurs insondables, un lac de tête dont les eaux sont si pures et si denses que les sons ne les traversent pas, même pas les voix perçantes comme celle de Lila. Il repoussa de toutes ses forces la vision du Raton flottant entre deux eaux.

— Peut-être devrait-on appeler les policiers, dit Lila.

— On devrait d'abord appeler Marco, dit Violette.

— Marco ? lança Simon avec un étonnement sarcastique qui fit sourciller Violette.

— C'est son père après tout, rétorqua-t-elle avec vivacité. Et il est beaucoup plus bright que vous le pensez tous.

Elle disparut de nouveau à l'intérieur, sous le regard perplexe de Simon. *Elle a le numéro de Marco,* se disait-il, *elle a son numéro comme si elle le connaissait personnellement,* et cette pensée, d'abord minuscule comme une distraction, se mit à prendre des proportions alarmantes, à repousser dans l'ombre toute autre détresse.

— Et puis je t'ai pas raconté, disait entre-temps Lila de sa voix épuisée, je t'ai pas raconté cette horreur au sujet de Jeff Clémont, au sujet de l'expropriation...

— Ton ami Jeff Clémont?... grinça Simon, et Violette fut de retour avec des olives et des friandises au pamplemousse, comme s'ils étaient en pique-nique.

— Marco s'en vient, dit-elle, laconique.

Cela fit bondir intérieurement Simon.

— Toute une aide, ne put-il s'empêcher de gronder. Si ça se trouve, il va se suicider avant d'arriver ici.

Violette le réprimanda du regard, et puis Lila se leva. Elle ne pouvait rester comme ça les bras ballants en attendant, elle allait recommencer une battue ailleurs, dans la pinède par exemple. Simon se dressa sur ses pieds aussitôt, rappelé à l'ordre, et il proposa d'explorer les environs de la clairière où ne s'était pas rendue Lila. *Je vais avec toi,* décréta Violette, et puisque Lila leur avait tourné le dos, Simon osa lui effleurer la joue de deux doigts lents.

— Toi, tu devrais plutôt te reposer, lui dit-il doucement.

Elle répondit que dans un moment pareil il ne pouvait en être question, et elle lui emboîta le pas avec énergie et marcha à sa hauteur. Il n'attendit pas. Ça le bousculait trop fort pour qu'il se taise ou s'engage dans des circonlocutions polies, il lui demanda presque tout de suite au sujet de Marco, il lui demanda comment elle le connaissait si bien puisqu'en principe elle ne l'avait vu qu'une fois en visite chez lui.

— As-tu couché avec lui ? dit-il brusquement en prenant un ton qu'il voulait dégagé, un ton qu'il souhaitait *moderne,* comme si les partouzes étaient son pain quotidien et son sujet de conversation privilégié, et ça fonctionna. Violette répondit d'une voix limpide, sans l'ombre d'un trouble.

— Oui.

Une masse douloureuse se logea dans la poitrine de Simon, mais il ne dit rien, et Violette ajouta que ça n'avait pas très bien marché, ni pour lui, ni pour elle. Qu'est-ce que ça voulait dire : ne pas marcher ? pensa Simon. Est-ce que ça voulait dire qu'il n'avait pas éjaculé ? Il en tremblait presque d'irritation, il marchait à vastes enjambées pour la distancer et il ne pensait qu'à ça, Violette avec Marco, avec tant d'autres d'accord, mais avec Marco non, pas avec Marco, Marco dont le seul titre un peu honorable était celui d'être le père de Jérémie.

— Jérémie ! appelait Violette de son timbre de miel que pas une âme à deux mètres ne pouvait entendre. Jérémie !

Il joignit sa voix à la sienne, il cria fort : *Jérémie ! Jérémie !* Dans sa voix vibrait la colère et cognait la masse dure qui lui obstruait la poitrine : *Jérémie ! Jérémie, bon sang !*

Framboises !

Les framboises se cachaient sous les feuilles et les épines, à hauteur de regard seulement si vous étiez accroupi. Claire était accroupie. Le pied droit lui glissait dans un trou entre deux souches pourries, l'autre était coincé dans les ronces. Ses reins émettaient des ondes de douleur quand elle pensait à eux, mais elle ne pensait pas à eux souvent. C'était comme une petite ville parallèle là-dessous, presque fraîche, pleine de la musique indisciplinée des insectes et du parfum capiteux des framboises. Elle était tombée sur une manne : des grappes de framboises à n'en plus finir, lourdes et grasses, les meilleures et les dernières de la saison, qui ne se laissaient pas cueillir sans résistance. Il fallait descendre jusqu'aux souterrains ombreux où elles se retranchaient et glisser une main ou un récipient sous leurs corps mous qu'elles laissaient choir à la moindre offense. On pouvait buter sur une abeille, en être quitte pour un hurlement et une boursouflure cuisante, mais on pouvait aussi éviter l'abeille. Il suffisait d'avoir des gestes lents, toujours, malgré les crampes, les égratignures de ronces et les maringouins dans les oreilles. Les abeilles n'aiment pas les excités, et ça tombait bien puisque Claire non plus. Luc aurait détesté ce qu'elle était en train de faire et l'état dans lequel elle le faisait — environnée de dards, d'épines et de silements et presque agenouillée en servitude. Elle, elle était aux anges. Cette humilité-là lui convenait parfaitement. Entre se prosterner devant des plantes et se prosterner devant des gens, le choix n'était pas difficile.

Luc préférait le second asservissement. Cela faisait trois semaines qu'il sacrifiait ses vendredis à des prétendues urgences en ville, les précieux vendredis d'été qu'il avait pourtant réservés pour les vacances et qu'il n'arrivait plus à défendre contre la voracité de son patron.

La liberté de Claire, pendant ce temps, lui montait à la tête et la grisait. Elle avait mis le point final à la dernière mouture de son scénario hier, et exultait de savoir qu'aucun petit esclavagiste à l'ego surchauffé ne pouvait pinailler dans sa vie. Elle avait décidé de se donner le prochain mois pour flâner, découvrir, lire, pédaler, se mettre à genoux dans la terre toutes les fois que la prodigalité de la nature le commanderait. Quand on prenait la peine d'être attentif, on voyait à quel point la nature était prodigue, jamais prise en défaut de loyauté envers ceux qui se donnent la peine d'être attentifs.

Par exemple, cette framboiseraie naturelle, répandue sur quelques hectares autour d'un chemin de coupe de bois, qu'elle avait découverte le jour même, le premier jour de ses vacances officielles. Il n'y avait pas de hasard.

Les framboises sauvages n'ont rien à voir avec

celles qu'on achète au marché. Leur parfum est un concentré brut de l'été. Si l'été a une odeur, c'est celle-là, l'odeur de la framboise sauvage un jour chaud de n'importe quelle année. Les framboises sauvages semblent croître au petit bonheur sur le premier terrain en friche venu, et c'est vrai. Il y a toujours moyen de tomber sur quelques plants gringalets dressés n'importe où, mais rencontrer une framboiseraie entière, qui en donnera assez pour que vous vous en enfourniez dans la gueule à pleines poignées avant de remplir une dizaine de pots de confitures, c'est une autre affaire.

Il faut lorgner du côté des abattis pas trop récents, quand les arbres ont été coupés à ras de terre : le framboisier est dans les premiers à se présenter sur le pauvre sol torturé, maintenant brûlé par le soleil. Pendant quelques étés, il prospère, il colonise, il est roi. Il abrite entre ses flancs les jeunes pousses des trembles et des bouleaux, mais il a tort. Quand les trembles et les bouleaux se mêlent de grandir et de lui faire de l'ombre, ils lui signent son arrêt de mort. C'est ainsi que Claire avait trouvé à deux reprises des colonies de framboises sauvages dans la dernière décennie, et à deux reprises elle les avait perdues. Même un terrain immense comme celui de Lila Szach, laissé en débandade à tout ce qui pousse, était gaspillé dorénavant pour les framboises. Donc, elle achetait des framboises au marché et n'y pensait plus. Jusqu'à ce jour, jusqu'à ce qu'une oisiveté bienheureuse lui fasse prendre sa voiture et s'engager dans la réserve faunique et rouler comme ça pour rien sur un chemin de gravier et s'arrêter pour un peu moins que rien à côté d'une Toyota déjà garée là, et puis marcher au hasard, mais il n'y a pas de hasard, marcher et tout à coup pénétrer dans un territoire plat puant le bois pourri et la déforestation avant d'embaumer la framboise. N'embaumant jamais la framboise, pour être honnête, sauf collée dessus, accroupi par exemple comme Claire entre deux souches, le nez enfoui dans les branches épineuses et les insectes.

Les plants semblaient dans leur âge d'or, dressés sur les monceaux d'arbres et de souches comme des trophées, répandus aussi loin que le terrain était plat. Elle avait eu envie de crier : *Framboises ! Framboises !* comme on crie : *Terre ! Terre !* quand on est un explorateur qui vient de trouver l'Amérique.

Maintenant, la talle était épuisée et le chapeau de Claire débordait. C'était un chapeau de toile profond et souple qui avait impeccablement rempli son rôle improvisé de seau. Claire était sortie des fourrés éraflée, ruisselante de chaleur, rayonnante. Ce n'était pas seulement ces framboises-ci qui la faisaient sourire, c'étaient toutes les autres à venir, l'été prochain et puis l'autre et encore l'autre, toute cette richesse incroyable devant. Donnée, une richesse donnée à qui se donnait la peine de la prendre.

Elle regarda mieux pour voir où elle était. Drôle de terre, dévastée au premier abord, dont les bosselures sablonneuses pointaient sans protection entre les cadavres d'arbres blanchis par le soleil et les framboisiers, drôle de désert qui servait pourtant d'oasis à une nuée de créatures. Un gros amas de fientes noires séchées témoignait qu'un ours était déjà passé dans le coin et, par chance, n'y était pas resté. Des criquets bondissaient en jouant des castagnettes, des chardonnerets et des bruants fouillaient le sol, une cigale invisible grinçait et des fleurs s'étaient levées un peu partout, quelques réminiscences d'épilobes et d'eupatoires mauves, les premières verges d'or, les derniers rudbeckias, dorés aussi autour de leur cœur de charbon. Le soleil était un soleil d'août assumé, carrément oblique, rendant jaune vif tout ce qu'il balayait. C'était une journée de plénitude, menacée comme toutes les plénitudes, et c'est ainsi que Claire se sentait, au sommet de quelque chose de parfait qui ne peut que tranquillement se mettre à dégringoler.

Une personne coiffée d'un chapeau conique était sortie plus loin d'un fourré, le propriétaire de la Toyota certainement, et qui avançait maintenant vers Claire à petits pas fourbus, un seau à la main et une bouteille d'eau amarrée à la ceinture, une femme bien sûr, une vraie professionnelle de l'humilité qui avait rampé sous plus d'un bosquet. Arrivée à la hauteur de Claire, elle s'arrêta un moment pour reprendre son souffle. Elle avait la cinquantaine rougeaude et épuisée, croulant sous la chaleur et son poids de framboises. Elle adressa un sourire radieux à Claire, *C'est ma vie!* lui lança-t-elle comme un cri du cœur, et Claire lui retourna un large sourire d'approbation.

Une autre qui se savait au sommet, dans l'abondance.

Sur le chemin du retour, Claire roulait très lentement, investie d'une gravité soudaine, d'un devoir de présence. Il fallait stocker pour plus tard, pour un jour où le plaisir se ferait rare. Stocker non seulement les framboises, mais les images de ce moment de richesse, toutes les images, même les empilements de bois pourri, même le pare-brise de la voiture englué de mouches mortes, et la route de gravier couvant des trous béants. Au milieu de la noirceur de décembre, par exemple, ou d'une déprime de janvier, ressusciter l'image de cette buse sur un poteau de téléphone pouvait faire beaucoup. D'ailleurs, tout ce qui surgissait sous les yeux ne méritait-il pas au moins un regard? Sans Claire, les framboises maintenant cueillies seraient tombées et auraient pourri sur le sol — à peine grignotées par des fourmis. Sans elle pour attester de leur existence, pour les voir au moins, les féliciter en quelque sorte d'avoir réussi leur sortie dans le monde, tous ces bourdons alourdis, ces geais bleus criards, ces merisiers dévorés de chenilles se dépensaient peut-être en pure perte, à jamais gaspillés. Entre deux murs d'épinettes, un morceau de lac scintilla brièvement. Un cheval broutait sur une colline — un étalon en érection, nota Claire dans son attention laborieuse. Et les champs passaient comme des pages de calendrier : orangées sous les épervières en juin, blanches de marguerites en juillet, et maintenant jaunes, le jaune déjà fatigué des verges d'or calcinées par la rouille. Oui, tout se tenait en équilibre sur la crête, s'apprêtant à lentement débouler. C'était sans doute une raison suffisante pour avoir le cœur ramolli, comme étreint par l'appréhension.

Un vacarme familier se chargea cependant de secouer le ramollissement de Claire, aussitôt descendue de voiture. Rongeur céleste menait grand train depuis qu'on lui avait abdiqué le territoire, tonitruant dès l'aube pour chasser les intrus et marquer sa conquête sur la mangeoire, pourchassant ou se faisant pourchasser mais toujours actif sur le mode majeur, se démenant en galopades et en vociférations. Et puis il avait commencé à massacrer les fleurs des géraniums, comme ça, par malignité personnelle ou pour épicer son régime alimentaire. Les géraniums étaient chers au cœur de Claire, et leur rouge flamboyant un pur bonheur, mais depuis peu il n'y avait plus de rouge. À peine ouverts, les beaux globes étaient coupés net et retrouvés un peu partout sur le terrain, mordillés pour la forme. Claire n'aimait plus du tout Rongeur céleste. Une fois de plus, elle l'engueula à voix haute en frappant dans ses mains en pure perte, une fois de plus elle lui souhaita le pire, c'est-à-dire de mourir, d'une maladie d'écureuil foudroyante ou d'une attaque d'urubu affamé, n'importe quoi de définitif qui lui éviterait d'avoir à s'en mêler personnellement.

Au milieu de ces démêlés ridicules, Claire les vit soudain s'approcher, Curé et Lila Szach, et plus loin derrière eux un jeune homme qu'elle ne reconnaissait pas ainsi que la belle Violette, tous convergeant vers elle avec des mines si étranges qu'elles en devenaient menaçantes. Claire sentit son appréhension se raffermir, prendre forme avec eux.

— As-tu vu Jérémie ? cria de loin Curé.

Comme ils parlaient en même temps, madame Szach et Curé, Claire tardait à comprendre et se rendait bien compte qu'elle n'avait pas envie de comprendre. Il était question du petit garçon, du petit garçon qui aurait disparu. Et des policiers qui mettraient trois heures à venir de Mont-Laurier, et *une fois ici, qui feraient quoi ?* disait Lila sombrement, *qui feraient des miracles,* disait Curé, et le jeune homme derrière eux, en qui Claire reconnut le père de l'enfant croisé au début de l'été, s'emporta violemment contre elle et contre tout le monde.

— On perd du temps ! Avez-vous vu une voiture ? C'est ça la question qu'il faut poser : mademoiselle, s'il vous plaît, avez-vous croisé une voiture avec un homme au volant ?

— Marco, soupira Curé. Il y a des centaines de voitures. Qu'est-ce que tu penses ?

— Un homme au volant, poursuivait Marco complètement dirigé vers Claire, et lui saisissant même l'épaule pour l'obliger à ne regarder que lui, un homme avec une vieille veste à carreaux rouges, un homme seul, ou avec un petit garçon...

— Laisse-la tranquille, Marco ! s'emporta Curé.

Claire avait pâli, pâlissait encore tout en amorçant un mouvement de retraite, quelques voitures oui forcément, mais que venait faire en ce moment cette veste à carreaux, cette vieille veste à carreaux rouges ?

— Rouges et noirs, ou peut-être noirs et bruns, ou jaunes et noirs, qui le sait ?... grommelait Curé.

— Rouges et noirs ! affirmait Lila Szach. Je me

rappelle que le Petit a déjà parlé d'un homme avec une veste rouge et noir !...

— Je vais au village, dit Curé en prenant le bras de Marco, qui se dégagea brusquement. Viens-tu avec moi au village ?

Violette s'assit tout à coup par terre et déclara d'une toute petite voix qu'elle serait celle qui attendrait les policiers.

— Tu ne te sens pas bien ? s'inquiéta tout de suite Curé, et Claire vit que Lila Szach le regardait fixement tandis qu'il descendait à la hauteur de Violette et qu'il posait sur sa tête une main légère, une main qui semblait avoir l'habitude de ce trajet tendre.

Claire pendant ce temps ne parlait pas, les regardait tous avec accablement, eux qui ne savaient pas encore la cruauté de ce qui s'en venait peut-être, et elle qui était terrifiée de peut-être savoir. Machinalement, elle sortit de sa voiture son chapeau débordant de fruits et le déposa sur le capot. Elle mordit dans une framboise en prenant son temps, en se disant que c'était la dernière de sa vie, la dernière avant les ténèbres.

— Quelqu'un s'est-il rendu à la falaise ? demanda-t-elle finalement, la mort dans l'âme.

Ce n'est pas moi, se disait Claire, *je ne veux pas.* Elle ne voulait pas avoir donné naissance à l'horreur, à force de la convoquer dans ses histoires. D'ailleurs, c'était fou et impossible. C'était fou et impossible, mais il semblait bien que le bourreau aux beaux yeux paisibles et à la veste à carreaux s'était échappé de son scénario et se promenait librement dans la forêt — ou alors il existait avant, c'est lui qui s'était imposé dans son esprit à elle tandis qu'elle écrivait, qu'elle plongeait dans le vide, toutes antennes brandies pour capturer les choses invisibles. On ne devrait pas avoir le droit de plonger dans le vide, qui sait si plonger dans le vide ne fait pas éclater les parois peu étanches entre ce qui existe apparemment et ce qui n'existe pas encore.

Non. Tous les hommes portent des vestes à carreaux pour se balader dans les bois, le petit garçon n'avait fait que croiser une fois l'un de ces hommes, la belle affaire, et Curé et Lila Szach à bout de ressources ressuscitaient ce chasseur depuis longtemps retourné dans son foyer tranquille. Rien qu'une sale coïncidence, rien à voir avec cette image terrifiante.

Bouillie sanglante de petit garçon.

S'il fallait que cette image terrifiante inventée avec une sorte de jubilation, s'il fallait que ces mots jetés avec désinvolture pour faire sensation — *la hache se relève, luisante et rouge, l'homme nous regarde avec un sourire paisible, la caméra descend et montre à ses pieds une bouillie sanglante de petit garçon* —, que ces mots ineptes se lèvent de l'écran pour vivre, Claire bien entendu ne s'en remettrait pas.

Elle parla sobrement d'une prémonition quand on la somma d'expliquer pourquoi elle avait cette idée saugrenue de falaise, et Curé eut une moue indiquant qu'il ne tenait pas les prémonitions en haute estime. Mais Marco dit : *Moi, j'y vais, à la falaise.* Et Lila Szach, livide, ajouta après un moment : *Moi aussi.*

C'est ainsi qu'ils se répartirent l'anxiété des démarches, Curé s'en alla au village poser des questions, Violette resta sur place pour accueillir les policiers, et eux trois, Claire, Marco et Lila Szach, montèrent dans la chaloupe de Claire en direction de la falaise et de la prémonition.

C'était une vieille chaloupe à rames qui gardait vaillamment au sec, grâce aux colmatages de Luc renouvelés chaque été, et Claire pensa à Luc avec une tendresse désespérée tandis qu'ils s'en allaient vers le drame possible. Il arrivait ce soir — oh, dans quel état serait-elle quand il arriverait ce soir et qu'elle pourrait enfin se blottir dans ses bras costauds ? Marco ramait comme un homme ivre, sans aucune coordination, avec une force brute qui exigeait de se déployer quelque part, il ramait et il parlait sans arrêt pour tuer le silence. Ils en avaient pour dix minutes tout au plus à traverser le lac, dix minutes de traversée interminable. *Un petit bonhomme tellement intense*, disait Marco, *des fois, il me fait peur j'ai peur pour lui*, tout ce que Jérémie était pour Marco sortait comme un fleuve bouillonnant, mais c'est pour Marco que Claire avait peur, en ce moment où il s'effondrait de culpabilité et d'amour pour son fils. *Mon petit Jé, mon pauvre petit Jé*, délirait-il, *il pense qu'on ne sait pas que c'est lui qui a mis le feu, il a mis le feu à la maison, la maison qu'on voulait vendre à cause de la séparation... Mon pauvre petit Jé...* Une souffrance immense planait sur lui et on ne pouvait qu'avoir peur à sa place, peur comme lui qu'il soit incapable de l'affronter. *Ah, Jé...*, suppliait-il, *come on. Jé... s'il te plaît... Come on...*

Lila Szach lui jetait des regards en coulisse, sombres et désemparés, et puis elle regarda dans les yeux Claire, qui la regardait aussi. Ses yeux d'un gris sans concession en imposaient d'ordinaire, mais à cet instant ils vacillaient de faiblesse. Claire soutint le contact un long moment. Deux inconnues totales l'une pour l'autre, tout à coup précipitées dans l'intimité la plus brute, la plus obscène, l'intimité du malheur.

— Connaissez-vous des prières, connaissez-vous des incantations ? demanda-t-elle à Claire, et ses yeux gris se plombèrent de larmes.

— Je crois à la chance, dit Claire.

Marco gémissait entre ses dents, lâchant le nom de son fils presque à chaque coup de rame, jusqu'à ce que Lila Szach, de nouveau prostrée sur le banc du fond, réagisse :

— Calmez-vous, dit-elle presque sèchement. Vous n'avez rien à vous reprocher.

Et elle rajouta si bas que Claire dut tendre l'oreille pour comprendre :

— C'est moi. Il était sous ma responsabilité à moi.

Mais c'est moi qui ai inventé le tueur ! ajouta Claire dans un ricanement intérieur. Elle se voyait avec eux dans l'absurdité de la situation, elle voyait le loufoque de leurs trois silhouettes écrasées de douleur dans une vieille chaloupe grinçante tandis qu'une lumière magnifique, comme il n'en existe qu'en août, les enveloppait d'or et de soie liquide et que les oiseaux se moquaient d'eux, la grive solitaire, deux martins-pêcheurs triomphants, quelques corneilles au loin — mais plus de frédéric, il était porté disparu, le chant du frédéric. Beauté absolue, absolument menteuse, se disait Claire, décor aplati sous lequel grouillaient les monstres et les vers qui dévorent les cadavres en putréfaction. Elle voyait distinctement l'image d'un début de film à écrire sur eux trois en ce moment, trois naufragés sans naufrage dans une beauté de carton-pâte en attendant que se déchaîne la noirceur, puis elle se détesta et se fit taire.

Maintenant, la falaise venait à leur rencontre, le soleil accroché à ses longs flancs de granit et de quartz. Quelques cèdres absorbaient la lumière et faisaient des haltes vertes où se reposer les yeux. La chaloupe donna un dernier coup de ciseaux dans le satin du lac et puis frappa durement la rive, ils y étaient.

— Que disent d'autre vos prémonitions? demanda Lila Szach, une ombre de sarcasme sous son accablement.

Claire évita son regard.

— On vient pour rien, c'est sûr, dit-elle. Je suis désolée.

Si elle avait su comment on fabrique les prières, à ce moment certainement elle en aurait fabriqué une ressemblant à celle-ci : *Faites qu'on soit venus pour rien,* au diable le destinataire improbable, juste ânonner la prière à voix haute aurait fait tellement de bien. Elle regretta d'être de celles qui méprisent les prières.

Pendant ce temps, Marco avait sauté sur le rocher et trouvé une saillie pour attacher l'embarcation. L'action le revivifiait, il avait maintenant la tête levée pour prendre la mesure de l'adversaire et il s'était mis à crier les mains en porte-voix : *Jérémie ! Jé !...*

— Il y a un sentier à gauche, dit Lila Szach. Il monte jusqu'au palier du haut, un palier d'où on peut plonger.

Elle fit une pause. Elle avait failli sortir avec eux de la chaloupe et profiter du bras tendu de Marco, mais elle s'était ravisée.

— Prenez votre temps. Faites attention à ne pas vous tordre les chevilles.

Elle se rassit et regarda la falaise avec attention, comme elle aurait examiné quelqu'un d'infréquentable. Claire savait à propos de la mort de Jan : la mort de Jan, et ses ravages subséquents sur Lila, avait fait l'objet de sa première conversation avec Curé, des années auparavant.

Quel que soit l'angle sous lequel on la contemplait, cette falaise était souillée de sang.

Marco sortit de la chaloupe le matériel de premiers soins qu'il avait apporté, de la corde, des harnais, une lampe de poche, un petit sac contenant sans doute des bandages et du mercurochrome, de quoi soigner les contusions légères et rester complètement en rade devant un cadavre dépecé par une hache au bout d'une veste à carreaux rouges. Debout sur la rive rocheuse, le ventre en charpie, l'estomac sur le point de se vomir lui-même, Claire le regardait. Elle aurait tout donné pour s'enfuir, pour pouvoir jeter les intrus par-dessus bord et s'enfuir en ramant comme une démente le plus loin possible du carnage. Recevoir en pleine face ce qui s'ensuivrait peut-être, penser au visage de Marco et à tout Marco dans l'éventualité folle et impossible qu'il tombe sur *la bouillie sanglante* était proprement au-dessus de ses forces.

— Montons, dit Marco, ne lui donnant plus d'autre choix que de le suivre.

Qu'est-ce que ça faisait, voir du sang ? Voir beaucoup de sang, pas simplement deux trois taches apparentées à du jus de betterave, non, une mare, un bain de sang selon l'expression consacrée, et qui recouvre comme dans une soupe épaisse de gros morceaux de chair défaite ?

Claire avait toujours pensé qu'elle le savait d'instinct, l'ayant visualisé et donné à voir à quelques reprises. D'ici peu, elle saurait jusqu'à quel point sa vision du sang, l'instinctive, était en dessous de la réalité. Il y aurait au moins une forme d'apprentissage dans cette expérience horrible, elle en sortirait moins ignare, avec même des idées terrifiantes pour écrire plus noir.

C'est Marco surtout qui posait problème. Le spectacle d'une souffrance en train de démolir quelqu'un de tendre, ça, elle n'était pas arrivée à se l'imaginer. Dans ses scénarios les plus cruels, les gens qui souffraient le faisaient avec modernité, un rictus de héros ou de pleutre au coin des lèvres, la bonne réplique leur fusant au bon moment des lèvres pour ajouter à leur score de personnage humain. Marco souffrant, ça ne pouvait pas se mettre dans une histoire, ça vous arrachait le cœur et vous laissait paralysé. Elle marchait derrière lui, derrière ses jambes de cabri nerveux. Le chemin était charmant, bien dessiné entre des pierres un peu plates, des plants de bleuets séchés et des corydales aux délicates fleurs rose et jaune, elle l'aurait trouvé infiniment charmant en d'autres temps. Elle regardait le dos étroit de Marco, presque un dos de jeune fille, lesté de ses pauvres trucs de survie, la corde qu'il avait enroulée à l'épaule en zigzags mous qui laissaient voir qu'il n'était jamais allé chez les scouts, et elle avait envie de sangloter. Si ce moment-là terrible décidait d'arriver, que pourrait-elle faire pour l'empêcher de mourir sur-le-champ d'une overdose de douleur ?

Jérémie ! criait inlassablement Marco.

Il s'adossa à un rocher saillant, dans un détour du sentier pierreux, et il fit signe à Claire de s'arrêter.

— Tu fais trop de bruit, gronda-t-il. J'entends rien d'autre que tes pieds.

Il s'attendait donc à entendre quelque chose. Il se portait mieux qu'elle le croyait, il n'avait pas commencé à dégringoler vraiment, il avait encore la force d'être désagréable avec elle. Appuyé à la pierre, il lançait le nom de son fils dans les airs et puis tendait l'oreille pour voir si quelque chose revenait, et soudain, son visage s'éclaira.

— C'est un oiseau, dit Claire. Un pic à tête rouge.

Il lui lança un regard plus irrité que démonté.

— On va le trouver, dit-il, péremptoire. Je sais qu'on va le trouver. Je sais qu'il est vivant. C'est une loi du dharma, il nous arrive dans la vie seulement ce qu'on est capable de supporter, et ça, je pourrais pas.

Claire en avala de travers. Elle trouvait son abri antidouleur désespérément pitoyable. Il n'y avait pourtant que la preuve du contraire, sur leur terre dévastée, que des gens sans arrêt affrontant des douleurs bien plus hautes qu'eux, mais l'heure n'était pas à la lucidité et elle marmonna : *Bien sûr qu'on va le trouver,* sans aucune espèce de conviction.

Ils recommencèrent leur avancée à pas de tortue, dans un silence qui ne recouvrait que du vacarme. Si elle arrêtait de se braquer sur le sentier et si elle levait la tête, la splendeur du lac éclaboussait Claire et la désespérait. Aussi garda-t-elle les yeux sur les pieds de Marco, s'affairant dans leurs running shoes blanc sale et puis stoppant net.

— Écoute !

De nouveau, une joie de dupe dans les yeux, il l'avait saisie par le bras et la serrait trop fort pour l'empêcher d'émettre un son.

— Le pic, dit-elle à voix basse. Ou peut-être un geai bleu, parfois leurs cris se ressemblent quand...

— Tais-toi !

La transfiguration de Marco commença là, avec ce *Tais-toi* sec éjecté tel une balle, un coup de fouet, une action. C'était comme s'il avait décidé d'arrêter de geindre et de se battre, il se battait et pour l'instant elle était sa première ennemie.

— Toi, tu vas rester ici. Pas un son !... As-tu compris ?... Tu bougeras seulement quand je vais t'appeler !

Il partit devant en flèche, les pieds fébriles déboulant et se raffermissant à chaque foulée, la tête à l'affût comme une sorte de héron monstrueux : *Jérémie!* appelait-il de toutes ses forces, et ensuite il se figeait, se recueillait pour entendre, puis il fonçait de nouveau et lançait cet appel animal, presque sexuel, qui exigeait qu'on réponde, qu'on accoure. Bientôt, Claire ne le vit plus, ne fut plus retenue à lui que par ses cris d'hypnotiseur.

La transfiguration de Marco était dans son attitude, nota Claire quand elle y repensa après. Les événements surviennent sans cesse, auxquels on ne peut rien. Mais l'attitude que l'on adopte, au moment où les événements auxquels on ne peut rien surviennent, est certainement toute-puissante. L'attitude — juste, intraitable de justesse — infléchit non pas l'événement, qui continue de dérouler son ruban poisseux et sans appel, mais le résultat de l'événement.

C'est ainsi que Marco avait ressuscité Jérémie. Autrement, comment l'expliquer ?

Contre toute probabilité, à un certain moment dans l'ascension de Marco, Jérémie répondit. Claire ne l'entendit jamais : elle n'entendit tout le temps que des oiseaux, et à la fin les cris surexcités de Marco qui l'appelaient à la rescousse.

Une fois là, agenouillée à côté de lui sur la paroi qui surplombait une cavité dans le rocher, elle entendait bel et bien la voix fluette de quelqu'un qui disait *Papa!* et répondait par monosyllabes au flux de mots de Marco.

Le petit garçon était tombé dans cette crevasse, qui faisait bien dix pieds de profondeur, et il semblait s'être brisé quelque chose qui l'empêchait de bouger.

Miracle.

— Tiens bon, disait Marco. Tiens bon, je m'en viens te chercher.

Il exultait, il achevait sa transfiguration en superman, en homme-araignée, il patentait ensemble sans rien y connaître les harnais et les cordes et finissait miraculeusement par créer une manière de palan qui aurait pu recevoir un brevet en tant que trouvaille artisanale, tout ça en parlant sans arrêt à son fils et en jetant à Claire des ordres brefs et contradictoires : *Tiens ça comme ça, non comme ça, tire ici, non ici !...* Claire l'assistait avec enthousiasme, elle ne pouvait plus s'arrêter de sourire depuis qu'elle savait qu'il n'y aurait ni bain de sang, ni soupe épaisse dans laquelle surnageraient des morceaux de chair défaite, et elle se jurait même, tandis que Marco descendait dans le trou et qu'elle s'arrachait les poignets à retenir la corde finalement mal palanquée, d'en finir avec les histoires sanguinaires et de changer de métier, elle apprendrait à écrire de l'humour ou des discours politiques ou elle deviendrait ornithologue ou femme au foyer avec mots mystères et sudokus comme uniques thrillers pendant que Luc ferait l'esclave pour eux deux.

Jérémie était pâle et souffrant, et l'une de ses jambes dessinait un angle étrange avec l'autre. Mais il était vivant et resplendissant d'avoir été trouvé après avoir eu si peur de ne jamais l'être. Accroché au dos de

Marco, il se laissait emporter sur le sentier en dévidant d'une voix fiévreuse des explications sans queue ni tête sur son aventure, *Je suivais un homme mais c'était un centaure parce qu'il a disparu quand il s'est retourné et qu'il m'a vu et c'est là que j'ai tombé en essayant de rattraper ma baguette magique...* auxquelles Marco répondait par des adjurations au repos et au silence, tout en s'esclaffant sans cesse lui-même tant il était soulagé.

Lila Szach se leva dans la chaloupe aussitôt qu'elle les aperçut.

— *Yésus Maria*, se contenta-t-elle de dire, une jubilation sauvage dans ses yeux gris.

C'est dans cette vieille chaloupe rongée par des années d'inutilité que Claire connut l'apothéose de la journée et de l'été. Ils étaient maintenant quatre, et si Jérémie était le roi blessé de leur petite île flottante, elle en était la reine. Marco la remerciait avec autant d'acharnement qu'il en avait mis à la malmener, et Lila Szach l'irascible, l'étrangère, l'inaccessible Lila Szach l'embrassa même sur la bouche dans son égarement reconnaissant. Ils étaient tous un peu grisés, un peu fous, ouverts à fond par l'émotion qui circulait entre eux comme dans un seul système sanguin. Claire accepta leur gratitude débordante même si elle n'était pour rien dans le miracle et que l'ordonnance des coïncidences était ailleurs. C'était si bon de se sentir pour une fois appartenir véritablement à quelque chose, à une communauté, qu'elle rit et pleura avec eux et saisit tout ce qui se présentait, chacune des miettes délicieuses de l'apothéose.

Luc était arrivé. Sa jeep, luisante de propreté, était garée symétriquement à côté de la voiture de Claire, qui du coup avait des airs de souillon. Il est vrai qu'il ne l'emmenait jamais courir dans les fourrés, la sienne, il la tenait immaculée et sûrement dépressive dans des parkings bétonnés. Claire riait toute seule en s'avançant vers le chalet, elle avait bu trop de vodka chez Lila Szach, elle avait hâte de se coller à Luc, elle se délectait à l'avance des récits haletants avec lesquels elle pourrait enfin le séduire. Il avait rentré les framboises — et le chapeau. Aussitôt qu'elle ouvrit la porte, elle vit qu'il les avait disposées sur la table dans un vaste compotier où leurs feux grenat brillaient d'abondance, et qu'il avait la main dedans.

— Framboises ! lui cria-t-elle triomphalement.

Il sursauta et la considéra un moment avec perplexité.

— Allô, dit-il sobrement.

Il fallait tout lui raconter, en commençant par la découverte de l'Amérique sous forme de framboises et en finissant par la chaloupe en fête, précédée de l'inoubliable étalon en érection — ce serait interminable et passionnant.

— Ton chapeau est foutu, dit Luc. Y a rien qui tache plus que les framboises.

Oui, le sang, voulut répondre Claire.

Mais le téléphone sonna.

Elle ne se méfia pas en décrochant, en étant la plus vite à décrocher, selon un mode de survie intériorisé depuis le début de l'été. L'appelante anonyme ne s'était pourtant pas manifestée depuis des semaines, mais maintenant, elle était là. Claire sentit un début de panique lui griffer l'estomac. Luc ne semblait pas vouloir s'en aller plus loin pour lui donner le temps de réagir correctement, d'adopter la bonne attitude, la juste, intraitable de justesse. La femme de Jim, de sa voix dorénavant familière, lui dit cette fois :

— Raccroche pas, s'il te plaît.

La femme de Jim s'appelait Francine — Claire avait eu le temps de se le rappeler, depuis.

Francine et Jim Bloor, pépiniéristes.

— Écoute, Francine, dit Claire.

Elle entendait sa propre voix calme, constatait que son esprit évoluait sans irritation, et surtout sans haine. Cette histoire était comme un furoncle en cours d'aboutissement, et elle devait se réjouir de la giclée du pus, même en présence de Luc, puisque sans pus qui gicle pas de rémission.

— Je m'appelle pas Francine, dit la voix, je m'appelle Maud.

— Maud ? répéta Claire, interdite. Je connais pas de Maud.

Elle fut encore plus décontenancée lorsque Luc lui prit des mains le combiné et lui dit vivement :

— C'est pour moi.

Il ne parla pas longtemps : *Je te rappelle*, dit-il, et il le répéta avec une voix plus basse, ou était-ce plus douce, parce que l'autre — la femme de Jim, qu'il fallait maintenant appeler Maud — argumentait visiblement à l'autre bout du fil.

— Je te rappelle dans une heure.

Il raccrocha. Il leva vers Claire des yeux limpides, qui brillaient d'une ardeur de combattant. Il prit la main de Claire et l'entraîna avec lui sur le sofa.

— Je voulais t'en parler depuis longtemps, je trouvais jamais le bon moment, il semble que ce soit maintenant.

Il parla. Du torrent d'informations qui déferla sur elle, Claire ne retint que quelques bribes.

Maud, qui n'était pas la femme de Jim et qui sortait d'on ne sait où, était amoureuse de Luc.

Luc était amoureux de Maud.

Cela durait depuis un an. Depuis dix mois et trois semaines précisément — cette information-ci, même noyée parmi les autres, s'était imprimée.

— C'est comme tu veux, disait Luc, après une longue digression à laquelle Claire n'avait pas compris un mot comme s'il parlait une langue étrangère.

Et de fait ça en était une.

— On peut vendre le chalet, était-il en train de résumer. Mais c'est sûr, je préférerais de beaucoup le garder.

Marianne

Combien d'anamnèses, d'ordonnances, de perfusions, d'observations, d'immobilisations, de dossiers, de mains lavées, de solutés, de pansements, de redressements, de signes vitaux, de sourires cordiaux, de pas de course, de cigarettes coupables ? Presque tout dans les deux chiffres depuis ce matin — sauf les cigarettes, qu'elle était parvenue à maintenir en bas de cinq. Combien de : *Ça va comment ce matin, je vous trouve un air bien coquin, quelle mine splendide tu as, vous êtes costaud pour un mourant, pour qui ces beaux yeux brillants là ?*

Ibidem.

Ceux qui avaient perdu tout humour répondaient en geignant. Mais la plupart, étonnamment, trouvaient toujours quelque chose de joyeux à lui rétorquer, puisé dans la source vitale qui continue à jaillir au travers des malaises.

Je péterais davantage le feu si vous me donniez une cigarette.

Je viens de rêver à vous, garde, vous pis moi sur la plage d'Acapulco, pis c'était pas beau à voir.

C'était un brasier incessant. Elle s'y jetait presque tous les jours trop longtemps et en ressortait brûlée, c'est vrai, mais brûlée aussi de la bonne façon, scories et bobos calcinés, allégée des rameaux secs de sa vie. Aussitôt couchée, elle dormait comme un petit enfant. Elle se réveillait en excellente condition de combustible, et se jetait de nouveau dans le brasier. Ça durerait ce que ça durerait, mais pour l'instant c'était ça. Elle débordait. Moins travailler, elle aurait peut-être explosé.

C'était son heure de lunch, et Marianne marchait dehors pour faire changement, pour varier les spectacles de la souffrance.

D'ailleurs, elle ne « côtoyait pas la souffrance », comme n'arrêtait pas de la plaindre Jeanne, mais la santé. Elle jouait avec la santé, la soudoyait, blaguait avec elle, l'amadouait pour la faire revenir plus forte. Cette notion de souffrance, il faut dire, était entachée de méprise et de fabulation. Les gens disaient, atterrés comme devant l'insurmontable : *Ah, mon Dieu comme il doit souffrir !* ou encore : *Moi, la mort, ça va, mais la douleur, incapable !*

La souffrance était une chose grave, oui, mais une parmi d'autres. La souffrance était contenue dans un ensemble plus vaste qui lui donnait ses limites. Quand on se mettait à la scruter de près, sans état d'âme, on voyait bien que ce n'était que brûlures et élancements, petites flammes aiguës et vacillantes, alimentées par beaucoup d'angoisse. La souffrance de l'angoisse était la pire de toutes, était un monstre. C'est celle-là qu'il fallait apaiser coûte que coûte, peu importent les gangrènes et les luxations du corps.

L'été, pendant ce temps, passait en rafale.

Il était midi dix, et Marianne marchait rue Sainte-Catherine en pensant à Simon qui, pendant ce temps, exultait à la campagne dans sa vie contemplative. Elle ne l'enviait en aucune façon, parvenait à peine à comprendre son mode d'existence immobile. Bien sûr, ses vertèbres fragiles. Mais ça n'expliquait pas sa propension à se nicher dans la végétation, loin de la vie réelle. Marianne marchait, soulevée par les vibrations humaines. Elle pensait à sa prochaine cigarette tout en pensant à Simon, se disait qu'il ne fallait pas qu'il sache qu'elle avait recommencé à fumer. Elle pensait à Simon et se demandait quelle raison invoquer, cette fois-ci, pour ne pas aller la fin de semaine suivante le rejoindre dans le grand néant vert.

En ce moment, il ne l'aimait pas. Elle le dérangeait nettement, les rares fois qu'elle débarquait. C'était une période comme ça à traverser, même si ce n'était pas la première. En ce moment, Simon était fou de la jeune Violette, et il était le seul à ne pas le savoir. Cet aveuglement naïf, cet entêtement à faire copain-copain avec l'objet de sa passion tombait infiniment sur les nerfs quand on en était témoin, mais on n'avait pas à en être témoin. Dans les longues promiscuités comme la leur (plus de trente ans, aïe !), il était normal de ne plus apprécier le paysage stagnant sous ses yeux, de sentir le besoin de s'en éloigner un temps pour recommencer à le trouver beau. Quitte à risquer de s'empêtrer définitivement dans un autre paysage.

Je te comprends pas, maman, s'insurgeait Jeanne. *Ça te fait rien, tu sens donc rien!?*

Marianne trouvait toujours étrange de se faire reprocher son flegme, alors que le monde était à feu et à sang en raison de débordements d'émotion.

Il est vrai qu'elle avait, comme une sorte de don, une capacité de neutralité énorme, que l'on pouvait prendre pour de l'indifférence. Peut-être était-ce de l'indifférence, après tout. Une indifférence au harassement, à l'irritation propagée par les autres. Une indifférence qui ne serait pas froide mais chaleureuse, une façon de déclarer : Je vais vous aider, mais je ne vais pas souffrir à votre place.

Rue Sainte-Catherine au coin de la rue Clark, Marianne ralentit, puis s'immobilisa sur le trottoir.

Derrière une clôture de métal, un homme dansait.

Les performances en plein air ne manquaient pas dans l'été jalonné de festivals, mais celle-ci était différente. Peu spectaculaire, d'abord, puisque le danseur s'exécutait dans un terrain vague, à même un carré de bois aménagé grossièrement sur le sol, sans artifices, sans costume de scène, seul. Marianne n'osa pas contourner la clôture de métal pour se joindre aux spectateurs réunis en cercle autour de l'homme. Elle resta sur le trottoir, une occasion comme une autre de griller une cigarette.

Elle en grilla trois.

Quelque chose n'était pas à sa place. Elle ne connaissait rien à la danse, mais elle voyait bien qu'il s'agissait d'un vrai danseur, d'un professionnel qui aurait dû évoluer sur une scène convenable cernée d'un auditoire recueilli, au lieu de s'ébattre à deux pas d'un trottoir où déambulaient défavorisés en tout genre, putes, squeegees, clochards inuits. Et puis, à force d'observer ses mouvements, ses grands moulinets de bras qui s'achevaient tendus devant, ou ses tours de piste ralentis où il regardait tout, droit dans les yeux, elle comprit, elle crut comprendre que c'était exprès, qu'il avait choisi la promiscuité avec le repoussant, avec le quotidien dépenaillé, le bitume pauvre. Il était en train de donner quelque chose de luxueux à un environnement qui n'avait rien.

Quand elle crut comprendre ça, Marianne quitta la clôture de métal protectrice et, après avoir laissé le restant de son paquet de cigarettes à un jeune type qui venait de ramasser ses mégots, elle s'approcha de la scène. Elle tenta de se cacher derrière des dos et des épaules, mais ce n'était pas facile, il n'y avait qu'un rang clairsemé de spectateurs, et malgré elle elle se retrouva devant à rencontrer intimidée les yeux calmes du danseur, à regarder la sueur qui mouillait son T-shirt et les mouvements insolites dont elle était sans doute la seule à ne saisir ni l'histoire ni le sens. Elle ne comprit rien mais elle resta là, tendue et fascinée, et chaque fois que le danseur s'adressait à elle de son regard brillant, elle ne fuyait pas comme elle aurait voulu le faire. Il avait bien entendu un corps délié et ferme, mais un visage étonnant, bronzé et affiné comme une gueule de vieux loup, qui marquait bien cinquante ans et même davantage, peut-être cinquante-six comme elle. Elle applaudit avec les autres, quand ce fut terminé. Le danseur se retira dans un coin du terrain vague où il avait ses affaires et où le suivirent quelques spectateurs qui étaient sans doute des amis. Un petit homme brun qui avait assisté au spectacle à la droite de Marianne et qui avait applaudi très fort, fit avec elle quelques pas en direction du trottoir et lui décocha un regard embué.

— Revenez-vous demain ? lui demanda-t-il.

Elle esquissa un sourire hésitant, et il ajouta :

— C'est sa dernière représentation demain. Moi, je suis venu tous les jours, tous les midis.

— Ah oui ? dit Marianne.

Elle n'osa pas lui demander pourquoi, mais elle continua de le regarder avec un sourire interrogateur et il répondit de lui-même.

— J'ai besoin de ça, dit-il avec ferveur. J'ai vraiment besoin de ça.

L'après-midi fut court, puisque Marianne avait commencé le travail à cinq heures du matin. Aussitôt échappée de cet hôpital-ci, elle se trimballa à l'extrémité de la ville à l'assaut de l'autre, celui où Jérémie achevait de se remettre de sa mésaventure et de sa jambe fracturée en trois. Comme le pauvre petit n'arrêtait pas de leur demander à tous des nouvelles de son monarque, et que personne n'osait lui révéler qu'il s'était desséché, emprisonné dans son bocal, elle lui avait apporté en guise de cadeau un papillon épinglé dans une jolie boîte en verre. Il le reçut sans enthousiasme. *Il est mort!* dit-il, plein de reproche.

Plus tard, le souper avec Jeanne fut calamiteux, du moins jusqu'au dessert. Jeanne filait un mauvais coton et s'obstinait à garder tout pour elle. Pourtant, cette fois-ci, il suffit que Marianne la regarde un peu attentivement au-dessus de son flan au caramel pour qu'elle se décide à éclater.

— Je suis enceinte! lâcha-t-elle, comme elle aurait dit : J'ai la leucémie!

Jeanne pensait que c'était une catastrophe, elle pensait qu'elle s'était trompée d'homme et de vie et que ce n'était pas le moment d'en rajouter, et Marianne l'écoutait avec des hochements de tête compatissants. Elle aurait eu envie de dire : *Garde-le! Garde-le donc!* en parlant autant du bébé que du mari, mais Jeanne montrait clairement qu'elle ne voulait pas de conseils. Alors elle se tut, et à force de ne pas parler, on aurait pu penser qu'elle était ailleurs, à vagabonder dans un secret. C'est ce que Jeanne perçut.

— Qu'est-ce que t'as, maman? demanda-t-elle soudain. As-tu un amant?

Cela les fit rire toutes deux, surtout Marianne.

Le lendemain, à midi cinq, Marianne était à l'hôpital et entrait des listes de patients et de symptômes dans l'ordinateur lorsqu'une alarme se déclencha en elle. Elle regarda l'horloge et bondit hors du bureau. Elle courut sans donner d'explication à personne. Elle courut hors de l'hôpital, rue Saint-Denis puis rue Sainte-Catherine, bouscula même quelqu'un dont elle ne sut jamais le sexe ni l'âge ni le degré d'éthylisme, et déboucha en sueur contre la clôture de métal au coin de Clark. Le danseur dansait, au milieu d'un cercle accru de spectateurs parmi lesquels elle reconnut le petit homme brun. Un instant, elle fut tentée de rester loin à l'abri et de s'allumer une cigarette. Mais elle perdrait tout, et elle était venue pour saisir quelque chose. Elle se glissa derrière le dos confortable d'un spectateur qu'elle choisit pour son haut gabarit, mais l'homme s'écarta obligeamment pour lui laisser la place et la propulsa malgré elle au premier rang. Elle s'y sentit d'abord très mal, se demandant pourquoi il fallait tant qu'elle soit là alors que ses journées débordaient, à quoi bon ces mouvements inintelligibles et ce regard outrageant à force d'être direct, car le danseur venait de la voir et de la saluer de ses yeux clairs, et après elle ne pensa plus rien parce que le corps du danseur prenait toute la place. Et puis, ce fut fini, elle applaudit aussi fort que les autres, sans comprendre ce qui s'était passé qui lui avait ainsi mis les larmes aux yeux. Les gens se dispersèrent. Elle chercha du regard le petit homme brun qui saurait lui fournir des éclaircissements. Elle l'aperçut, il s'était avancé vers le danseur et lui parlait, mais cette audace était tout à fait au-dessus de ses moyens et elle s'enfuit.

Elle partit, noyée dans un mélange de questions et de joie inquiète qui formaient un brouillard. Et puis elle se jeta dans le brasier du travail où le brouillard fut incinéré.

Le lendemain, elle commentait des radiographies avec le nouvel orthopédiste, un beau garçon ambitieux qui deviendrait sûrement directeur de cet hôpital-ci s'il ne finissait pas ministre de la Santé. Le jeune docteur Prislair, c'était son nom, de sa voix d'homme pressé qui irait loin mais qui devait mettre les bouchées doubles pour ce faire, parlait rapidement de poplités et de tibial antérieur déchirés et d'articulation sous-acromiale qui gênait la mobilité du bras, et Marianne vit tout à coup tous ces muscles en mouvement pendant que le docteur Prislair les clouait au sol, elle revit les gestes amples et royaux du danseur étirant ses brachiaux et son gastrocnémien et donnant à voir ce qu'était un corps humain et comment c'était incomparable. Cela dura une seconde, le docteur Christophe Prislair ne s'aperçut de rien tandis que Marianne recevait une décharge de beauté et souriait, souriait de comprendre ce que lui avait fait le danseur, il avait ouvert une fenêtre en elle par où s'était engouffrée la grâce.

SEPTEMBRE

La fin du monde

Claire avait couru sans but dans la forêt, poursuivie par la panique. Elle avait couru comme en danger de mort — et elle était en danger de mort, son noyau dur éclaté, son intégrité irrémédiablement lézardée, perdant le sang à gros bouillons. Luc faisait partie d'elle, et si cette partie pouvait se détacher, toutes les autres du coup montraient leur vraie nature flageolante, ses cheveux, ses jambes, son cœur, son bonheur près du lac, ses talents lentement façonnés, rien n'avait jamais été à elle.

Une racine l'avait fait trébucher, interrompant sa course de folle, et à genoux par terre enfin elle avait sangloté. Le trop-plein de panique s'en était trouvé évacué, et elle avait pu se relever et regagner presque calmement le chalet. Mais à l'intérieur d'elle, tout continuait de mourir.

Elle avait téléphoné à Luc, parce qu'il était le seul qui pouvait arrêter l'hécatombe. Ne l'avait-il pas serrée contre lui juste avant de partir ce matin, plus tendrement qu'il ne l'avait jamais fait ? Rien n'était perdu, elle changerait, ils changeraient tous les deux, d'ailleurs les gens changeaient sans cesse sans le vouloir, encore plus en le voulant. Pourquoi partir maintenant puisqu'il n'avait pas jugé bon de partir les dix mois qu'avait duré sa liaison ? Qu'importaient d'ailleurs les liaisons avec les autres périphériques ? Partait-elle, elle, après s'être frottée au châssis somptueux de Monsieur Baraqué ? Tant qu'à effacer quelque chose, n'était-il pas plus logique d'effacer de sa vie les dix superficiels derniers mois plutôt que les douze profondes dernières années ?

Il lui avait répondu de cette même voix tendre et patiente qui semblait s'adresser à un petit enfant malade mais aimé. *Détends-toi, va t'asseoir au soleil dehors, ce n'est pas la fin du monde, rien ne change cet automne, je ne déménage pas avant novembre, tu restes au chalet jusqu'en octobre comme d'habitude, profites-en, cesse de te faire du mauvais sang. Ce n'est pas la fin du monde, ce n'est pas contre toi, arrête de voir ça comme un acte dirigé contre toi, à la limite ça ne regarde que moi, tu n'y es pour rien, essaie de te détendre, il fait beau, va t'asseoir dehors.*

Elle avait raccroché, engourdie par sa voix, presque soulagée. Mais aussitôt les mots avaient implanté leur réalité implacable dans son esprit, *je ne déménage pas avant novembre*, et la panique avait ressurgi, et elle avait été obligée de lui téléphoner de nouveau pour entendre les autres choses rassurantes qu'elle ne se rappelait plus et qu'il lui avait sûrement glissées à côté des insupportables. Après le deuxième appel, il avait cessé de répondre. Et plus tard le soir, chez lui, chez eux, quand elle avait téléphoné sans relâche, il avait laissé chacun de ses S.O.S. se fracasser contre le répondeur.

Alors, elle avait été envahie par la haine.

Après, c'est à cette minutieuse tâche qu'elle s'était appliquée, marteler et raffermir sa haine, redessiner sans fin l'image du haïssable du lâche du méprisable du tricheur, se faire assister dans l'entreprise par quelques amis proches rameutés autour d'elle. Ça fonctionnait, Luc était devenu méconnaissable, était devenu un monstre auquel il aurait été suicidaire de s'attacher, et elle avait retrouvé un peu de sa colonne vertébrale.

Mais le chalet.

Le chalet, c'est-à-dire le prolongement de son épiderme, sa drogue dure, son paradis, là où il était entendu que ses cendres après elle achèveraient leur désintégration, le chalet était menacé.

Elle clamait à ses amis proches : *Je le garde j'en ai payé plus que la moitié c'est lui qui s'en va qu'il crève,* et ses amis approuvaient.

Quand ses amis étaient là, l'avenir était envisageable, elle pouvait croire ce qu'elle disait, que le lac à l'Oie serait inaltérablement à elle, que le chagrin déjà s'estompait, qu'il y avait une vie après la mort.

Ses amis comme d'habitude parlaient fort au lieu d'écouter les huards, écrasaient les araignées, marchaient sur les lichens délicats qui ont mis cinquante ans à venir au monde, et pas un parmi eux ne savait allumer de feux d'épinette ni s'asseoir tranquillement devant pour regarder les villes secrètes rougeoyant dans les braises. Quand ses amis restaient plus de deux jours,

Claire était assommée de désespoir, le désespoir d'avoir à comparer leur présence assourdissante à celle, minimaliste et harmonieuse, de Luc parti pour toujours.

Elle finissait par les chasser sous des prétextes flous, ou ils partaient sans qu'elle les retienne.

Toute seule, le lac redevenait un baume. Toute seule, elle parvenait par moments à rester ouverte à ce qui était maintenant avec elle, l'eau clapotante, les oiseaux, la forêt peu à peu gagnée de teintes bistres, et à fermer les autres conduits, les imaginaires qui l'enfonçaient dans des dédales d'avenir inquiétant. Pendant quelques jours, les oiseaux se bousculèrent aux mangeoires. Des gros-becs errants et des sittelles à poitrine blanche tentaient de se faufiler parmi les habitués, une commune de chardonnerets et de mésanges qui s'en offusquaient bruyamment. Le tournesol baissait à vue d'œil car du côté des rongeurs aussi la folie avait frappé, les suisses aux bajoues débordantes galopaient entre les graines et le terrier et à leur suite galopaient les écureuils complètement débordés par la tâche — poursuivre tout le monde, s'empiffrer jusqu'à la glotte, cacher des provisions dans des endroits ridicules et les oublier aussitôt (sous une feuille morte, entre deux asters clairsemés, sous le coussin d'une chaise longue). Il régnait une atmosphère houleuse de *Boxing day*, quand les clients fébriles s'arrachent les aubaines en guettant l'heure de fermeture. Tout cela était hilarant et brutal, mais aussi difficile. Les colibris se battaient pour la dernière eau sucrée de la saison sans le savoir, ou peut-être le savaient-ils au fond de leur cervelle miniature, que la main débonnaire les fournissant en liquide vital s'apprêtait à fermer le robinet et qu'il leur faudrait redevenir des itinérants vers le Sud. Les cris de guerre avaient supplanté les chants mélodieux, les coups de semonce des geais bleus répondaient aux glapissements énervés des martins-pêcheurs. Quelquefois, une trouée de nostalgie paisible surgissait du long chant des huards, puis le vacarme recommençait. Dans tous ces cris exaltés flottait une inquiétude palpable, mais aussi et surtout une excitation, l'excitation du changement.

Claire les regardait et se disait qu'elle aurait mieux fait d'être un oiseau.

Ou n'importe quoi d'autre, qui n'est pas attaché et qui vole excité vers le changement.

Car toute seule, c'était aussi l'occasion d'éprouver des élancements d'effroi suffocant. S'il fallait. S'il fallait qu'on lui enlève ça, qu'elle ne parvienne pas à garder ça, s'il fallait.

Elle contemplait la plage de sable, l'or frémissant sous l'eau, les massifs adorables de kalmias et de foins fous, et elle avait besoin d'eux. Elle contemplait l'île et la falaise, dressés sur le lac comme des évidences de perfection. Elle contemplait tout ce qui l'entourait et qui embaumait, broussaillait, rougissait, se fanait, stridulait, criait, volait, et une voix en elle suppliait, *Ne partez pas, gardez-moi toujours avec vous.* Elle contemplait le chalet si affable, déposé au cœur des autres vies primitives comme un nid naturel.

C'est en contemplant le chalet que Claire commença à comprendre qu'elle allait tout perdre.

Le chalet était un monument à l'existence énergique de Luc.

Le chalet existait avant eux, mais dans une forme sommaire qui en faisait une ébauche plus qu'une habitation. Luc avait refait les fenêtres, remodelé le toit cathédrale, arraché les vieux prélarts, détruit les colonies de fourmis charpentières. Isolé, peint, manipulé toutes les espèces de matériaux conçus pour envahir les maisons. Et comme aucun ouvrier du village n'avait accepté la tâche ignoble, il avait lui-même creusé la cave à la pelle, courbé en deux pendant des semaines et plus seul qu'un bagnard.

Son sceau de sueur était partout, dégoulinant jusqu'au lac. Il avait roulé des pierres plates sur des presque kilomètres. Il avait construit un âtre sculptural. Il avait dessiné un quai sinueux comme un trottoir. Il avait creusé le ruisseau pour le discipliner, il avait façonné la roche et la terre pour en faire naître une rocaille où ne manquaient que les fleurs.

Claire avait planté les fleurs.

Voilà ce qu'elle avait fait. Planté les fleurs. Nourri les fleurs et les petits animaux, nourri Luc. Donné de l'argent bien sûr, donné plus d'argent que lui. Et puis simplement joui, joui pendant des mois et des années de la beauté et des fruits nés de la sueur de Luc. Tandis que lui, bagnard récidiviste, gaspillait les étés chauds dans un bureau climatisé, excepté les deux semaines de vacances estampillées où il venait verser sur le chalet d'autres sueurs.

Mais elle, où était-elle dans cette sauvagerie disciplinée ? Quelles étaient ses traces fondatrices à elle, attestant qu'elle avait pris possession des lieux ? Des phlox, des rudbeckias géants, des lupins, des géraniums, des fines herbes. Mais les fleurs réussies, comme l'étaient les siennes, ne parlent plus que d'elles-mêmes et font oublier ceux qui les ont plantées. Elle avait aussi transplanté des fougères très rares derrière la rocaille, des adiantes aux ramures merveilleuses qui semblaient flotter comme des elfes dans le vent, dérobés la première année dans l'érablière de Lila Szach. À force de marcher dans les bois de Lila Szach, elle s'était entichée des fougères et en connaissait intimement une trentaine d'espèces. Mais où cela était-il visible, cette promiscuité profonde, cette amitié avec la vie sous ses autres formes ? Où s'étalait sa relation privilégiée avec les fougères, pour que tous la constatent et la comptabilisent ? Elle savait dans quels fossés se déroulent les matteucies qui donnent au printemps des têtes de violons. Elle ne cueillait que des dryptères aux reflets bleutés pour faire des bouquets, parce que ce sont les seules fougères à tenir dans l'eau. Elle savait que les onoclées répandues sur le bord du chemin sont les descendantes identiques d'onoclées ayant côtoyé les dinosaures. Elle connaissait les propriétés maléfiques de la commune fougère aigle, qui donne le cancer ou rend invisible selon les spécialistes modernes ou moyenâgeux.

Et les fruits, les arbres, les petits animaux. Elle les connaissait tous par leur nom, tandis que Luc les survolait d'un regard distrait, un outil à la main. Il était l'étranger constructeur, elle était un membre adoptif de la grande famille sauvage.

Mais ce sont là des traces qui ne parlent pas fort.

Les monuments de Luc pesaient autrement plus lourd dans la balance. Surtout le poids de sa sueur.

Quand elle comprit qu'elle ne faisait pas le poids, et que perdre Luc signifiait aussi perdre le lac, Claire ne se mit pas à courir comme la première fois.

Elle ne ressentit pas de panique, car la panique anticipe les drames à venir, et ce drame-ci était bien présent. C'était une catastrophe pure, aussi pure que la mort. Claire éprouvait même une sorte de soulagement à l'idée qu'elle n'aurait plus jamais à craindre que ça survienne puisque c'était là.

Pendant des jours, elle fut incapable d'arrêter de pleurer.

Cet ensemble indissociable de Luc et du lac ne se remplaçait pas, était le gros lot d'une loterie qu'on remporte une fois dans sa vie quand on a énormément de chance.

Elle ne répondait plus au téléphone, elle ne pouvait voir personne. Toutes ses forces étaient ramassées pour ce chagrin-là, cette tempête qui se traversait seule. Ça ne l'empêchait pas de s'asseoir au soleil, d'arpenter les boisés, de cueillir les dernières mûres, et même une fois de se baigner dans l'eau très froide et d'en recevoir une âpre bouffée de joie. Simplement, les larmes lui dévalaient en permanence sur les joues, comme une mousson déréglée. Un soir, le visage noyé et l'estomac imbibé de vin rouge, elle prit un crayon et un cahier et commença à faire une liste. La liste de toutes les créatures vivantes qu'elle avait croisées cette journée-là et qu'elle allait perdre.

Un geai bleu, deux mésanges, une sittelle.
Rongeur céleste.
Petits suisses (3).
Pic à tête rouge.
Pic flamboyant.
Hérons (2).
Rongeur céleste.
Araignées au centre de leur toile (4).
Cigale (entendue).
Huards (6).
Maringouins (plusieurs).
Achigans près du quai (3).
Perdrix.
Rongeur céleste.
Chevreuil.
Essaim de guêpes (entendu).
Monarque en retard venant d'éclore.
Insectes bleu nuit à gros ventre (2).
Chauves-souris (3 ou 4).

Elle relut la liste deux fois. Ça l'aida, ça lui donna des forces. Ceux-là, elle les avait capturés en partie, ils continueraient de bondir et de voleter sur demande quand elle les convoquerait, peut-être la sauveraient-ils du trou noir. Voilà ce qu'il fallait faire, tout noter, tout décomposer en particules portatives, tout prendre ce qui s'emportait.

Il lui restait deux semaines.

Ces soirs-là, les crépuscules étaient extraordinaires, le ciel flambait. Les couleurs déchaînées semblaient vomies par la terre, par l'été qui abdiquait et s'expurgeait de ses vies foisonnantes. Assise sur le quai engoncée dans un châle, elle notait : *Rose fuchsia, rose poudre, carmin, rouge sang, cerise, lilas, aubergine, pourpre, prune, violacé, cuivre, or, orange, jaune safran…* Un vol d'outardes menaça de la faire couler à pic : elles partaient en emportant l'été, elle la laissaient en plan dans la détresse glaciale. Elle se ressaisit, elle nota : *Le lundi 14 septembre, 19 heures : troisième vol, 18 outardes.*

Tant qu'elle faisait des listes, les relisait, s'en imprégnait, elle tenait les larmes à distance.

Alors elle résolut d'y consacrer ses journées, aussitôt extirpée de ce mauvais sommeil dans lequel l'abattaient depuis peu les somnifères — c'était ou les somnifères, ou la nuit complète à mourir vivante. La tête encore embrumée de drogue, des taches d'amnésie sur le malaise fondamental, elle plongea dans la vaste nomenclature de tout.

C'était sidéral, nommer ce qu'elle avait vu et vécu, chacune des parcelles émotives du territoire se déployant devant jusqu'aux parcs provinciaux du Nord, débutant avec le plancher de bois franc sur lequel elle se tenait à cette minute même dans un équilibre précaire, et s'étirant sur douze étés remplis à craquer de gestes anodins et heureux, tellement impossible que c'était en soi une raison implacable de le faire.

Dire adieu était à ce prix.

Elle découpa tout en quatre, en quatre points cardinaux, et elle commença avec l'Est — l'Est était le seul début valable, tel que décidé par le soleil.

À l'Est immédiatement, après le segment de plancher de bois verni sur lequel elle faisait le matin ses étirements, au-delà de la fenêtre par où le soleil versait ses premiers épanchements, les phlox rampants et les lupins mauves si éclatants étaient maintenant dans leur dormance, et sous eux dormaient à jamais les petits animaux qu'elle avait enterrés dans des ramures de cèdre pour les protéger dans l'après-mort — oh roselins, gracieux cardinal à la tête éclatée, juncos aux beaux vêtements gris marbrés de sang, oh grenouille émeraude plus jolie que toutes les autres, pauvres tamias arrachés trop tard aux mâchoires des chats de Lila Szach... Qui aurait maintenant une pensée pour eux chaque fois que lèverait une nouvelle fleur nourrie à même leurs petites âmes désagrégées ?

Le crayon tremblait déjà dans sa main et elle n'avait rien parcouru encore, *Plus loin plus vite!* se fouetta-t-elle en se redressant sur sa chaise, et à l'extrémité de l'Est connu se dressa devant elle le plat pays ravagé qu'elle venait tout juste de découvrir, l'abattis de broussailles enluminé par les petits fruits rouges à venir qui ne viendraient pas pour elle. Avec rage, elle se força à écrire *Framboises* d'une main raide et bientôt éclaboussée par l'eau acide de ses yeux, elle convoqua des morceaux de nature plus inoffensifs dont le rappel la laisserait un peu indemne — mais tout était contaminé, les talles de petites fraises, les mousses épaisses du coteau, les lichens aux arborescences de bonbon rouge, le sentier odorant exploré en chantant, le visage de Luc aussi doux qu'une pierre, chaque mètre de territoire faisait surgir un souvenir heureux qui lui explosait dans les mains.

Ils accouraient, elle n'avait pas besoin de les prier pour qu'ils se pressent comme s'ils avaient été refoulés dans un vestibule étouffant et qu'on venait de leur ouvrir enfin la porte, les souvenirs heureux jaillissaient de partout en même temps et mêlaient tout, Luc, les quatre points cardinaux, les positions des corps, les éléments, dans l'eau du lac, près du feu d'épinette, sur la mousse aérienne du coteau, sur le bois matelassé de leur lit…

Les souvenirs heureux sont des armes fourbes qui vous saignent à blanc.

Les souvenirs heureux défilaient devant Claire, privés de leur suite logique, mutilés et dévalués, devenus des échecs et des blessures puisqu'ils n'avaient pas rempli leurs promesses de permanence. Ils lui arrachaient la joie qu'ils lui avaient un jour donnée et, au lieu d'être emportés par elle, elle les perdait tous.

Elle posa le crayon et le cahier et admit qu'elle n'y arriverait pas.

Elle n'y arriverait pas seule car en ce moment elle tombait, sans points de repère ni garde-fous elle était en chute libre vers une détresse d'où elle ne voyait pas comment on peut revenir. La Nature indifférente l'expulsait, lui signifiait qu'elle n'était pas des leurs malgré ses illusions d'osmose. Seule de son espèce elle tombait dans un gouffre de douleur vers des états d'écrasement pires que la mort, et ce n'était que de son espèce que pouvait venir une forme de salut, de brancard — cette conviction tout à coup allumée dans la noirceur la fit se précipiter vers le téléphone. Dans le téléphone s'entassaient déjà les messages d'amis et de proches lui réitérant leur affection avec les mêmes mots attendus, les mêmes récriminations envers Luc qui n'avaient jusqu'à ce jour servi à rien, à aucun apaisement durable. Mais elle trouva, à la fin des voix familières, un message de sa voisine Violette dont elle s'empara avec avidité, Violette qui, le débit rapide et presque sec, lui intimait l'ordre de venir la voir comme si elle connaissait son état et souhaitait au plus vite la soulager — mais comment avait-elle su ?

Violette l'aiderait, oui, et Lila Szach, pourquoi n'avait-elle pas songé à Lila Szach et à sa vodka dorénavant amicale ? Et même à Curé, dont elle n'avait jamais fait usage de la serviabilité évidente ? Ceux-là étaient ses véritables frères, les seuls habilités à comprendre ce qu'elle s'apprêtait à perdre, et à trouver des consolations, car quelque part certainement dissimulée dans la richesse touffue des lieux une solution existait qu'ils débusqueraient mieux qu'elle, Lila Szach surtout mais aussi Curé et d'abord Violette.

Elle se hâta de sortir, dans l'excitation de l'espoir.

Dehors, déjà, elle fut accueillie par la beauté tranquillisante, le soleil immobile entre les bleus du ciel et du lac, les rouges flamboyants des érables, une procession de huards sur l'eau qui entonnaient une symphonie pastorale à laquelle se mêlaient de loin les outardes, et de près deux hérons volant lourdement l'un derrière l'autre avec des voix de cymbales. Même une mésange offrait en retard son chant de printemps. Sons d'espoir, partout, même au-dessus de sa tête, où la surprit la vrille aigrelette de Rongeur céleste. Levant les yeux vers lui, vers elle, Claire le vit apparaître et disparaître à quelques reprises dans l'interstice de la toiture du chalet avec une ostentation qui signalait quelque chose, qui signalait une nouvelle conquête. Rongeur céleste semblait s'être installé carrément dans le chalet, et quiconque ayant une expérience minimale en cette matière aurait pu en déduire immédiatement ce qu'en déduisit Claire : désormais le toit était foutu et les portées d'écureuils à venir, indélogeables. Le premier élan de stupeur passé, Claire sentit une mauvaise jubilation l'envahir. Au moins, elle ne partirait pas d'ici sans y laisser en quelque sorte des héritiers, plus sonores et visibles que toutes ses autres traces.

Elle pensa se rendre directement chez Lila Szach, la plus forte d'eux tous. Mais elle avait peur d'elle-même, peur de s'effondrer en loques devant les yeux gris intimidants de Lila Szach, alors elle fonça chez Violette. Elle pleurerait d'abord tout son soûl chez Violette qui avait fait bien pis avec elle, qui s'était dévoilée de manière autrement plus impudique. S'effondrer devant quelqu'un était finalement la première chose dont elle avait besoin en ce moment.

Les parasols étaient ouverts sur le patio. À côté d'un verre vide, dans un broc rempli de ce qui semblait de la limonade, quelques abeilles achevaient de se noyer. La vie apparente s'arrêtait là, aucune musique, aucun son de voix, et les stores du chalet étaient complètement rabattus alors qu'il était plus de onze heures.

Elle cogna faiblement contre la porte-fenêtre, sans trop d'espoir, mais tout de suite la voix parfaitement réveillée de Violette répondit : *Oui !* et dans un deuxième temps : *C'est pas verrouillé*, que Claire interpréta comme une invitation à entrer.

Elle aperçut Violette assise dans la pénombre, face à elle comme si elle l'attendait de toute éternité. Violette parla la première, épargnant à Claire la recherche tâtonnante de préambule.

— Enfin ! dit-elle de cette même voix âpre et pressante. Je pensais que t'arriverais jamais !

Elle parlait sans bouger, la tête roide appuyée contre le dossier de la chaise, et Claire y perçut une arrogance incompréhensible qui lui mit les larmes aux yeux, dans l'état déjà dégradé où elle se trouvait. Mais elle n'eut pas l'heur de s'attarder davantage sur ses propres blessures.

— L'ambulance s'en vient, disait Violette. Je m'en vais à l'hôpital.

Claire ne sut qu'émettre des exclamations ici et là tandis que Violette racontait tout avec rapidité, sans émotion autre que cette urgence, dans cette étrange immobilité du torse qui lui donnait une allure de pharaonne et qui s'expliqua aussitôt. Elle ne pouvait plus marcher, plus du tout, quelque chose venait de se démettre dans ses vertèbres, elle avait senti la douleur lui grignoter le dos les dernières semaines, et puis crac, la machine au complet s'était enrayée.

— Mon frère aussi s'en vient, mon frère Christophe, il va prendre mes vêtements et toutes mes affaires...

Elle regardait Claire sans ciller.

— Je ne reviendrai plus ici, c'est certain, dit-elle.

Moi non plus, aurait pu rétorquer Claire avec à-propos, mais ça ne lui traversa même pas l'esprit parce qu'en ce moment l'épicentre était ici, sur Violette qu'elle écoutait et regardait religieusement. Ses yeux s'étaient habitués à la pénombre et maintenant elle voyait comment le lieu était gracieusement décoré — des coussins brodés, des tentures de soie écarlate, de grandes plantes partout —, comment tout était gai et vivant.

— Simon ne sait pas, ni madame Szach, continuait Violette. Tu le diras à madame Szach que je suis partie, de toute façon je lui dois rien, j'ai tout payé au début, et Simon, Simon je peux pas en ce moment, il va trop s'en faire. Je l'appellerai. Tu lui diras ça, que je l'appellerai.

Mais de Claire, elle voulait surtout autre chose.

— Regarde sur la table. Tout est là, un cahier, des feuilles avec toutes mes notes.

Son récit. L'amoncellement d'ecchymoses et de cauchemars dont elle avait le projet de tirer un livre.

— J'y arrive pas, c'est plus dur que je pensais,

mettre les bons mots l'un derrière l'autre. Toi, tu sais comment. Écris-le, toi.

Elle écouta un moment Claire refuser avec une énergie farouche — *Non non, je ne fais pas ce genre de choses, non, c'est absolument impossible* — et elle l'interrompit tout à coup les yeux brillants.

— C'est lui!... J'entends son auto!... Vite, prends mon livre, va-t'en avec, sinon il va le détruire, vite je te dis!...

Les yeux de Violette dardés sur ceux de Claire suppliaient mais contenaient aussi des lueurs autres, la peur de ce qui s'en venait, l'intuition glacée que ce n'est pas seulement ici qu'elle était menacée de ne pas revenir.

— Fais-en ce que tu veux, suppliait Violette. N'importe quoi, ce que tu veux.

Alors Claire se saisit du cahier et des feuilles volantes, une pile menue qui pesait si peu. Elle sortit après un dernier regard sur la pièce joyeuse avec en son milieu Violette assise comme une reine, et qui maintenant lui souriait. Elle entendit la portière d'une voiture se fermer et les pieds de quelqu'un malmener le gravier et descendre vers elle, alors elle se mit à courir vers la forêt, vers le sentier qui faisait une boucle et remontait plus loin.

Elle ne cessa de courir qu'une fois engagée dans le boisé d'épinettes, profondément invisible. Elle s'assit sur un rocher, hébétée, à bout de souffle. Et effondrée certainement, mais d'une façon différente, d'une façon collective. Pourquoi n'avait-elle pas au moins serré

Violette contre elle, pourquoi ne lui avait-elle pas pris la main, embrassé le front, n'importe quoi de fraternel qui fait la différence entre être seul comme un chien et être simplement seul ? Puis elle revit son sourire, au milieu des coussins brodés. Violette ne lui demandait pas de caresses ni de proximité geignarde, Violette voulait d'elle autre chose.

Et elle allait le faire. Dieu sait encore comment et quand, sous quelle forme, avec quels instruments ou plutôt quelles armes, mais elle allait le faire. Qu'avait-elle à faire d'autre d'essentiel, de toute façon, qu'avait-elle d'autre ?

Le sentier devant elle était un sentier qu'elle connaissait par cœur. Elle fit quelques pas lents, comme en promenade. Le sentier qu'elle connaissait par cœur était aussi un corridor luxuriant, une œuvre d'art à sa façon échevelée. C'était une joie de s'y trouver. Elle avança. Elle se voyait avancer, telle qu'elle était vraiment, dépossédée et nue, avec la vie de quelqu'un d'autre dans les mains.

Qui pleure ?

Simon s'étonnait de sa force. Il avait mangé presque normalement, appréciant la texture acide et légèrement caoutchouteuse de ses aubergines, et maintenant il allait profiter de la fin d'après-midi et du soleil.

En s'approchant de la rive, il vit aussitôt la chose échouée à un mètre à peine de son kayak.

Il reconnut la tête énorme d'un brochet, qui faisait un bon tiers du corps, cette gueule de monstre préhistorique à la mâchoire comme sortie de ses gonds. Du ventre de la bête jaillissait une masse blanchâtre et sinueuse, les viscères semblables à des créatures indépendantes que des vagues d'insectes faisaient frissonner. Pendant un instant, le dégoût de Simon prit toute la place. Puis il se ressaisit, il n'avait devant lui qu'un pauvre poisson crevé, laid dans sa mort comme il le serait lui-même un jour dans la sienne, et il alla chercher une brouette et une pelle pour aller l'enterrer plus loin. Le choc cependant le faisait vaciller : il n'avait pas vu de brochet depuis des années, et voilà qu'il en survenait deux, coup sur coup, en moins d'un mois. Et le premier le ramenait directement à Violette, trois semaines plus tôt, dans une autre vie.

Ils n'auraient pas dû le capturer, et encore moins le manger.

Quelque chose ne tournait pas rond avec ce premier brochet, et c'était justement qu'il tournait en rond depuis des heures, la tête affleurant à la surface de l'eau. Violette l'avait aperçu la première et en avait avisé immédiatement Simon au téléphone : *Il y a un gros poisson au large, prisonnier de je sais pas quoi, va nous le chercher, je vais nous le cuisiner ce soir, es-tu libre ce soir ?*

Libre. Il n'était plus jamais libre maintenant, l'esprit continuellement investi par elle, et encore moins libre en ce moment où elle le conviait chez elle. Il avait dit oui sans faire semblant de réfléchir, le cœur battant soudain comme un dératé, les jambes flageolantes.

Il se soignait pourtant, il ne s'abandonnait pas sans lutter à cette dépendance aussi épuisante qu'une maladie. Depuis le lac des Sauges, pas une seule fois il ne l'avait appelée, et un seul matin il s'était rendu en kayak jusque chez elle, et c'était bien entendu une bévue grossière car elle l'avait fait entrer dans sa chambre et avait annihilé en quelques minutes des jours et des jours de résistance active et de travail sur lui-même.

C'était pire depuis qu'il était seul, depuis que Jérémie était reparti pour la ville et que Marianne avec tact l'abandonnait à lui-même. Il avait trop de temps, il était prisonnier d'un excédent de territoire.

Ce jour-là, le jour du premier brochet, le dernier

jour avec Violette, il avait pagayé avec ardeur vers la forme sombre qu'il voyait bouger près de l'îlot. Il savait que Violette suivait avec des jumelles sa progression sur l'eau, et d'imaginer son regard sur lui allumait des incendies dans sa colonne vertébrale. De la rive, ce qui tournait ainsi en rond ressemblait à un castor ou à une tortue géante, ou plus platement à une branche d'arbre, mais de près il s'agissait bel et bien d'une grosse tête de poisson saillant à demi de l'eau, comme cherchant son air — un brochet qui mesurait bien dans les trois pieds de long, de toute évidence en détresse.

Simon ne pêchait pas. Il ne pêchait plus depuis des siècles. Quand il s'était installé au lac à l'Oie des années auparavant, dans le chalet loué par Lila et Jan, il était comme tout le monde, il s'était empressé de jeter sa ligne à l'eau. Il se rappelait comment la pêche avait été miraculeuse, comment les achigans avaient mordu en forcenés comme s'ils n'avaient jamais vu de ver de leur vie — ce qui sans doute était le cas. Lila l'attendait sur la grève. *Vous en avez tué combien?* lui avait-elle demandé de sa voix rocailleuse. Il n'avait pas compris, il lui avait fait répéter. Et il avait ri, croyant à une blague, ou à une imprécision langagière de Polonaise — on dit: *attraper* des poissons, on ne dit pas *tuer*. Mais elle tenait à son approximation langagière, et la preuve, c'est qu'elle était encore là, à l'attendre sur la rive quand il était revenu de la pêche le lendemain et à lui poser la même question.

Elle n'avait pas dit: Je vous interdis de pêcher. Elle avait simplement laissé choir le nom des autres lacs des alentours — le lac Campeau, le lac à l'Équerre... — où la pêche était semblait-il infiniment plus performante — c'était son expression, *plus performante, vous pourrez vérifier ça par vous-même l'été prochain,* avait-elle ajouté en le regardant dans les yeux.

Pour loger dans son paradis, c'était clair et net, il fallait remiser dans les limbes l'attirail de pêche.

Mais les hérons, eux? avait-il regimbé dans le courant de l'été, profitant d'un moment propice à l'insurrection. *Et les canards? Les martins-pêcheurs?... Et encore aujourd'hui, les loutres!... Ils en ont bien avalé douze! Pourquoi pas moi?*

L'argument pourtant massue avait allumé un éclair de gaieté dans l'œil de Lila. *Quand vous serez une loutre,* avait-elle dit, *on en reparlera.*

Il s'était rabattu sur des ruisselets coulant en amont, ou sur le lac Campeau justement où ne sévissait aucun cerbère femelle, mais un grain de sable s'était glissé dans son plaisir. Elle avait réussi ça, la belle Polonaise, elle avait fait qu'il s'était mis à interroger ce qu'il avait toujours perçu comme légitime : on s'installe, on prend. Toute vie grouillant dans l'eau ou ailleurs grouille à notre disposition. On lance sa ligne, on épaule sa carabine, on a un droit automatique de nourriture et de cuissage sur les animaux inférieurs.

Soudain, ça n'allait plus de soi. Quelle était cette faim-là, inassouvissable, qui commandait de s'emparer de tout?

Il avait cessé sans s'en rendre compte d'aimer pêcher.

Du reste, il n'aimait même pas vraiment le poisson.

Et maintenant, que s'apprêtait-il à faire ?

Le brochet poursuivait son trajet concentrique, les yeux à fleur d'eau, automate aux piles inépuisables, atteint d'une névrose de poisson déréglante qui ne le fit même pas s'enfuir à l'approche du filet de Simon. Il se laissa traîner derrière le kayak sans mouvement tandis que Simon, mortifié, se disait que la saison de la pêche était terminée, qu'il était un braconnier et qu'il haïssait les braconniers, et qu'en outre ce qu'il faisait là était bien pire que pêcher.

Mais Violette était sur la grève à battre des mains et à émettre de larges signaux de victoire, et il dut admettre en la regardant et en imaginant la soirée à venir que sa joie était infiniment plus grande que sa culpabilité.

Le brochet était mourant mais il ne voulait pas mourir.

Simon l'avait laissé sur la grève en espérant qu'il abandonnerait la partie. Cela faisait maintenant une heure qu'il palpitait, la mâchoire légèrement claquante, la grosse tête horrible aux yeux qui continuaient à voir. Il n'allait jamais être prêt pour l'heure du repas, et Violette supplia Simon de l'achever. Simon dut s'y prendre à plusieurs fois pour réussir à lui fracasser le crâne. Au début, il frappait avec la conviction qu'il paierait un jour pour ce qu'il était en train de faire. Mais trois secondes plus tard, tuer était devenu un geste normal et même nécessaire.

Le reste de l'après-midi, il attendit que le moment d'aller chez elle survienne enfin. Il n'essaya même pas de penser à autre chose, c'était un combat perdu d'avance.

Ils allaient le faire, encore. Ils l'avaient fait une deuxième fois, deux semaines auparavant, miracle et paradis renouvelés, et voilà que ça allait recommencer. Quand il était revenu avec le poisson, elle l'avait regardé de cette façon qu'il reconnaissait et devant laquelle il se serait agenouillé d'émoi. Elle avait envie qu'il ait envie d'elle. Il ne réussissait pas à se dire qu'elle avait peut-être aussi envie de lui, ç'aurait été trop grand à absorber.

Elle s'était un peu collée contre lui avant le repas, tout en disant : *Plus tard.*

Les épices et les aromates n'arrivaient pas à cacher une odeur fade à la base, une odeur de vase profonde, pas assez forte pour qu'on la remarque tout de suite, mais s'enroulant mine de rien autour de tout. Le poisson n'était pas bon. Même assisté d'une sauce veloutée et de beaucoup d'ail, il restait affreusement rêche et saumâtre et le mâcher était une expérience dégoûtante. Simon abandonna tout de suite et conseilla à Violette d'en faire autant, par précaution. Mais Violette refusa, elle s'était donné du mal, juste dépecer cette maudite chair coriace avait été un exploit, alors elle avala toute sa part en la noyant dans le vin et en répétant en riant que ce n'était pas terrible.

Bien entendu elle fut malade. Par chance, elle le fut sur-le-champ, ce qui exclut les complications et les empoisonnements ultérieurs. Elle vomit tout ce qu'elle avait mangé et puis alla se coucher. Simon s'occupa de nettoyer et de ranger, puis il resta à la veiller jusqu'au milieu de la nuit, jusqu'à ce qu'elle lui assure qu'elle était bien, qu'elle n'avait plus qu'un léger mal de dos que le sommeil allait faire disparaître. Même s'il avait imaginé autre chose, prendre soin d'elle était une forme de bonheur. Il aurait bien passé la nuit sur son sofa à écouter à distance le chant calme de sa respiration ou s'il le fallait le tumulte de ses cauchemars, mais il rentra chez lui puisque c'est ce qu'elle souhaitait.

Le lendemain à la première heure elle lui téléphonait. Sa voix gaie et un peu fatiguée lui affirma qu'elle avait simplement encore besoin de récupérer mais qu'aussitôt sur pied elle recommencerait le souper raté, la prochaine fois elle lui ferait des pâtes, est-ce qu'il aimait les pâtes ? la prochaine fois après les pâtes elle le garderait toute la nuit et la nuit serait électrique, promettait Violette, oh Violette.

La pelle ne fut d'aucune utilité pour hisser le monstre visqueux dans la brouette, il n'y parvint qu'à mains nues, au bord de la nausée. Et puis il creusa un trou profond sous un couvert d'épinettes, y jeta le cadavre qu'il recouvrit de branches et de terre tassée, et le rituel minimal fut accompli.

Après, il restait suffisamment de soleil sur le lac pour une échappée en kayak.

C'était une journée douce jusque dans son crépuscule, habitée par une tiédeur parfumée qui n'appartenait pas à l'automne. Les loutres étaient arrivées il y a deux semaines dans la baie et maintenant la tête sortie de l'eau elles crachaient comme des harpies. S'il restait immobile, elles l'oubliaient et recommençaient leurs cabrioles, s'arquant gracieusement pour plonger, émergeant une fois sur deux avec un poisson frétillant dans la gueule qu'elles croquaient à la sauvette, assaillies par les autres. Ils étaient nombreux, finalement, à se partager la douceur du couchant. Des huards attroupés dans leurs habits pâlis conversaient en esquissant des chants de gorge, des insectes en sursis voletaient par colonnes dans la lumière, et au-dessus d'eux tous, les outardes déferlaient en flèches ondoyantes et jappantes. Aussitôt le soleil couché, les truites de la frayère aussi s'en mêleraient, frottant contre les pierres à ras de l'eau leurs gros corps langoureux dans un ballet sexuel autour des semences lâchées et arrosées. Simon aperçut un autre être humain sur la rive, sa voisine Claire arpentant longuement son bord de plage, ce qui n'était pas dans ses habitudes. Même si parler aurait été réconfortant, il se contenta de la saluer de loin et elle lui répondit de même, de loin puisque c'est toujours ainsi qu'il avait senti qu'elle préférait les contacts.

Pendant ce temps, Violette.

Violette toute blanche et sans défense dans son arène assaillie par les fauves.

Il se mit à pagayer fort, parce qu'autrement comment épuiser ce qui en lui voulait hurler ? Tant de violences ailleurs se déchaînaient, il ne servait à rien de rajouter la sienne. Plus tard, les états d'âme, en un autre temps. Garder des forces pour demain, pour eux deux, pour elle surtout. Lui transmettre des forces, coûte que coûte. Retourner demain à l'hôpital, même si elle lui avait conseillé au téléphone d'attendre la semaine prochaine.

Elle ne se ressemblait pas du tout en gisante, les yeux refermés sur sa pâleur mortelle. C'est ce qu'il avait pensé en entrant dans la chambre : *Ce n'est pas elle,* puis avec un raté au cœur : *Ce n'est pas elle, c'est une morte.* Mais quelqu'un avait dit : *Elle dort, elle dort beaucoup,* et il avait vu qu'une femme assise à son chevet venait de se lever et s'adressait à lui : *Je suis sa mère,* disait-elle. *Et vous, vous êtes monsieur... ?*

La mère de Violette était petite et mince et avait les cheveux très blonds, certainement teints, un sourire aussi rouge qu'une plaie, la tête d'une vieille poupée bronzée. Pas si vieille après tout puisqu'elle avait son âge à lui, mais le soleil précipite les choses — et celui de Floride infiniment plus que celui des Laurentides, se rappela abruptement Simon.

En un éclair, il se rappelait tout à propos d'elle, à propos de celle à qui il fallait trouver un autre nom. *Je suis un ami,* avait-il répondu avant de l'ignorer de toutes ses forces et de tenter d'établir un contact avec pauvre petite Violette effondrée dans le lit, plus blanche que les draps et gonflée comme par un mauvais sang.

— Elle est enflée, disait la poupée, c'est la cortisone qui l'a fait enfler, et puis elle dort tout le temps.

Il chuchotait son nom pour tenter de la sortir de sa mauvaise imitation de mort, mais la poupée babillait en même temps et osait même se rasseoir contre le lit et s'emparer de la main désarmée de Violette — main brune de flétrissures et criblée de bagues, fondue comme un oiseau de proie sur celle si pâle de Violette, et il avait dû sortir de la chambre tellement le sang lui bouillait dans les veines.

Il s'était précipité au bureau des infirmières pour faire cesser cette mascarade insupportable.

Par un de ces hasards qui hérissent souvent le parcours de la vie, l'hôpital était celui de Marianne, et déjà Marianne était venue quelques fois à la rescousse de Simon, arrachant aux médecins des informations qu'ils couvaient comme des secrets d'État, veillant de loin sur la condition de Violette et parvenant à lui parler deux fois. Mais en ce moment où elle avait rejoint son service d'orthopédie niché dans un autre pavillon, il se retrouvait seul dans un conciliabule de professionnels en blanc qui le regardaient de travers et ne comprenaient pas ses revendications — quels étaient ses liens avec la patiente et, puisqu'ils étaient nullissimes, comment pouvait-il oser prétendre qu'une fille malade n'avait pas besoin de sa mère ?... et comme il insistait et ne semblait pas vouloir en démordre, quelqu'un fut appelé qui mit un terme à toute la scène. C'était Christophe, en blanc comme les autres puisqu'il était médecin et qu'il s'agissait de son hôpital à lui aussi, doublement légitimé de se trouver là comme professionnel et frère de sa sœur. Tandis que Simon n'était rien, c'est ce que Christophe, qui l'avait attiré dans un bureau fermé pour l'entendre, lui répéta avec froideur, un voisin n'est rien quand il s'agit des ultimes soubresauts d'un être humain, car c'est bien là que Violette en était. Le grand jeune homme blond, qui un jour devant Simon avait ri si fort en parlant de n'importe quoi, avait en ce moment le visage de quelqu'un qui ne rirait plus jamais. Quand Simon lui redit que c'était une grande violence à faire à Violette que de lui imposer la présence de sa mère, dans ce bureau fermé il perdit le contrôle et plaqua rudement Simon contre le mur, *Il n'y a rien qui vous regarde là-dedans, rien!* siffla-t-il avec une émotion d'écorché vif, et Simon savait qu'il avait raison, le frère martyrisé, mais pour l'amour de Violette il se cramponna à sa protestation jusqu'à ce que Christophe lui ordonne de partir et menace d'appeler la sécurité.

Le coup de téléphone de Violette fut pour lui une résurrection.

Il avait dû entre-temps mourir mille morts et pourtant rester vivant, de retour dans leur condo de banlieue à se ronger les sangs jusqu'à ce que Marianne arrive. Marianne l'avait aidé. Elle lui avait juré de parler aux infirmières du secteur qui pourraient agir en catimini pour éloigner l'Indésirable. Elle se sentait si dépourvue devant le bouleversement de Simon qu'elle lui avait ensuite offert de venir avec elle à un spectacle de danse — de *danse?!* — et il en avait presque ri tellement il trouvait la proposition ahurissante. Il avait plutôt choisi de remonter au lac à l'Oie pour y passer la nuit et digérer les chocs, et il avait bien fait puisque la voix de Violette l'attendait sur le répondeur.

C'était Violette vivante, Violette espiègle aimant rire, et son rire était autant dans sa voix que la fatigue : *Je t'ai vu, tu sais, je savais que t'étais là, mais je faisais semblant de dormir, je fais toujours semblant de dormir quand Elle est dans la chambre.*

Elle lui demandait de la rappeler, et il la rappela. Il était plus de dix heures du soir, pas du tout une heure d'hôpital, mais on lui passa Violette sans faire d'histoire et la joie balaya un moment tout le reste.

Comment tu vas, Simon ?

C'était Violette retrouvée, et chacune de ses phrases, émaillées comme des perles parmi les silences, étanchait de vastes pans de sa soif. *Ça a l'air qu'il faut encore que je me batte,* disait-elle. *Tu sais, c'est pas la première fois qu'on me donne pour morte.*

En attendant, elle ne souffrait pas vraiment car on était généreux avec la morphine, et surtout elle gardait confiance, la moelle osseuse bouffée par les métastases elle gardait inébranlablement confiance, et cette confiance percuta Simon et l'illumina envers et contre tout bon sens. *Je rêve beaucoup à cause de la morphine,* disait-elle encore, *je rêve que je me trouve au lac des Sauges, les grands pins, l'eau chaude, exactement pareil, et je fais tout un saut quand je vois les hérons se transformer en infirmières…*

Des rires légers lui échappaient, mais aussi des soupirs et une vraie douleur qui tremblait et se contenait, *Ils m'ont tout enlevé, Simon, les ovaires, l'utérus, tout, plus jamais d'enfants, peut-être que j'étais enceinte, ils ont jamais voulu me le dire, si j'étais ou non enceinte…*

Il dut parler lui aussi, mais après il ne se rappela rien de ce qu'il avait dit, car ses mots à lui ne servaient que d'écrin pour mettre en valeur les mots de Violette, de rempart aussi autour de sa force qu'il fallait protéger et garder vive. *Enceinte,* avait-elle dit, et l'ivresse que ça lui avait donnée s'était peu à peu changée en poison.

Si elle était enceinte, ce ne pouvait être que de lui.

Elle avait dit : *Peut-être,* ce qu'elle avait dit ne voulait rien dire, ne reposait sur rien de certifié, une chance sur un millier, un million. Une chance quand même, une possibilité, infime et lilliputienne.

Puis elle avait dit : *Reviens la semaine prochaine, Elle va être retournée en Floride la semaine prochaine...*

Ensuite, sa voix avait chuté d'un cran. *La fatigue me gagne.* Ses derniers mots étaient une musique à moitié soupirée, sur le point de glisser dans le sommeil : *Je m'en vais au lac des Sauges... Je vais y être avant toi, gages-tu ?...*

Presque une journée s'était écoulée depuis, et il gardait sa voix intacte en lui, la réécoutait souvent pour être sûr de ne rien en perdre, soupesait le poids de chacun des mots et des silences pour apprendre à quoi s'en tenir. Ses cellules à elle savaient si la partie était perdue ou encore à gagner, des informations essentielles résidaient dans le non-dit auxquelles il aurait dû être plus attentif, et il attendait le soir pour la rappeler, et il n'attendrait pas la semaine suivante pour se pencher en personne sur elle et lui infuser des munitions vivantes : *Les loutres, Violette, il y en a au moins trois, et j'ai compté huit huards adultes qui ont maintenant leurs manteaux d'hiver, des becs-scies en procession longent la rive, tu devrais voir ces truites se frotter l'une contre l'autre tellement énormes peut-être qu'elles ont cent ans...* Il la bombarderait de vies frétillantes et elle vivrait, car la vie était contagieuse.

Il faisait bon pagayer jusqu'à l'écroulement, jusqu'à ce que son dos flambe, pagayer pour rallumer sa douleur qui le mettait en osmose avec celle de Violette, qui au-delà de la distance faisait comme se répondre leurs vertèbres affaiblies.

N'était-ce pas Lila qui venait d'apparaître sur le balcon de la cabane à bateau ? Il leva sa pagaie dans les airs, et c'était elle puisque deux bras dressés en sémaphore lui répondirent, et le convièrent aussi certainement, mais il freina son envie d'aller se reposer contre sa poitrine autrefois si hospitalière. Dans l'état de vulnérabilité extrême qu'il partageait en ce moment avec Violette, un mot de travers pouvait causer l'effondrement, une maladresse affectueuse pouvait tout déchirer.

Par exemple, ce matin au téléphone Marianne l'avait poignardé.

Et pourtant, ce qu'elle lui disait se voulait source de joie, en tout autre moment l'aurait été et sans doute le serait éventuellement. Marianne sûre de son effet bienfaisant lui apprenait que Jeanne était enceinte et acceptait enfin de l'être, que le plus beau c'est qu'*elle attendait non pas un mais DEUX bébés, Simon, deux ! des jumeaux, deux d'un coup pour nous, pour toi...*

Elle riait, Marianne, inondée d'un bonheur qu'elle laissait aller au compte-gouttes devant Simon pour ne pas le brusquer, mais c'était fait, il était brusqué, *C'est merveilleux!* avait-il réussi à émettre, atterré.

Deux enfants pour Jeanne qui n'en voulait pas.

Rien à jamais pour Violette.

Il avait raccroché, troublé par la rancœur, témoin impuissant d'une injustice et d'une fraude, mais surtout, pire encore, atteint au cœur par un fantasme qui prenait appui sur cette histoire d'enfants en devenir. *Peut-être que j'étais enceinte*, les mots de Violette le bouleversaient complètement maintenant, donnaient accès à une planète disparue qu'il avait eu le malheur d'entrevoir, une illusion incendiaire — Violette enceinte de lui et vivante, vivant longtemps et l'entraînant avec elle dans une brèche, une nouvelle existence large comme une allée royale dans laquelle il plongeait son regard ébloui mais qui se refermait, se refermait d'un coup sec.

Il avait mis deux heures à s'en remettre, à détruire ce qui n'existait même pas et qui l'éloignait de la vie réelle.

La vie réelle embaumait le sapin humide et la mousse et venait de fraîchir soudain, car le soleil avait basculé derrière la montagne. Simon absorbait la paix du lac, immobile dans son embarcation, et tranquillement il retrouvait un mode de bon fonctionnement, il pensait aux tâches saisonnières à terminer avant de retourner à la ville — tirer le quai sur la rive, fermer l'eau et vider les tuyaux, suspendre le kayak sous la galerie…

Juste à sa droite, le patio de Violette luisait dans le crépuscule et il se força à le regarder sans faiblir. Ceci était son paysage durable, il devait réapprendre à voir le petit chalet de bois rond comme une entité neutre, aux contenus interchangeables. Deux formes minuscules se dressaient sur le patio au-dessus de l'eau et il s'approcha pour surprendre les petites bêtes — polatouches ou mulots ? — qui ne bougeaient pas, et parvenu tout près il vit qu'il s'agissait de deux tasses à café oubliées là.

Alors bien entendu le tsunami qu'il n'avait pas vu venir se jeta sur lui. Violette achevait de disparaître dans ces traces de leur courte histoire commune, car elle disparaissait, lestée de métastases, il était impossible qu'elle ne disparaisse pas, splendide Violette à la trajectoire si brève qui ne demandait que du temps pour réparer son enfance et répandre sa ferveur, oh la cruauté insoutenable de la voir disparaître fauchée en plein début de tout, et Simon sanglotait, submergé par la vague du tsunami, fauché lui aussi, noyé dans la noirceur.

Une partie de lui cependant surnageait et demandait : *Qui pleure ? Qui pleure à ce point ?* Une partie de lui ne se noyait pas et lui assurait que cela se traversait, se traverserait, restée hors de la tourmente, une partie de lui le regardait avec sollicitude et lui disait : *Je te salue, Simon qui es dans la détresse, je te salue, je suis avec toi.*

Une odeur de roses

En débandade, tous.

Une hécatombe de cœurs brisés et de corps défaits comme Lila n'en avait jamais vu. La plupart des morceaux ne se recollaient pas. Il fallait accepter les deuils, les pertes lourdes. Et tenter de remettre en train ce qui restait, tenter d'infuser une âme vigoureuse à un ensemble qui menaçait de couler à pic.

Le mois de septembre avait été trop beau, aussi, trop amollissant. Tant que les outardes sillonnaient le ciel et que les érables brûlaient au soleil, on s'accrochait. On était déchiré, on restait penché sur l'été à le veiller, à ne pas le quitter des yeux, à chercher où il fallait être et quand exactement afin de ne rien rater de ses derniers souffles. Elle-même avait marché sans repos pour s'emparer de tout ce qui était encore brillant et vif. Les arbres flambaient contre le bleu du ciel, des odeurs enivrantes de fruits mûrs collaient à l'air. Une fois, un insecte énorme, engourdi par la fraîcheur, avait voulu se poser sur elle et elle l'avait précipitamment assommé d'une taloche, avant de se rendre compte qu'il s'agissait d'une cigale — magnifique cigale déchue, dont le corps noir et épais remuait maintenant par terre, avec ses ailes en triangles transparents malmenées par sa main idiote. Elle l'avait redressée et déposée sur une branche en souhaitant qu'elle se répare d'elle-même au soleil. Elle avait aussi entendu les vaches meugler, loin, dans les champs près du village. Elle les entendait deux fois par année. Au printemps, c'étaient des sons qui vous déchiraient le cœur car les vaches pleuraient, elles pleuraient littéralement en réclamant le petit qu'on leur avait enlevé. Maintenant, à l'orée de l'automne, c'était beaucoup plus heureux, les vaches émettaient de longs chants tendres, des cris d'amour. À l'automne, Lila en était convaincue, les vaches étaient en rut, ce que personne d'autre à qui elle en avait parlé n'acceptait d'envisager sérieusement. (Quoi, les vaches en saison des amours ?... Les vaches, ces grosses mécaniques empotées, ces trayons suspendus à vie au-dessus de nos verres à lait, ces tournedos en puissance ?...)

Les vaches meuglaient de désir, les outardes jappaient d'excitation. Et deux orignaux avaient permis qu'elle les surprenne dans leur intimité.

Elle se trouvait à ce moment sur le patio du chalet de bois rond, qu'il fallait bien nettoyer et débarrasser des reliefs laissés par la petite Violette. En laissant dériver ses yeux sur le lac, elle avait décelé des formes sombres dans la boucle attenante au marécage. Dans les jumelles, la scène était saisissante. Un mâle empanaché et sa femelle à la tête nue broutaient sur le rivage, plus hauts que des chevaux, et puis lourdement ils s'engageaient un derrière l'autre dans l'eau et ils nageaient, la tête couronnée et l'autre lisse, comme les rois solitaires qu'ils étaient, si magistraux qu'elle avait eu l'impression d'accéder à un spectacle interdit.

Avec Jan, une fois, elle avait aperçu un orignal qui s'enfonçait dans le lac et finissait par disparaître.

Même trente ans plus tard, l'image du large panache faisant des remous à la surface avant d'être immergé d'un coup la tourmentait encore — et les mots de Jan lui affirmant que les orignaux blessés vont mourir dans l'eau, dans les profondeurs seules dignes de leur servir de tombeau, quand le petit homme affamé de trophées ne les intercepte pas avant et ne vient pas leur ficher la tête sur des capots de voitures et des murs de salons.

Ceux-là avaient traversé le chenal et peu à peu échappé à son observation, ceux-là étaient bien vivants — jusqu'à quand, elle ne savait pas, des détonations avaient commencé à résonner derrière la montagne, la chasse au chevreuil venait de commencer, sans parler de cette autre menace qui lui donnait des cauchemars, celle d'un grand parking étirant son béton par-dessus le marécage.

Finalement toutes les scènes ensoleillées avaient fini par se ternir. Dans l'état de faiblesse où septembre trop beau l'avait plongée, l'un après l'autre, les malheurs s'étaient approchés de Lila pour la contaminer.

Elle avait pleuré avec sa voisine Claire venue lui dire adieu.

Elle gardait une dignité dans la douleur, la jeune Claire, qui lui avait fait de l'effet. Les gens sachant ne pas se répandre à tort et à travers sont si rares. Claire avait frappé à sa porte avec une toute petite mine, les yeux creusés à force de rendre leur eau, mais un gros bouquet de fleurs à la main. Elle avait coupé tout ce qui tenait encore debout dans sa rocaille et les offrait à Lila. Même s'il n'était que onze heures du matin, elles avaient bu jusqu'à se rendre un peu ivres, et fatalement trop émotives.

Elle s'essayait, aussi. Quoi de plus normal? Elle tâtait le terrain, cherchait à savoir s'il n'y aurait pas possibilité d'acheter à Lila un bout de terrain justement, dans une boucle du lac invisible d'ici. Sa voix tenait droit courageusement, disciplinée par une volonté de fer, mais on devinait que la tempête recommencerait à l'ébranler aussitôt qu'elle se retrouverait seule. Un instant, Lila l'avait sondée du regard. Pourquoi ne pas lui accorder ce peu qu'elle requérait, pourquoi ne pas faire une entorse à ses rigides diktats? Mais c'était dans la boucle du lac, précisément parce qu'inaltérée par des traces humaines, qu'elle avait tout juste aperçu les orignaux. Pour couper court à l'espoir qu'elle voyait poindre dans les yeux de Claire, elle lui avait décrété que ce n'était pas une bonne idée. Tous les jours avoir à portée de main l'ancien paradis et l'ancien amoureux y batifolant maintenant avec une autre? Pas du tout une bonne idée. La lumière s'était éteinte en Claire, *C'est vrai,* avait-elle soupiré, *vous avez sans doute raison,* avait-elle reconnu avec accablement. Et puis Lila y était allée d'une de ces phrases sentencieuses qu'on se dégoûte, après, d'avoir prononcées, *Ce n'est pas la fin du monde,* avait-elle proféré, *ce qui semble la fin du monde n'est toujours que la fin d'un monde.* On lui aurait dit ce genre de chose, à la mort de Jan, qu'elle aurait griffé. Dieu merci, elle avait su se taire ensuite pour prendre sa petite voisine dans ses bras, lui transmettre sans mots qu'elle regrettait de ne pas l'avoir connue davantage.

Et Simon, pauvre Simon. Lui aussi lui avait arraché des larmes, avec cette histoire sordide autour de Violette.

Elle avait été jalouse, c'est vrai, de ce qu'elle sentait grenouiller entre lui et sa jeune locataire, elle en était venue à regretter d'avoir loué à une petite beauté capricieuse qui jouait les martyres pour se rendre intéressante — sans compter ses cris de belette égorgée la nuit qui vous réveillaient le cœur battant. Mais cette rancœur était bel et bien enterrée, au point d'oublier qu'elle avait existé. Malheureuse petite *Mała,* avec qui la vie s'était montrée si pingre jusqu'au bout. Et pauvre Simon, un trou béant au centre du corps, ce dernier matin où il était venu lui déverser sa peine. Elle voyait la scène, en même temps qu'il la lui décrivait, et elle était effrayée par la brutalité des ruades que nous flanque parfois l'existence. Il était arrivé à l'hôpital, Simon, bien décidé à franchir la barrière érigée par le frère de Violette et à bouter lui-même hors de la chambre si elle osait s'y trouver encore *la mère-poupée dénaturée,* comme il la nommait. Mais c'est sur une armada familiale complète qu'il avait buté : non seulement la mère et le frère médecin, mais plusieurs autres éléments blonds et grands étaient massés dans le corridor, entrant dans la chambre et en sortant comme au spectacle ou aux entractes des spectacles, en papotant fort, tandis que Violette qu'il n'avait même pas pu entrevoir était plongée dans le coma depuis des heures et s'en allait, s'en allait, et on ne l'autorisait pas à se pencher sur elle une dernière fois — *Vous viendrez plutôt au salon et à l'enterrement,* lui avait dit Christophe en osant un sourire courtois, et Simon l'aurait étranglé sur-le-champ, lui ainsi que toute sa famille détraquée.

Le plus insoutenable était ce climat de fièvre joyeuse qu'il avait cru percevoir parmi eux — comme s'ils étaient contents qu'elle disparaisse, hop ! éliminé le témoin gênant et bavard ! — *Ou peut-être ai-je lu trop de romans policiers,* avait-il conclu dans un sursaut d'autodérision.

Lila avait serré Simon contre elle. Que faire d'autre que de prendre temporairement une part du fardeau ? Et puis il était parti pour la ville, la laissant avec ce souvenir de défaite dans les bras.

On en était là. Devenue réceptacle de toutes les lourdeurs, et puis abandonnée seule dans l'été finissant, avec les mémoires des victimes imprégnées dans le paysage. Elle avait pleuré, oui. Elle ne pensait pas disposer d'autant de larmes pour les autres. Ça l'avait en quelque sorte rassurée sur sa propre humanité, dont elle n'attendait plus grand-chose. Mais une fois ramolli et pétri par toutes ces eaux désespérées, où est-ce qu'on s'en allait si on n'en finissait plus de se laisser imbiber ?

L'époque était difficile. Les menaces sourdaient de toutes parts, maintenant que le beau temps avait cassé net. Des pluies et des vents achevaient de défigurer les arbres. Le rouge somptueux des érables gisait par terre, en lambeaux lui aussi, éreinté par l'eau. Regarder dehors, c'était contempler l'agonie. Une fois les érables tombés en grisaille, c'était au tour des bouleaux de se faire arracher leur jaune orangé. Après, il ne resterait de vaillant que le vert terne des conifères, fondu dans le gris de la terre, du ciel, et du lac. Les huards et les écureuils se tenaient cois, à peine une corneille ici et là lançait-elle son croassement d'apocalypse. Et les outardes ne passaient plus avec leur tumulte pour la dresser toute vers le ciel, le cœur en émoi, dans un état d'ardente nostalgie.

L'hiver viendrait, le géant qui abat les faibles et les vieux.

Après l'hiver, la menace au lieu de s'éteindre se raffermirait, et un jour horriblement possible, même le vert terne des conifères se muerait en gris — le gris des stationnements et des voitures venant affleurer dans le gris des condominiums du nouveau centre récréatif de Mont-Diamant.

Lila avait failli elle aussi s'effondrer d'effroi et de découragement.

Quelque chose l'en avait empêchée.

Le Petit avait été retrouvé.

Le Petit était vivant, plus inventif que jamais, une

jambe en morceaux qui se recolleraient, merveille de la jeunesse auto-recollante. Elle lui avait parlé au téléphone la semaine dernière, une conversation brève qu'il avait tenu à amorcer lui-même, *Comment allez-vous, madame Szach?* lui avait-il demandé plein de déférence protocolaire, *et comment vont les champignons?* Lui-même n'allait pas trop mal, il avait appris à faire des sauts périlleux avec ses béquilles, il avait recommencé l'école mais n'était pas sûr d'aimer ça, il restait avec Laurie en ce moment qui l'obligeait à manger de la viande dégueu, et puis il y avait une chose qu'il tenait à lui dire et à laquelle il avait pensé longuement : s'il avait été beaucoup plus vieux, et elle beaucoup plus jeune, ça n'aurait pas été complètement impossible, après tout, qu'ils se marient.

C'est vrai, avait-elle confirmé en y mettant la même solennité que lui, *pas complètement impossible.*

Quand le Petit avait été retrouvé, elle avait su que la vie ne la détestait pas. La grande catastrophe intolérable lui avait été épargnée. Quand il avait été retrouvé, elle s'était juré, prenant à témoin la terre ferme qui la portait et le ciel qui ne s'effondrait pas, de ne plus jamais se laisser abattre par les aléas affrontables. À côté de la disparition monstrueuse du Petit, tout était aléa affrontable : l'agonie de l'été, la mort des autres, la solitude, la vieillesse.

Et les projets de Jean-François Clémont.

L'époque était incontestablement ardue et demandait réflexion — au sec et au chaud, pendant que les intempéries sévissaient dehors.

En ce moment, dans sa maison chaude, des bûches de bouleau sifflaient dans le poêle, les chats dormaient le ventre à l'air sur les fauteuils, des odeurs de nourriture montaient de la cuisine. Trois nouveaux venus avaient été introduits dans la maison, non sans heurts, une petite angora noire et ses deux chatons à moitié ensauvagés à force de n'avoir été nourris et caressés par personne. Pour l'instant, ils étaient dans l'appentis chauffé, sur des couvertures de mohair, pour leur donner la chance de semer leurs odeurs et de se reposer tranquillement loin de VieuxMinou et de Mama qui ne demandaient qu'à les égorger. Et Picasso, mon Dieu. Picasso faisait partie des pertes. Cela faisait un mois qu'il n'était pas rentré, elle avait arpenté la forêt en criant son nom et peu à peu elle s'était faite à l'idée que, quelque part sous les arbres, sa belle fourrure gris et blanc était en train de se décomposer. Sur lui aussi, elle avait pleuré.

Pleurer avait fait son temps.

En ce moment, elle se sentait à la fois forte et diligente, les gestes se faisaient sans fébrilité, elle hachait le fenouil et assaisonnait les oignons frits et une confiance comme elle ne pensait plus en connaître lui circulait dans les veines. Elle jetait les champignons dans la poêle à feu très vif pour qu'ils grésillent et perdent leur eau, elle ajoutait une pincée de fleur de sel, elle se demandait si la cardamome serait indiquée pour relever les saveurs ou n'ensevelirait pas tout sous l'exotisme.

La confiance était revenue quelques jours auparavant, alors qu'elle était sortie sous la pluie pour tenter de dissiper son propre brouillard. Ankylosée par l'arthrite et l'anxiété, elle avait quand même marché jusqu'au lac. Tout était abandonné, sombre, liquéfié, un décor de dépression nerveuse. Il ne ventait pas, le lac absorbait l'eau du ciel sans un pli, c'était un temps idéal pour surprendre les truites dans la frayère. Elle ne se rappelait pas autour de quels rochers précis elles avaient leurs habitudes, alors elle avait tout longé, le cœur aussi marécageux que le sentier dans lequel lui pataugeaient les pieds. Aucune truite nulle part, pas l'ombre d'un tressaillement de vie à l'horizon. Elle décidait de faire demi-tour quand elle avait vu les trois champignons adultes, en triangle sur le talus, leurs têtes blanches luisant au-dessus des feuilles jaunes. Elle n'en croyait pas ses yeux, elle s'était approchée lentement pour ne pas nuire au mirage, elle avait écarté les feuilles mortes. Ils étaient parfaits, sans morsure d'insecte, la tête tout juste ouvrant sa cloche, le corps droit en train de perdre son anneau, le teint de satin lisse. Autour du pied bulbeux, l'œuf était bien visible, l'œuf d'où tout venait, d'où éclosait cette belle fleur blanche. De près, comme un encens très léger s'échappant des lamelles, elle percevait l'odeur caractéristique, l'odeur de rose un peu fanée.

Debout sous la bruine qui pénétrait ses vêtements, arrêtée net dans le flux de ses pensées et de sa vie ordinaire, Lila était restée là, à attendre de savoir comment répondre à ce qui s'adressait ainsi à elle, car on s'adressait à elle en ce moment, on mettait sur son chemin trois amanites vireuses dans un coin du sentier en un temps de l'année où elles ne poussaient jamais, on lui parlait et elle essayait d'entendre ce qu'on lui disait. Elle avait sorti de sa poche le petit couteau qui y traînait en permanence.

Une tasse de bouillon de légumes avait été versée dans la poêle, du vin blanc avait mouillé le tout. C'était le moment d'ajouter une pomme de terre et de la laisser se défaire dans le potage. Elle alla chercher les pommes de terre dans le garde-manger, se pencha pour gratter le cou de VieuxMinou venu se frotter contre ses jambes dans l'espoir d'un encouragement plus comestible. Elle pela distraitement la pomme de terre en laissant jongler sa confiance neuve avec des idées.

L'idée, entre autres, de ne pas rentrer en ville cet automne.

De passer l'hiver au lac à l'Oie, comme elle ne l'avait fait qu'avec Jan, les deux dernières années de sa vie.

Toute seule, Lila, tout l'hiver?

C'est ainsi que Simon la décourageait, chaque fois qu'elle émettait l'hypothèse, flottante il est vrai et facilement démobilisable.

Cette fois, l'idée n'arrêtait pas de se remettre debout avec assurance. Mais oui. Toute seule tout l'hiver.

Six cordes de bois sec se dressaient contre l'appentis, la maison était bien isolée, la cheminée avait été ramonée, l'épicerie de Mont-Diamant faisait des livraisons l'année durant, des contrats de déneigement et d'entretien pouvaient être signés avec Bruno Mahone — pour ce qu'ils valaient, mais bon, elle savait comment fouetter les troupes défaillantes du village.

Toute seule avec cinq chats, des écureuils, des harfangs des neiges, des mésanges, des corneilles, des hermines, des renards au pelage éventuellement blanc, des lièvres blancs aussi, des chevreuils enfin tranquilles. Au pis-aller, cinq cents âmes au village à portée de téléphone et à quinze minutes de voiture — une voiture en excellente condition dans l'allée déblayée.

Le congélateur bourré de légumes, de fruits cuits, de pâtés, de potages. Et le fusil de Jan caché dans le bahut. Pour les imprévus menaçants, qui ne seraient jamais des animaux.

En raquettes dans la neige, au moins deux heures par jour.

Les images ravissantes défilaient. La neige qu'elle n'avait jamais beaucoup aimée était certainement ici d'une qualité supérieure, une poudreuse légère qui se fouettait en marchant comme de la meringue, et elle se voyait, infatigable sur ses raquettes, arpenter tout son territoire à la rencontre de spectacles rares — là, une harde de chevreuils dans son ravage s'arrêtant de brouter pour la saluer du regard, tout à coup une source et une chute hérissées de diamants de frimas, pourquoi pas quelques hiboux endormis dans les épinettes duveteuses, et tous les soirs des couchers de soleil mauves à couper le souffle avec en fond sonore le mugissement des glaces du lac en train de se coaguler. Avec Jan, il lui semblait qu'il y avait eu tout ça.

Ou peut-être étaient-ce les yeux de Jan qui donnaient naissance aux merveilles.

Elle se voyait lire, aussi. Les livres de Jan, toute une bibliothèque désertée dans le grand salon. De retour de randonnée, elle aurait le teint vif et le cerveau régénéré, elle s'assoirait devant le feu pétaradant, un grog de rhum chaud à la main, la smala de chats lovée sur elle, et elle plongerait dans les livres des hommes, des meilleurs d'entre eux.

Car les seuls hommes parfaitement fréquentables étaient les morts ayant écrit des livres. Des vivants, et même de certains morts médiocres, on pouvait toujours craindre quelque chose. Mais les morts ayant laissé des livres avaient ainsi laissé derrière eux la meilleure part d'eux-mêmes, qui n'était pas vraiment à eux il faut dire, qui leur venait de plus haut ou de plus enfoui et qu'ils n'avaient du reste pas eu le choix d'abandonner en disparaissant — sinon, qu'est-ce qu'on croit, ils se seraient tous tirés avec leur trésor.

Tout un hiver, elle tenterait de se réconcilier avec les hommes — les meilleurs d'entre eux, ceux qui ont pelé l'esprit humain de ses enveloppes et trouvé dans son noyau un sens à la vie. Dans sa propre bibliothèque, elle puiserait des textes polonais pour réentendre la musique de sa mère : Gombrowicz, Czeslaw Milosz, Przybos, et dans celle de Jan, des poètes et des mystiques ayant été fous ou sages mais rien entre les deux : Hölderlin, Maître Eckhart, Laozi, elle ne serait pas regardante sur leur origine ou leur époque, elle les assoirait tous ensemble près du poêle à bois avec à la main un grog ou un thé à leur convenance et ils auraient de vraies conversations.

Cet hiver elle trouverait un sens à la vie.

Le projet prenait une forme resplendissante, Lila lâcha la pomme de terre qu'elle était en train de réduire à un noyau de pêche et la dépeça dans le potage. Elle se versa une petite vodka pour célébrer son non-départ pour la ville.

Livres, neige, et quoi encore?

Dans l'éventualité improbable où elle en viendrait à se languir des contacts vivants, entre deux illuminations et deux randonnées dans le froid, elle pourrait même infiltrer la fourmilière municipale.

Cette idée-là était on ne peut plus divertissante. Elle pourrait assister à toutes les assemblées du conseil et pénétrer les secrets de l'hôtel de ville bancal où l'on trame les avis d'expropriation. Elle était la plus ancienne du village, et certainement l'une des moins timides. Elle pourrait en venir à briguer quelque poste lui permettant de saboter de l'intérieur — conseillère, administratrice, greffière…

Maire.

Pour être maire, il suffisait d'avoir son domicile permanent dans la municipalité et de savoir mettre son poing sur la table.

La mairesse Lila Szach.

Lila en rit un bon coup, dans la complicité de l'alcool et des effluves du potage, sans compter celle de Mama et de VieuxMinou qui formaient à ses pieds un auditoire subjugué. Rire faisait du bien. La vie était désopilante, par brefs intermèdes.

Elle s'assit. Une petite douleur avait été réveillée par son fou rire. Sur le côté gauche.

Une vieille petite crampe familière, une connaissance. Trop pointue et insistante pour être une copine, et puis prenant maintenant ses aises jusqu'au centre de sa poitrine.

Elle s'appuya le dos, respira profondément. Peut-être était-elle restée trop longtemps debout, trop longtemps perchée au-dessus du potage et de son odeur de rose flétrie.

Oui, cela venait du potage.

Quelques inhalations d'amanites vireuses ne pouvaient quand même pas causer de dommages. Elle s'était retenue d'y plonger le doigt pour goûter — mais respirer au-dessus restait certainement inoffensif.

Puisqu'elle l'avait déjà fait.

Car elle reconnaissait cette odeur suave, que venait relever la muscade finalement substituée à la cardamome, qu'arrondissait la crème fraîche, une très ancienne odeur.

Tiens, Gilles, tu mangeras ça sur la route.

La douleur avait retrouvé sa place exacte, au centre de Lila. La douleur naissait avec l'odeur et elle resterait là bien après que l'odeur aurait disparu.

Ça faisait ça, se transformer en criminelle. Ça ne pouvait pas ne pas laisser de marques. Les marques à la longue devenaient supportables.

Peut-être qu'elle se mettrait à boire trop, comme *Tata* Jerczy, pour rendre supportables les marques.

Elle pensait à *Tata* Jerczy depuis quelque temps. Même avant d'avoir trouvé les champignons, elle pensait à lui aux moments les plus invraisemblables, en nourrissant les chats, en prenant sa douche, elle se demandait ces jours-ci ce que ça aurait fait de le revoir avant sa mort.

Jean-François Clémont était un papa, lui aussi. Il avait deux petites filles de sept et de dix ans, qui ressemblaient à leur mère. Toutes jolies, avec des boucles blondes.

Elle s'apprêtait à leur zigouiller le papa. C'était très dur, perdre un papa qu'on aimait.

Même quand elle s'était mise à haïr papa Jerczy, elle n'avait jamais pu s'empêcher de continuer à l'aimer en même temps, tellement cet amour était comme un battement de cœur, un souffle vital, un réflexe. Ça doublait le tourment, ça faisait deux êtres à haïr : lui, et elle qui n'arrivait pas à arrêter de l'aimer.

C'est pour cette raison, au fond, qu'elle avait bien fait de ne pas le revoir.

Qui sait, elle l'aurait trouvé pathétique et, au lieu de lui cracher au visage, peut-être se serait-elle contentée de pleurer sur lui.

Assez de ça.

Un papa à la fois.

Arrête donc à la maison, Jeff, on va jaser.

Elle pourrait aussi tout jeter à la poubelle, et la douleur dans sa poitrine se dissoudrait en même temps que l'odeur du potage, et elle retrouverait la légèreté reconquise depuis si peu de temps.

Arrête donc chez moi avant de monter à la chasse, on va prendre un café.

Si elle jetait tout à la poubelle, les deux petites filles aux boucles blondes seraient préservées de la douleur — pendant que les orignaux et les mille autres créatures sans mots pour se défendre tomberaient sous l'assaut des bulldozers.

Là vous me faites plaisir, madame Szach. Vous allez voir comment vous allez être fière. Le plus gros centre récréatif des Laurentides après Tremblant.

Quelqu'un devait se tenir debout, un guerrier. Un ange exterminateur. En cette époque difficile où tous s'effondraient de faiblesse et de liquéfaction, il ne restait qu'elle, en avant, toute seule.

Lila ajouta un peu de poivre et du jus de citron, pour préserver la couleur. Puis elle versa tout dans le mélangeur. Dans cinq secondes, la crème serait lisse et blanche, prête. Elle suspendit son doigt au-dessus du bouton de démarrage.

Cela aussi, elle se le rappelait. La douleur à la poitrine, mais aussi l'accablement, juste avant le geste.

Tiens, Jeff, tu mangeras ça sur la route.

Vous êtes donc ben fine, madame Szach.

Ça va rester chaud dans le thermos.

Il fallait donc recommencer à vivre avec ça, ce poids griffu sur le cœur.

Et l'automne qui s'étendait interminable et gris,

des mois de ténèbres avant la blancheur de la neige. Elle n'avait pas de projet pour cet entre-deux qui s'installait, rien pour alléger le néant de l'automne et de son âme.

Elle entendit un raclement dérangeant, tout près, avant d'apercevoir la voiture. Que venait faire en plus cet intrus chez elle, une automobile bleue inconnue tout juste surgie du tournant?

Par la fenêtre de la cuisine, elle vit que l'automobile s'était immobilisée dans son entrée et que quelqu'un en descendait. La silhouette menue, les jambes grêles, le cœur de Lila s'arrêta de battre car c'était Markus qui se dirigeait vers chez elle, mais non c'était le Petit, c'était Jérémie le sourire fendu jusqu'aux oreilles et clopinant sur ses béquilles.

Elle laissa tout en plan et sortit à sa rencontre, transportée de joie.

JÉRÉMIE

La clé

Une ou deux fois par été, il grimpait là, seul.

Il s'installait quelques heures sur la plate-forme de la falaise avec du fromage et de la vodka, il laissait son esprit voler dans les hauteurs et s'étirer enfin à l'aise. Puis il redescendait en même temps que le soleil en marchant plus vite parce que le corps aussi a besoin d'être fouetté.

Pour monter, il prenait son temps. Le jour débutait à peine. Il furetait dans le sentier, il arrachait à la clandestinité des trésors qui ont l'air de riens — des fruits rouges séchés sur des branches tordues, des plumes grises, d'aigle peut-être, de goéland plus sûrement, des tiges d'asclépiades en fourrure. Il enfouissait tout dans son gros sac à dos. Un diable noir et blanc était tout à coup sorti des buissons, une mouffette queue levée en position de lance-flammes qui lui avait à peine laissé le temps de bondir sur le côté. Le jet l'avait raté d'un millimètre, remplissant le paysage de son encens épouvantable.

Il en riait encore en traversant le plateau aux érables.

Chanceux même avec les bêtes puantes.

Chanceux et aimé. *Mardeux de la tête aux pieds* — comme aurait dit Marco.

Pendant qu'il marchait avec le contentement de ceux qui ont du temps, la femme de sa vie était dans la maison blanche, occupée à être avec lui tout en faisant autre chose. Il avait ailleurs quatre grands enfants épanouis, bourrés d'intrépidité et de projets. Il avait des amis précieux un peu partout sur la planète.

Et depuis si longtemps il avait ça.

Ces kilomètres de jungle et de lac.

N'importe qui d'autre en aurait développé un sentiment de supériorité triomphant, ou alors une gratitude paisible, au moins un bonheur.

Lui, non.

Le monde allait mal. Les nouvelles tombaient chaque jour en couperets apocalyptiques. Ça le tourmentait. Il essayait de compenser. Il avait beau donner tout ce qu'il pouvait au monde, le monde recevait bien peu de sa chance à lui.

Il était tombé dans la chance très jeune. Une fois, il avait traversé de l'autre côté de la vie, comme on fait une promenade le dimanche après-midi et qu'on rentre après tranquillement chez soi. Ça l'avait délivré pour longtemps de la peur. C'était là sa première chance, être libéré si jeune de ce qui empoisonne la vie des autres.

Sa deuxième chance s'appelait Lila Szach.

Elle était morte un mois d'août en gravissant la

falaise. Quand elle avait été découverte plusieurs jours plus tard à quelques mètres du sommet, elle était méconnaissable, le corps et le visage à moitié grugés par les animaux. Il se rappelait à quel point Simon en avait été traumatisé. À cause des animaux, surtout, elle qui n'en avait jamais mangé aucun.

Quand il arrivait en haut de la falaise, il jetait dans les airs, comme vers elle, les cailloux, les plumes, les branches, tous les riens qu'il avait ramassés en chemin.

Dans la clairière, il s'arrêta un moment pour contempler les alentours. L'œil bleu du lac l'observait sans ciller du plancher du paysage. La forêt d'érables bruissait de mouvements venteux et d'oiseaux. Sur un tronc couché plus loin, il aperçut une sculpture d'acajou brillant — un *reishi,* un de ces gros polypores luisants auxquels les Japonais attribuent des pouvoirs de longévité et de bonheur.

Il en avait déjà trouvé quinze, au fil des années.

Il n'avait pas été vraiment étonné qu'elle lui laisse tout.

Lui et elle, ils étaient liés. On pouvait dire qu'ils s'étaient reconnus, comme s'ils se connaissaient avant de se connaître. Il se rappelait qu'elle l'avait sauvé d'un danger fondamental, le premier été. En revanche, il était sûr de l'avoir aussi sauvée au cours des années suivantes, même s'il n'aurait su expliquer de quoi.

Que dirait-elle, aujourd'hui ?

Dobrze, *bravo, Jérémie !* Ou : *Malheureux crétin de* Mały, *qu'est-ce qui t'a pris ?*

Il venait de donner le lac à l'Oie.

Au pied de la falaise, il commença à accélérer le pas. Mieux valait se mettre en mode enlevé s'il voulait tenir jusqu'en haut. La falaise continuait de le garder solide. Le lieu au complet, splendide, régénérant, paisiblement acharné à créer la vie, l'avait guéri de presque tout, l'avait amené le plus près possible d'être heureux.

Tout ça avait fini par valoir quelques centaines de millions de dollars.

Ce n'était pas d'hier que des prédateurs rôdaient, en quête de morceaux vifs à arracher. Il se rappelait vaguement que Lila avait déjà affronté une menace d'expropriation, ce même premier été, et qu'elle en avait été sauvée in extremis. Quand elle en parlait, c'était avec une exaltation qui le faisait sourire. *Un orignal ! Un orignal dans le pare-brise !* Mais des orignaux, en ces temps-là, il y en avait tellement qu'ils débordaient sans cesse dans les chemins semés sur leur territoire. Quand le prédateur de Lila avait rencontré un orignal sur la route 117 à la fin de cet été-là, il en était bien sûr mort sur le coup. Comme tant d'autres avant lui — comme son père, au fait.

Les menaces maintenant surgissaient de partout, et surtout de l'intérieur. En ce moment même, il savait que des chasseurs squattaient les portions éloignées de son terrain. Il était en guerre contre ses propres voisins, les jumeaux, qui voulaient vendre au plus offrant le chalet de leur grand-père Simon malgré le contrat l'interdisant expressément — le vieux contrat toujours valide entre Lila et Simon. Et ses propres enfants, qui n'étaient propriétaires que du second chalet bleu, recevaient des propositions mirobolantes qui les laissaient troublés, une mauvaise lumière dans l'œil.

Il était temps de confier le lac à des gardiens plus officiels et mieux organisés que lui.

Temps aussi de faire profiter de sa chance royale d'autres qui n'en avaient jamais eu.

Tout ça deviendrait un parc.

Un parc qui donnerait à de petits groupes recueillis venus de partout l'occasion de contempler ce qui n'existait plus ailleurs : de vrais animaux sauvages qui s'enfuient au lieu de vous quêter de la nourriture, des plantes tellement en santé qu'elles en sont banalement vertes, des pins centenaires uniquement menacés par la foudre et les insectes, un lac d'eau cristalline où les algues n'ont pas encore mis les pieds.

Un parc protégé freinerait enfin les rapacités.

Pourquoi, alors, ne ressentait-il pas un soulagement plus aigu, plus définitif?

Il s'arrêta à mi-chemin dans la falaise pour reprendre son souffle. Il s'adossa à son rocher préféré, qui surplombait la crevasse où il s'était jadis cassé la gueule.

Le visage de Lila flottait dans sa tête, roulant ses yeux des mauvais jours. *Aïe, Jérémie, aïe!*

Dieu merci, il avait presque tout perdu de cette sensibilité écorchée qui l'affectait trop avant, qui le bombardait d'images effrayantes qu'il ne comprenait pas. Il lui restait des intuitions, comme à tout le monde, parfois des éclairs sous forme de visages. Après Lila, c'était la jolie femme qui le visitait maintenant, la jolie femme rencontrée la veille au Ministère avec sa beauté sans âge, sa beauté blonde et polaire sertie de magnifiques yeux clairs. Elle lui avait broyé la main de ses doigts énergiques, *Appelez-moi Mélissa,* elle serait responsable de la suite des choses concernant le parc du lac à l'Oie, elle n'arrêtait pas de sourire et Jérémie s'étonnait de n'en recevoir aucune chaleur, *Je connais bien votre village,* avait-elle ajouté en lui tendant sa carte, *ma famille a eu longtemps un chalet dans le coin.* Après, elle s'était mise à parler de la nature avec une ferveur excessive tandis qu'il restait silencieux à triturer la carte sur laquelle il avait eu le temps de lire son nom, Mélissa, *Mélissa Clémont, Développement durable.*

Adossé au rocher, il prit une gorgée d'eau et grignota du fromage. Devant lui, les vieilles montagnes rondes et leurs taches d'eau se chevauchaient sans bonds spectaculaires, et pourtant c'étaient les plus vieilles du monde, vieilles montagnes ayant roulé leurs bosses à travers le temps et n'offrant que leur beauté rugueuse, aux pouvoirs cachés. Il frotta sur sa joue la vieille cicatrice qui le démangeait. Un malaise ne le quittait pas malgré la perfection du panorama, un malaise aux yeux clairs.

Et soudain le soleil le surprit, comme devant un film en noir et blanc sur lequel se jette la couleur. Les montagnes prirent feu, avec le ciel et tout ce qui était autour. Dans la lumière de l'incendie, le jardin dont il venait de donner la clé brillait comme de l'or. Il en eut les larmes aux yeux. Ce n'était que le matin retrouvé, mais quelle chance d'y être, quelle chance de brûler encore parmi les autres vivants. Il laissa tomber le malaise tel un poids inutile et recommença à monter. Déjà la chaleur avait grimpé d'un cran et il entrouvrit sa veste trop épaisse, sa vieille veste à carreaux rouges, aux poches déchirées. À ce moment il crut voir de biais une petite silhouette derrière lui, la silhouette d'un enfant qui l'aurait suivi jusque-là, et il se retourna d'un geste vif, mais bien sûr il n'y avait rien, et il recommença à monter dans le soleil, à monter vers Lila.

Remerciements

Des amis m'ont aidée dans l'élaboration de cet univers, sans toujours le savoir :

Merci à Ann Charney pour avoir écrit *Dobryd.*

Merci à Elisabeth *Elzbieta* Jelen pour m'avoir nourrie de polonais.

Merci à Francis Gingras pour toutes les sortes de champagnes.

Merci à Chrystine Brouillet pour le premier faux mousseron et la première chenille de monarque.

Merci à Paul-André Fortier pour son *Solo 30 x 30* coin Sainte-Catherine et Clark en décembre 2006.

Merci au centre Vipassana de Sutton.

Et comme promis, mes pensées émues vont à Y. S. quelque part en train de recommencer son enfance.

Monique Proulx

EXTRAIT DU CATALOGUE

Georges Anglade
Les Blancs de mémoire

Emmanuel Aquin
Désincarnations
Icare
Incarnations
Réincarnations

Denys Arcand
L'Âge des ténèbres
Le Déclin de l'Empire américain
Les Invasions barbares
Jésus de Montréal

Gilles Archambault
À voix basse
Les Choses d'un jour
Comme une panthère noire
Courir à sa perte
De l'autre côté du pont
De si douces dérives
Enfances lointaines
Les Maladresses du cœur
L'Obsédante Obèse et autres agressions
L'Ombre légère
Les Rives lointaines
Le Tendre Matin
Tu ne me dis jamais que je suis belle
Un après-midi de septembre
Un homme plein d'enfance

Michel Bergeron
Siou Song

Hélène de Billy
Maurice ou la vie ouverte

Nadine Bismuth
Les gens fidèles ne font pas les nouvelles
Scrapbook

Lise Bissonnette
Choses crues
Marie suivait l'été
Quittes et Doubles
Un lieu approprié

Neil Bissoondath
À l'aube de lendemains précaires
Arracher les montagnes
La Clameur des ténèbres

Tous ces mondes en elle
Un baume pour le cœur

Marie-Claire Blais
Augustino et le chœur de la destruction
Dans la foudre et la lumière
Naissance de Rebecca à l'ère des tourments
Noces à midi au-dessus de l'abîme
Soifs
Une saison dans la vie d'Emmanuel

Elena Botchorichvili
Faïna
Sovki
Le Tiroir au papillon

Gérard Bouchard
Mistouk
Pikauba

Jean-Pierre Boucher
La vie n'est pas une sinécure
Les vieux ne courent pas les rues

Emmanuelle Brault
Le Tigre et le Loup

Jacques Brault
Agonie

Chrystine Brouillet
Rouge secret

Katerine Caron
Vous devez être heureuse

Louis Caron
Le Canard de bois
Les Fils de la liberté I
La Corne de brume
Les Fils de la liberté II
Le Coup de poing
Les Fils de la liberté III
Il n'y a plus d'Amérique
Racontages
Tête heureuse

André Carpentier
Gésu Retard
Mendiant de l'infini
Ruelles, jours ouvrables

Jean-François Chassay
L'Angle mort
Laisse
Les Taches solaires

Ying Chen
Immobile
Le Champ dans la mer
Le Mangeur
Querelle d'un squelette avec son double

Ook Chung
Contes butô
L'Expérience interdite

Joan Clarke
La Fille blanche

Matt Cohen
Elizabeth et après

Normand Corbeil
Ma reine

Gil Courtemanche
Un dimanche à la piscine à Kigali
Une belle mort

Judith Cowan
La Loi des grands nombres
Plus que la vie même

Esther Croft
Au commencement était le froid
La Mémoire à deux faces
Tu ne mourras pas

France Daigle
Petites difficultés d'existence
Un fin passage

Francine D'Amour
Écrire comme un chat
Presque rien
Le Retour d'Afrique

Fernand Dansereau
Le Cœur en cavale

Edwidge Danticat
Le Briseur de rosée

Louise Desjardins
- *Cœurs braisés*
- *Le Fils du Che*
- *So long*

Germaine Dionne
- *Le Fils de Jimi*
- *Tequila bang bang*

Christiane Duchesne
- *L'Homme des silences*
- *L'Île au piano*

Louisette Dussault
- *Moman*

Irina Egli
- *Terre salée*

Gloria Escomel
- *Les Eaux de la mémoire*
- *Pièges*

Michel Faber
- *La Rose pourpre et le Lys*

Jonathan Franzen
- *Les Corrections*

Christiane Frenette
- *Après la nuit rouge*
- *Celle qui marche sur du verre*
- *La Nuit entière*
- *La Terre ferme*

Marie Gagnier
- *Console-moi*
- *Tout s'en va*

Lise Gauvin
- *Fugitives*

Simon Girard
- *Dawson Kid*

Douglas Glover
- *Le Pas de l'ourse*
- *Seize sortes de désir*

Anne-Rose Gorroz
- *L'Homme ligoté*

Louis Hamelin
- *Le Joueur de flûte*
- *Sauvages*
- *Le Soleil des gouffres*

Bruno Hébert
- *Alice court avec René*
- *C'est pas moi, je le jure !*

David Homel
- *Orages électriques*

Suzanne Jacob
- *Les Aventures de Pomme Douly*
- *Fugueuses*
- *Parlez-moi d'amour*
- *Wells*

Emmanuel Kattan
- *Nous seuls*

Marie Laberge
- *Adélaïde*
- *Annabelle*
- *La Cérémonie des anges*
- *Florent*
- *Gabrielle*
- *Juillet*
- *Le Poids des ombres*
- *Quelques Adieux*
- *Sans rien ni personne*

Marie-Sissi Labrèche
- *Borderline*
- *La Brèche*
- *La Lune dans un HLM*

Robert Lalonde
- *Des nouvelles d'amis très chers*
- *Espèces en voie de disparition*
- *Le Fou du père*
- *Iotékha'*
- *Le Monde sur le flanc de la truite*
- *Monsieur Bovary ou mourir au théâtre*
- *Où vont les sizerins flammés en été ?*
- *Que vais-je devenir jusqu'à ce que je meure ?*
- *Un jardin entouré de murailles*
- *Le Vacarmeur*

Monique LaRue
- *La Démarche du crabe*
- *La Gloire de Cassiodore*

Hélène Le Beau
Adieu Agnès
La Chute du corps

Rachel Leclerc
Noces de sable
Ruelle Océan
Visions volées

Louis Lefebvre
Guanahani
Table rase
Le Troisième Ange à gauche

Alistair MacLeod
La Perte et le Fracas

Francis Magnenot
Italienne

André Major
L'Esprit vagabond
Histoires de déserteurs
La Vie provisoire

Gilles Marcotte
Une mission difficile
La Vie réelle
La Mort de Maurice Duplessis et autres nouvelles
Le Manuscrit Phaneuf

Yann Martel
Paul en Finlande

Alexis Martin
Bureaux

Alexis Martin et Jean-Pierre Ronfard
Transit section nº 20 suivi de *Hitler*

Maya Merrick
Sextant

Stéfani Meunier
Au bout du chemin
Ce n'est pas une façon de dire adieu
L'Étrangère

Anne Michaels
La Mémoire en fuite

Michel Michaud
Cœur de cannibale

Christian Mistral
Léon, Coco et Mulligan

Marco Micone
Le Figuier enchanté

Hélène Monette
Le Blanc des yeux
Il y a quelqu'un?
Plaisirs et Paysages kitsch
Un jardin dans la nuit
Unless

Pierre Monette
Dernier automne

Caroline Montpetit
Tomber du ciel

Lisa Moore
Alligator
Les Chambres nuptiales
Open

Yan Muckle
Le Bout de la terre

Pierre Nepveu
Des mondes peu habités
L'Hiver de Mira Christophe

Émile Ollivier
La Brûlerie

Michael Ondaatje
Divisadero
Le Fantôme d'Anil

Véronique Papineau
Petites histoires avec un chat dedans sauf une

Eduardo Antonio Parra
Terre de personne

Nathalie Petrowski
Il restera toujours le Nebraska
Maman last call

Daniel Poliquin
L'Écureuil noir
L'Homme de paille
La Kermesse

Monique Proulx

Les Aurores montréales

Champagne

Le cœur est un muscle involontaire

Homme invisible à la fenêtre

Rober Racine

Le Cœur de Mattingly

L'Ombre de la Terre

Bruno Ramirez et Paul Tana

La Sarrasine

Yvon Rivard

Le Milieu du jour

Le Siècle de Jeanne

Les Silences du corbeau

Louis-Bernard Robitaille

Le Zoo de Berlin

Alain Roy

Le Grand Respir

L'Impudeur

Quoi mettre dans sa valise?

Hugo Roy

L'Envie

Kerri Sakamoto

Le Champ électrique

Jacques Savoie

Les Portes tournantes

Le Récif du Prince

Une histoire de cœur

Mauricio Segura

Bouche-à-bouche

Côte-des-Nègres

Gaétan Soucy

L'Acquittement

Catoblépas

Music-Hall!

La petite fille qui aimait trop les allumettes

France Théoret

Les apparatchiks vont à la mer Noire

Une belle éducation

Marie José Thériault

Les Demoiselles de Numidie

L'Envoleur de chevaux

Pierre-Yves Thiran

Bal à l'abattoir

Miriam Toews

Drôle de tendresse

Lise Tremblay

La Sœur de Judith

Guillaume Vigneault

Carnets de naufrage

Chercher le vent

MISE EN PAGES ET TYPOGRAPHIE :
LES ÉDITIONS DU BORÉAL

CE DEUXIÈME TIRAGE A ÉTÉ ACHEVÉ D'IMPRIMER EN JUILLET 2008
SUR LES PRESSES DE L'IMPRIMERIE GAGNÉ
À LOUISEVILLE (QUÉBEC).